P9-DCN-757

LE GRAND LIVRE

DES MERVEILLES

DU MONDE

LES PLUS BEAUX SITES

LE GRAND LIVRE

DES MERVEILLES

DU MONDE

LES PLUS BEAUX SITES

Ruppert O. Matthews

Adaptation de Gérard Capdeville

FRANCE LOISIRS
123, Boulevard de Grenelle, Paris

SOMMAIRE

Édition française © Éditions Nathan (Paris-France) 1989
© 1988 Marshall Editions Ltd.
Publié en 1988 par Guild Publishing
sur ordre de Marshall Editions Ltd.
Publié au Royaume Uni par Ebury Press

Édition du Club France Loisirs, Paris,
avec l'autorisation des Editions Nathan.

N.° Editeur 14453 ISBN 2-7242-4129-0

Imprimé en Espagne

Aucune partie de ce livre ne pourra être reproduite,
sous quelque forme que ce soit, sans l'autorisation
préalable de l'éditeur.

INTRODUCTION

La surface de la Terre est un paysage en perpétuel changement. Depuis des millions d'années, la couverture extérieure du globe n'a cessé d'être sculptée en une infinité de formes merveilleuses. Ce revêtement malléable, pris entre le noyau incandescent de la planète et les forces extérieures du vent et du climat, est parsemé de volcans, hérissé d'énormes chaînes de montagnes, creusé par la puissance des eaux et des glaciers. Il en résulte une variété déconcertante de phénomènes spectaculaires.

Ce livre rassemble les merveilles créées par les forces de la Nature, de la plus grande à la plus petite — du gigantesque Himalaya, sorti du fond de la mer, au dédale des jardins de corail de la Grande Barrière, du puissant réseau fluvial de l'Amazone au décor féerique et finement travaillé des grottes calcaires de Frasassi. Géographie et histoire s'associent à la géologie pour mettre en évidence le caractère unique de ces merveilles de la Nature : chacune a une particularité qui mérite qu'on la protège des ravages causés par l'homme.

Cependant, même si nous nous efforçons de protéger notre héritage pour les prochaines générations, les merveilles naturelles d'aujourd'hui ne dureront pas éternellement. Des changements dans le climat, la lente dérive des continents et le processus continuel de l'érosion impliquent que nos extraordinaires paysages s'effaceront inévitablement au fil du temps géologique. Mais ils seront progressivement remplacés par de nouvelles merveilles, dont on peut seulement essayer aujourd'hui de deviner l'emplacement et les dimensions.

LA CARTE DU MONDE indique la situation des merveilles de la Nature décrites dans ce livre. Celles-ci sont présentées dans l'ordre de leur longitude, en partant du méridien de Greenwich et en allant vers l'Est. Les sites dont le nom est en caractères gras font l'objet des développements principaux ; les autres sont décrits dans « Autres sites », des pages 218-223. La longitude et la latitude de chaque site sont données au dixième de degré près.

Strokkur
Sognefjord
Lac Vänern
Skye
aussée des Géants
Ben Bulbin
Waddenzee
Gorges de Cheddar
Banc de Chesil
Königssee
Grotte d'Eisriesenwelt
Mont Blanc
Alpes
Aven Arman
Lac Majeur
Lacs de Plitvice
Camargue
Grottes de Frasassi
Gorges du Verdon
Météores
Vésuve
Sources de Pamukkale
Etna
Cônes d'Urgup
Las Marismas
Oasis de Nefta
Mer Morte
Grand Erg Occidental
Désert du Néguev
Hoggar
Nil
Mer Rouge
Lac Tchad
Ruwenzori
Lac Victoria
Bassin du Congo
Cratère de Ngorongoro
Kilimandjaro
Chutes Victoria
Madagascar
Désert de Namib

Lac Baïkal
Désert de Gobi
Volga
Mer Caspienne
Huang He
Baie de Matsushima
Mont Fuji
Beppu
Lacs Band-i Amir
Vallée du Cachemire
Himalaya
Mt Everest
Collines de Guilin
Gange
Mékong
Ghâts occidentaux
Fosse des Mariannes
Mont Mayon
Lac Toba
Krakatoa
Grande Barrière de Corail
Ayers Rock
Désert de Simpson
Whakarewarewa
Milford Sound

Banquise de Ross

80°
60°
40°
20°
0°
20°
40°
60°

20° 0° 20° 40° 60° 80° 100° 120° 140° 160°

7

LE GRAND ERG OCCIDENTAL

Les dunes mouvantes du Sahara

La route qui, en Algérie, mène de l'Atlas saharien à la ville de Laghouat offre une vue remarquable sur le Grand Erg occidental. De grandes collines de sable, des dunes aux parois lisses et à la crête fine, toutes étonnamment semblables, se succèdent à l'infini telles les vagues d'un océan.

Cependant, le Grand Erg occidental et les autres ergs ne représentent guère qu'un cinquième de la superficie totale du Sahara qui est de 9 millions de km². La plus grande partie du plus vaste désert du monde est composée de mornes plaines de graviers, de plateaux rocheux stériles, de montagnes arides et de dépressions couvertes de sel hantées par les mirages.

Cet enchaînement sans fin des dunes de l'erg, avec leur lent mouvement paresseux, est à la fois impressionnant et déroutant : Albert Camus (né en Algérie, 1913-1960), décrivait le désert comme « un pays d'une beauté inutile et irremplaçable ». Le vent qui y souffle en permanence sculpte dans le sable des silhouettes fantastiques qu'il détruit aussitôt. Le soleil implacable, fait de cet endroit le plus chaud et le plus sec de toute la Terre. L'échauffement de l'air est tel qu'il provoque des mirages.

La couche supérieure de sable à la surface de l'erg — « vaste étendue de sable » en arabe — est exposée aux caprices du vent. Lorsque de puissants vents réguliers soufflent dans une seule direction, le sable s'accumule pour former de grandes dunes en forme de croissant, les barkhanes, qui progressent à travers le désert. Dans certaines zones, elles forment de longues lignes parallèles séparées par de larges vallées.

Il y a quinze mille ans, alors que la majeure partie de l'Amérique du nord et de l'Europe vivait une période glaciaire, le

LE GRAND ERG OCCIDENTAL occupe la partie nord-ouest du Sahara. Il couvre une superficie de soixante-dix-huit mille kilomètres carrés, soit plus que celle des trois États du Bénélux. Les barkhanes, ces énormes dunes de sable en forme de croissant, se déplacent à travers le désert. Elles sont poussées en avant par des vents constants et avancent souvent de 30 m en une seule année.

Grand Erg occidental — comme le reste du Sahara — était riche et fertile. Des troupeaux d'animaux sillonnaient des plaines ondulées et des herbages luxuriants. Des hommes préhistoriques y vivaient alors et prospéraient. Les peintures rupestres qu'ils ont exécutées laissent voir un paradis pour les chasseurs.

Puis le climat a changé peu à peu à la surface du globe. Les glaciers ont fondu et reculé. Les courants d'air chargés de l'humidité de l'océan Atlantique se sont déplacés vers le nord pour déverser leurs eaux sur l'Europe et non plus sur l'Afrique. Soumis désormais à des vents secs, le Sahara fut privé de ses rivières. Sans humidité pour maintenir sa cohésion, le sol s'est décomposé, perdant sa fertilité. En un espace relativement court dans le temps géologique, le riche terroir est devenu une mer de sable mouvant. Aujourd'hui, les pluies sont très rares et lorsqu'il y en a, elles durent tout au plus quelques heures.

L'étude de schémas climatiques à long terme laisse à penser que le Sahara ne sera pas toujours un désert. Tôt ou tard, il bénéficiera d'une autre période humide et fertile. Au cours des trois derniers millions d'années, la région a oscillé entre des périodes humides et des périodes sèches, tandis que l'Europe du Nord passait par un cycle de glaciations et de réchauffements. Le sable du Grand Erg occidental s'est déposé au cours de la période humide antérieure, lorsque les rivières emportaient vers le nord d'énormes quantités de sable, de terre et de sédiments arrachés aux montagnes.

VAMPIRES ET TEMPÊTES DE SABLE

La nuit, on entend des cris étranges, on voit des silhouettes furtives galoper à travers les dunes chatoyantes ou suivre les traces des caravanes de chameaux. De telles visions ont donné naissance aux légendes de vampires. Des nomades certifient avoir vu ces terribles démons mangeurs d'hommes et ils en donnent comme preuve les ossements que l'on voit parfois dans le désert : « Qui d'autre que des vampires pourrait nettoyer aussi bien ces os ? » La réponse est probablement « le sable ». Et du sable, soulevé par le vent en une petite colonne, peut aisément être confondu avec un être surnaturel, lorsqu'on le voit à travers un air surchauffé.

Le vent peut souffler à travers le Grand Erg avec une fureur que ne ralentit aucun obstacle. De grandes quantités de sable sont alors balayées et forment un nuage aveuglant. Les tempêtes de sable atteignent souvent une vitesse de 50 km/h. Le mur compact de sable tourbillonnant qui apparaît presque sans prévenir peut s'élever à 1,5 km de haut et présenter un front large de 500 km. Des vents violents couvrent tous les bruits, le sable voile toute lumière.

À l'intérieur d'une tempête de sable, on peut distinguer plusieurs strates. Du bas jusqu'à mi-hauteur environ, l'air est épais, chargé de gravier et de sable grossier. Au-dessus, il y a une couche de sable plus fin qui pénètre dans toutes les fissures. Seuls le sable le plus fin et la poussière sont entraînés haut dans le ciel — souvent assez pour occulter le soleil à plusieurs kilomètres du cœur de la tempête. Et les effets de telles tempêtes ne sont pas toujours limités au désert. La poussière du Sahara est parfois transportée à travers la Méditerranée sur le sud de l'Europe et parfois jusqu'en Grande-Bretagne. Après une tempête en Algérie, en 1947, certaines zones des Alpes suisses prirent une couleur rose due à la poussière rouge venue du Sahara.

■   ■

DES CARAVANES ont animé les déserts nord-africains dès le IIIᵉ siècle avant Jésus-Christ, lorsque des dromadaires d'Arabie y ont été introduits. Les chameaux, en réalité, sont originaires d'Amérique du Nord, mais les espèces locales ont disparu de ce continent il y a dix mille ans. Le chameau arabe (Camelus dromedarius) est l'un des mammifères le mieux adapté au désert. Ses larges sabots bifides, à la plante épaisse, l'empêchent de s'enfoncer dans le sable perfide du désert, tandis que la graisse contenue dans sa bosse unique se convertit facilement en source d'eau en temps de sécheresse. Une couche isolante d'air, sous sa peau velue, le protège des durs rayons du soleil.

L'ASSAUT DU SABLE ET DE LA POUSSIÈRE dans les tempêtes de sable a peu d'effet sur la marche d'un chameau. De longs cils touffus et d'épaisses paupières protègent ses yeux ; des muscles faciaux spéciaux permettent au chameau d'ouvrir et de fermer ses narines ; sa peau velue atténue le choc du sable qui vole.

LES DUNES DE SABLE EN FORME
DE CROISSANT, ou barkhanes,
se forment dans les déserts secs,
où des vents puissants soufflent
la plupart du temps dans une
seule et même direction.
Les grains de sable poussés par
le vent par-dessus le sommet
d'une barkhane retombent les
uns sur les autres pour former

sous le vent une face escarpée.
Par ce processus constant,
la barkhane se déplace dans
le désert, à des vitesses pouvant
atteindre 30 m par an.
Dans les vastes étendues
sans obstacles, des barkhanes
peuvent s'assembler en
grandes formations
triangulaires.

COMMENT SE FORME UNE BARKHANE

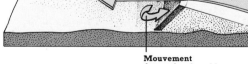

Mouvement
des grains de sable

Direction du
vent dominant

GROUPE DE BARKHANES

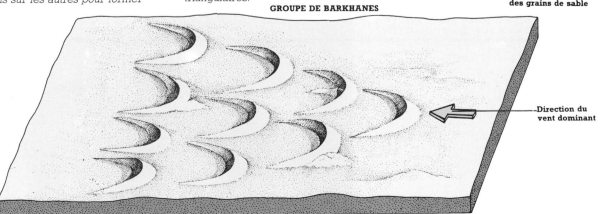

Direction du
vent dominant

11

LE SOGNEFJORD

Une sculpture héritée des âges glaciaires

EUROPE — NORVÈGE

Les fjords qui festonnent la côte occidentale de la Norvège sont un témoignage de l'impressionnante force des glaciers. Leur roi incontesté est le Sognefjord : aucun autre fjord dans le monde n'est aussi profond, aussi majestueux. Des falaises abruptes et des montagnes couronnées de neige s'élèvent du bord de l'eau, des villages et des fermes pittoresques se nichent dans toutes les zones habitables. Des chutes d'eau dévalent des pentes couvertes de forêts ou de roches nues, jusque dans les eaux calmes du fjord.

À partir des îles Solund au bord de la mer du Nord, Sognefjord s'étend vers l'intérieur sur 200 km. Ses falaises s'élèvent presque à la verticale, atteignant par endroits une altitude de 900 m. En un point, près de la ville de Vadheim, à environ un tiers de la distance depuis la mer, le Sognefjord a une profondeur de 1 234 m. Du sommet des falaises jusqu'au fond du lit, la hauteur totale du Sognefjord dépasse d'un tiers celle du Grand Canyon aux États-Unis.

Pendant la plus grande partie de son existence de plus de quatre mille six cents millions d'années, la Terre a eu un climat chaud et sec, ses continents étant dépourvus de glace. Mais les géologues ont détecté six ères glaciaires, chacune d'environ cinquante millions d'années, au cours desquelles ont prédominé des climats plus froids et plus humides.

Ces ères sont elles-mêmes divisées en périodes, appelées âges glaciaires, d'un froid exceptionnel, associées à une glaciation extensive. Le dernier âge glaciaire a commencé il y a cent vingt-cinq mille ans, a eu son apogée il y a cinquante mille ans et s'est terminé vers 8 000 avant Jésus-Christ. D'immenses couches de glace couvrirent la majeure partie de l'Europe septentrionale et de l'Amérique du Nord. La flore et la faune de ces régions se retirèrent vers le sud. La végéta-

LE SOGNEFJORD forme un immense bras de mer, sur la côte sud-ouest de la Norvège, à deux cent quarante kilomètres au nord-ouest, quatre-vingts kilomètres au nord de Bergen. Les eaux de la branche orientale du Sognefjord, Ardalfjord, coulent par-dessus les chutes de Vettis qui, avec une hauteur de 275 m, sont les plus hautes de Norvège. Autour de la ville de Leikanger, située à peu près à mi-chemin le long de la rive nord du fjord, des arbres fruitiers poussent à des températures dont la moyenne annuelle est de 13,2 °C.

tion sur le pourtour des champs de glace n'était que toundra et mornes broussailles peuplées seulement de mammouths, de mastodontes velus, de rhinocéros laineux et de bœufs musqués.

À chacun des âges glaciaires successifs, la Scandinavie a été submergée par une gigantesque couche de glace subsistant chaque fois des milliers d'années. Au Sognefjord, un ancien réseau de rivières fut recouvert par les glaciers qui descendaient des montagnes environnantes. Comme les glaciers réapparaissaient à chaque âge, ils creusaient de plus en plus les roches et la terre des vallées latérales aussi bien que celle du fleuve principal.

Le glacier qui, durant le dernier âge glaciaire, a donné au Sognefjord sa forme actuelle était plus épais au sommet, à environ 210 km de la mer : on estime à 3 000 m son épaisseur à cet endroit. C'est à 50 km de la mer que le glacier était le plus mince : entre 100 et 300 m. Lorsque finalement le glacier recula, il y a dix mille ans, les eaux de la mer du Nord occupèrent une vallée glaciaire classique : en forme de « U », à fond plat, avec ses parois rocheuses striées, moins profonde du côté de la mer, là où le glacier perdait son pouvoir d'érosion.

DE LA MER AUX MONTAGNES COURONNÉES DE NEIGE

C'est à bord des ferries qui sillonnent chaque jour ses eaux que l'on peut le mieux admirer l'impressionnant paysage du Sognefjord. Près de l'embouchure, des mamelons dénudés s'élèvent au-dessus de la mer ; plus à l'intérieur, les falaises escarpées se dressent si verticalement que de gros ferries peuvent passer à portée de main sans s'échouer.

À la hauteur de la ville de Balestrand sur la rive nord, le fjord de Fjaerlands se détache sur 25 km. Ses eaux proviennent du glacier Jostedal, qui est la plus grande nappe de glace de l'Europe et un reste des glaciers qui créèrent le Sognefjord. On suppose que le Jostedal disparut aussi à la fin de l'âge glaciaire, mais qu'il reparut durant ce que l'on appelle « le petit âge glaciaire », entre le XVᵉ siècle et le XIXᵉ siècle, atteignant alors une profondeur estimée à 300 m.

Après avoir tourné vers le nord entre Balestrand et la vieille ville viking de Vik, sur la rive sud, le Sognefjord commence à se diviser en fjords affluents, plus petits, où le climat est plus chaud et plus humide. Au point où le Sogndalfjord se détache vers le nord et l'Aurlandsfjord vers le sud, une étendue croissante de terre est utilisée pour des activités agricoles et fruiticoles. La ville de Liekanger à elle seule compte plus de 60 000 arbres fruitiers : pêchers, abricotiers et noyers. Dans les fjords affluents et au sommet du Sognefjord, le sol s'est élevé d'environ 100 m depuis la fin de l'âge glaciaire à cause de l'irruption de la mer qui a apporté de grandes quantités de sable et de gravier.

Derrière la ville de Kaupanger, sur la rive nord, la plus haute pente continue de la Norvège s'élève à plus de 900 m. Au-delà, le Sognefjord se divise en trois branches : Laerdalfjord, en face de Kaupanger, vers le sud ; Ardalfjord vers l'est et Lusterfjord vers le nord. Le cours principal, qui coule dans le pittoresque Leerdalfjord, est la rivière à saumon la plus fameuse de Norvège.

Lusterfjord, la branche la plus longue et l'une des plus larges, s'étend sur 48 km. À son extrémité se trouve Sognesfell, un col qui conduit au Jotunheim, « la maison des géants ». Liées géologiquement aux anciennes roches d'Écosse, ces montagnes contiennent le plus haut sommet de Scandinavie, le Glittertinden, qui s'élève à 2 472 m.

■

DES MONUMENTS COMMÉMORATIFS EN CALCAIRE furent érigés par les Vikings en l'honneur de leurs héros. Cette pierre imagée, haute de 3,7 m, se trouve sur l'île de Gotland. Les quatre panneaux représentent, de haut en bas : la mort du héros sur le champ de bataille, ses funérailles, son entrée au paradis des guerriers et un drakkar symbolisant le voyage de l'âme.

LE RENNE (Rangifer tarandus) migre en hiver vers les régions du sud de la Scandinavie comme le Sognefjord, où il se nourrit de lichens. En été, le renne retourne vers les régions de la toundra, au nord, pour la naissance des petits. Les animaux des deux sexes portent des bois, mais ceux des mâles sont plus longs.

LES PROUES DES DRAKKARS VIKINGS étaient toujours ornées de figures à l'aspect farouche, comme ce pilier d'étrave du IXᵉ siècle, creusé dans un chêne, en forme de tête de dragon. De telles sculptures n'étaient pas fixées à l'avant des navires pour des raisons purement ornementales, mais dans le dessein de terrifier les ennemis et d'écarter les mauvais esprits lorsqu'on était en mer.

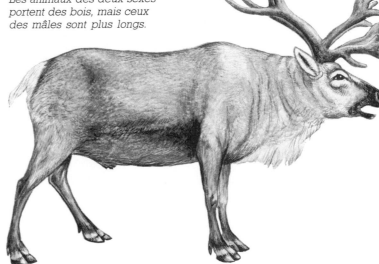

LA PETITE VILLE DE VIK se trouve au bord d'une baie arrondie, à mi-chemin sur la rive sud du Sognefjord. Entourée de pics élancés et couronnés de neige, Vik — dont le nom signifie « baie » — est le principal producteur norvégien de « vieux fromage » ou gammelost. L'histoire de la ville remonte à l'époque des Vikings (800-1050 apr. J.-C.), lorsque ces hommes du Nord quittaient leurs fermes pour voyager en divers points du monde. Des générations d'habiles artisans ont utilisé les mêmes techniques et les mêmes motifs à la fois pour les bateaux et pour l'architecture religieuse. À Vik, par exemple, l'église d'Hopperstad au toit de pagode (XIIᵉ siècle) est décorée de serpents ailés et d'autres animaux façonnés dans le bois comme les piliers d'étrave des drakkars. Le bois sculpté du jubé et l'un des autels rappellent les barrots des navires.

LES GORGES DU VERDON

Un canyon creusé dans un paysage calcaire

EUROPE - FRANCE

Dans leur impressionnante splendeur, les falaises escarpées, les canyons vertigineux et les cascades du Verdon se cachent au plus profond des montagnes du sud-est de la France. Au cœur de ce paysage calcaire, les eaux turbulentes du Verdon ont creusé des gorges si spectaculaires qu'on les a surnommées « le Grand Canyon d'Europe ».

En 1905, le spéléologue Edouard Martel fut le premier à explorer les gorges du Verdon sur toute leur longueur et à attirer l'attention sur leur magnificence. Le canyon s'allonge sur 30 km, entre les villes médiévales de Castellane à l'est et de Moustiers-Sainte-Marie à l'Ouest. De chaque côté des eaux impétueuses, des falaises abruptes s'élèvent jusqu'à plus de 700 m de hauteur. Au niveau de l'eau, là où des parois de roches nues encadrent la rivière, la largeur des gorges varie de 6 m à 100 m. Au-dessus de la ligne des flots d'hiver, le calcaire nu fait place à des broussailles et à des buissons. Au sommet des gorges, l'espace entre les deux parois varie de 200 m à 1,6 km.

Le paysage des gorges calcaires et de leurs environs n'a pas été créé entièrement par la force du Verdon. Les petites quantités de dioxyde de carbone que la pluie recueille lorsqu'elle tombe à travers l'air la transforment en acide carbonique ; cet acide pénètre dans les plus petites fentes, qu'il élargit en dissolvant et en faisant disparaître le carbonate de calcium, le principal constituant du calcaire.

L'affouillement du calcaire affaiblit toute la zone rocheuse et permet à la rivière de creuser plus facilement son chemin vers le bas. Les géologues ont supposé qu'avant la formation des gorges la rivière coulait à travers une grotte souterraine. Comme l'érosion chimique affaiblissait lentement la voûte de

LES GORGES DU VERDON sont situées dans le massif calcaire de Provence, à 130 km au nord-ouest de Cannes, dans le sud-est de la France. Le Verdon, qui a creusé les gorges, prend sa source au Mont Pelat, un sommet de plus de 3 000 m dans les Alpes maritimes. Il coule sur 190 km pour se jeter dans la Durance — un affluent du Rhône — à une cinquantaine de kilomètres de Marseille. Les gorges du Verdon, les plus longues de France, sont aussi les plus spectaculaïres des gorges calcaires.

la caverne, il arriva un moment où elle s'effondra sous son propre poids et forma un grand gouffre.

AUTOUR DES GORGES

Avant d'atteindre ses gorges spectaculaires, le Verdon coule au sud, vers la ville de Castellane, en partant d'un lac aux eaux bleu clair : long d'environ 9,6 km, il fut créé par le barrage hydroélectrique de Castillon en 1947. Dans la ville elle-même, les eaux dévalent au-dessous du Roc, un rocher solitaire haut de 183 m, couronné par une minuscule chapelle dédiée à la Vierge Marie.

Lorsqu'on regarde depuis le sommet du Roc, la rivière disparaît entre les parois perpendiculaires de l'entrée étroite des gorges. Une route, ponctuée de belvédères offrant des vues à couper le souffle, a été tracée tout autour des gorges. Le balcon de la Mescla, par exemple, est un balcon naturel sur la paroi sud, dominant la *mescla*, c'est-à-dire le mélange, des eaux du Verdon avec celles d'un affluent, l'Artuby. La paroi rocheuses en face du balcon présente une série de corniches de granite aux teintes variées, du rouge à l'ocre jaune.

Au-dessous du balcon, le Verdon, qui coulait jusque-là vers le sud, tourne soudain vers le nord-ouest. La Corniche sublime, une route de montagne construite au sommet du côté sud du canyon en 1947, serpente de tunnels en tunnels et conduit les voyageurs à d'autres belvédères, comme les falaises des Cavaliers et le col d'Illoire.

À l'extrémité ouest des gorges, la rivière se déverse dans le lac artificiel de Sainte-Croix. Créé en 1973, en même temps que la route des Crêtes sur la paroi nord des gorges, ce lac de 2 500 ha est utilisé surtout pour des activités de loisir. Au nord du lac se trouve la ville de Moustiers-Sainte-Marie, réputée pour avoir le plus beau site de toute la Provence, au pied des gorges, entre deux grandes falaises.

LES EAUX VERTES DE LA RIVIÈRE

De hauts rochers s'élèvent au centre du lit de la rivière, formant dans le torrent de longs serpentins d'eau blanche qui contrastent avec la délicate nuance de vert à laquelle le Verdon doit son nom. Mais les eaux, bien qu'exemptes de souillure et de débris organiques, ne sont pas claires : tant que le Verdon coule à travers ses gorges, son apparence est presque laiteuse.

La transparence verte de la rivière a son origine à sa source, au mont Pelat. Les champs de neige et les glaciers des Alpes maritimes érodent les roches sous-jacentes par la combinaison d'une pression directe et de températures inférieures au point de congélation. Les roches pulvérisées qui en résultent sont rejetées vers le Verdon où, sous forme de fines particules, elles restent en suspension. L'interaction physique entre les rayons du soleil et les fines particules aboutit à ne refléter que la partie bleu-vert du spectre visible.

Il y a plus de deux mille ans, la couleur inhabituelle du Verdon inspira un culte aux Vocontii, la tribu dominante des Celtes Ligures qui occupaient la région. Leur religion donnait beaucoup d'importance au pouvoir des dieux et des esprits de la nature, surtout de ceux qui étaient associés à des phénomènes insolites. Les déesses des rivières, auxquelles les Ligures offraient de fréquents sacrifices, étaient parmi les divinités les plus puissantes. Les Vocontii honoraient la Déesse des Eaux vertes et l'on disait qu'ils lançaient des offrandes votives dans le Verdon pour l'apaiser ou solliciter sa faveur.

DERRIÈRE LA TOUR CRÉNELÉE de la vieille cité provençale de Castellane s'élève la falaise verticale que l'on appelle simplement le Roc. De la petite chapelle Notre-Dame-du-Roc (XVIIe siècle) située au sommet, on voit le Verdon disparaître dans l'entrée profonde de ses gorges. On peut suivre facilement le cours sinueux des gorges au-dessus de la rive sud, sur la spectaculaire Corniche sublime.

LA CITÉ MÉDIÉVALE DE MOUSTIERS-SAINTE-MARIE, centre d'une industrie de faïence vieille de plusieurs siècles, est située à l'extrémité ouest des gorges, au nord du lac artificiel dans lequel se déverse le Verdon. Le « moustier » (ou monastère), dont la ville tire son nom, fut fondé en 432 par des moines venus de la ville voisine de Riez. Moustiers occupe une dépression entre deux grandes falaises et remonte en partie sur chacune d'elles. Se reposant à l'ombre des cyprès et exhalant le parfum de ses plantations d'oliviers et de ses champs de lavande, c'est l'arrivée paisible du cours furieux de la rivière.

LE

MONT BLANC

ET LES ALPES

Le sommet enneigé
d'une chaîne de montagnes

Un jour de l'été 1946, le chef d'atelier d'une filature de laine du nord de l'Italie reçut de son employeur millionnaire, le comte Dino Totino, un appel téléphonique qui le laissa perplexe. « Arrêtez les machines » et envoyez tout le monde me rejoindre au mont Blanc. Nous allons creuser un tunnel vers la France. « Galvanisé par un ordre aussi direct, le chef d'atelier expédia tout le personnel dans les Alpes. Cependant, les hommes n'avaient avancé que de 50 m quand l'hiver les força à déposer leurs outils.

En 218 avant Jésus-Christ, le général carthaginois Hannibal, avec son armée de 40 000 hommes et ses éléphants, mit quinze jours pour traverser les Alpes. Même après la Seconde Guerre mondiale, il fallait encore dix-huit heures pour parcourir la seule route qui contournait le mont Blanc — impraticable la moitié de l'année. Un tel obstacle et l'idée qu'un tunnel développerait le commerce et l'amitié avec la France encouragèrent le comte Totino à lancer son projet. Mais les autorités françaises et italiennes se suspectaient mutuellement de vouloir utiliser le tunnel pour une invasion, et Totino reçut l'ordre de cesser de creuser. Cependant, en 1959, il réussit à convaincre le gouvernement italien de soutenir son plan. Après six ans de travaux et 17 accidents mortels, le tunnel est achevé.

La chaîne des Alpes court en arc de cercle sur 1 200 km, à travers sept pays : Italie, France, Allemagne de l'Ouest, Suisse, Liechtenstein, Autriche et Yougoslavie. La plus grande largeur est d'environ 300 km. De tous les sommets d'Europe occidentale, le plus élevé est le mont Blanc, avec 4 807 m.

La chaîne des Alpes a commencé à s'élever il y a quarante millions d'années, quand deux plaques tectoniques ont commencé à glisser l'une vers l'autre. La première, portant l'Afri-

LE MONT BLANC est le plus haut sommet d'un immense massif alpin qui domine la vallée de Chamonix, dans l'est de la France, près des frontières italienne et suisse. Portant des cicatrices de glaciers et découpé en de nombreuses « aiguilles », le massif du Mont-Blanc est hérissé de 10 sommets de plus de 4 000 m. À l'est du sommet du mont Blanc, l'Aiguille verte domine les eaux calmes du lac Blanc.

que, se déplaça peu à peu vers le nord et entra en collision avec la plaque portant l'Europe. Tandis que les deux continents se frottaient inexorablement l'un contre l'autre, les roches en contact se gondolaient, se pliaient, pour être finalement poussées de force vers le haut.

Ces roches, formées sur le lit d'une ancienne mer, étaient essentiellement sédimentaires. Cependant du granite et du schiste furent aussi pris dans le mouvement ascensionnel. C'est un amalgame de ces roches extrêmement dures qui forme l'ossature des Alpes. Elles ont résisté aux forces naturelles d'érosion et constituent plusieurs des grands sommets de la chaîne montagneuse, comme le mont Blanc et le Materhon. Durant la dernière période glaciaire, qui s'est achevée il y a dix mille ans, des glaciers ont creusé plusieurs vallées en « U » formant ainsi l'un des paysages les plus spectaculaires du monde.

Les difficultés pour arracher de quoi vivre aux sols minces des Alpes conduisirent les anciens habitants à adopter un mode de vie réglé sur les saisons. Au Moyen Âge, les villageois habitaient des maisons de bois et plantaient leurs cultures au printemps dans la vallée. Au début de l'été, on conduisait les troupeaux dans les montagnes et on les faisait paître dans les riches herbages qui poussent après la fonte des neiges. Aujourd'hui, ce style de vie ne subsiste que dans quelques cantons reculés.

LES ALPES CHANGENT DE VISAGE

Depuis le début du XIXᵉ siècle, les habitants des Alpes ont vécu d'importants changements dans leur mode de vie. D'abord avec les touristes venus pour l'escalade ou la promenade ; au grand étonnement des autochtones, qui comprenaient difficilement les motivations de ce genre de divertissement. Très rapidement cependant, ils développent une nouvelle activité : guider ces visiteurs inexpérimentés. Après la Seconde Guerre mondiale, excursions et alpinisme ouvrirent la voie au ski. À nouveau, les habitants modifient les infrastructures pour accueillir ceux qui transforment leurs montagnes en terrain de jeu.

Cependant, le succès des Alpes peut causer leur ruine. Les stations de ski demandent un lourd équipement. Aujourd'hui, les Alpes reçoivent plus de 50 millions de personnes chaque année. Plus de 40 000 pistes de ski sillonnent les pentes. Dans la seule Autriche, qui représente 35 % des Alpes, on totalise 6 000 km de pistes de ski, soit 200 km de plus que tout le réseau ferroviaire du pays.

De longues bandes de la forêt alpine ont été détruites pour fournir aux skieurs les pistes larges et lisses qu'ils recherchent. Cela entraîne la destabilisation des pentes de la montagne : sans arbres pour retenir le sol et la neige, les pistes deviennent un chemin idéal pour les avalanches et les grandes coulées de boue. En moins de vingt jours, au cours de l'été 1987, des coulées de boue ont tué 60 personnes et endommagé près de 50 villes et villages de la région alpine.

Fumées et vapeurs de plusieurs régions industrialisées d'Europe atteignent ces montagnes et attaquent les forêts sur un autre front. Des polluants chimiques contenus dans les émissions affectent jusqu'au deux tiers des arbres dans certaines zones ; en Bavière, 78 % des forêts ont été irrémédiablement endommagées. Les arbres affaiblis par la pollution perdent leurs feuilles et sont ainsi plus exposés aux ravages de la maladie et du vent.

BERCEAU DE L'ALPINISME, le mont Blanc porte à son sommet un crucifix de pierre en mémoire des ascensionnistes accidentés. Dans un petit cimetière proche de la mer de Glace reposent quelques-uns des premiers alpinistes ; parmi eux, Edward Whymper, le vainqueur du Matterhorn, et Louis Lachenal, le premier homme à avoir vaincu l'Annapurna dans l'Himalaya.

L'ALPINISTE ANGLAIS EDWARD WHIMPER (1840-1911) conduisit l'expédition qui, le 14 juillet 1865, vainquit le Matterhorn. Ce sommet pyramidal se dresse à 4 505 m de hauteur sur la frontière helvéto-italienne, au sud-ouest de Zermatt. L'ascension triomphale fut endeuillée par la mort tragique de Michel Croz, le meilleur guide alpin de sa génération, et de trois alpinistes britanniques, Lord Francis Douglas, le révérend Charles Hudson et Douglas Hadow.

VOICI LE PANORAMA SAISISSANT que l'on découvre du sommet du mont Blanc, en regardant vers le nord-est. À mi-distance, la fine Arête du Diable descend du mont Blanc du Tacul jusqu'au champ de glace immaculé du glacier géant. Au-delà se dresse l'Aiguille verte (à gauche, sur la photo), une des nombreuses aiguilles rocheuses du massif. Derrière les Grandes Jorasses (sur la droite), les sommets des Alpes pennines, en Suisse, pointent à travers les nuages : (de gauche à droite) le Weisshorn, le Grand Combin, le Matterhorn et le mont Rose.

L'OASIS DE NEFTA

Un jardin de verdure dans un désert sauvage

Selon la légende, la première source d'eau douce qui jaillit du sol après le Déluge fut découverte à Nefta par Kostel, l'un des petits-fils de Noé. Cette source a donné naissance à une oasis fertile qui se niche aujourd'hui parmi des collines ondulées et stériles, dans l'ouest de la Tunisie. Saisissante tache de verdure dans une mer de sable, Nefta domine au sud une vaste dépression saline appelée Chott-el-Djérid.

Tandis que le soleil brûlant du désert dessèche les environs, une eau douce sort du sol de Nefta. Le précieux liquide émerge par 152 sources, alimentées non pas par la pluie locale, qui est négligeable, mais par l'eau qui tombe sur des collines éloignées. Celle-ci s'infiltre à travers le sable jusqu'à ce qu'elle atteigne une couche de roches poreuses, puis elle glisse horizontalement sous le désert.

Lorsque la roche poreuse chargée d'eau affleure à la surface du désert, comme à Nefta, des sources — que l'on appelle puits artésiens — jaillissent du sable et irriguent la contrée. Au total, plus de 950 ha de désert ont été fertilisés par les puits artésiens de Nefta. Au cours des années soixante, ces sources naturelles ont été complétées par plusieurs puits artificiels.

Immédiatement au nord de l'oasis s'étend une dépression couverte de palmiers, appelée la Corbeille. Là, l'eau de source sort par de nombreuses fissures dans les pentes abruptes de cette dépression en forme de cratère. Dans son livre *Fountains in the Sand* (1912), le voyageur britannique Norman Douglas (1868-1952) décrit la Corbeille comme « un vallon circulaire d'une luxuriance végétale sans mesure, un délice sans fin pour les yeux ».

L'OASIS DE NEFTA s'étend parmi les collines et les dunes du désert, à 400 km au sud-ouest de Tunis, au nord-ouest de la dépression saline appelée Chott-el-Djérid. Nefta est une étape appréciée pour les caravanes du désert et un centre religieux pour les pèlerins soufis, mais elle offre aussi une escale aux oiseaux migrateurs. Alimentée par plus de 150 sources, la vaste oasis a pour principale végétation le palmier-dattier.

DES SOUFIS ET DES DATTES

Depuis plus de mille ans, Nefta est un important centre religieux pour un courant mystique de l'islam connu sous le nom de soufisme. Le fondateur du centre, Sidi Ibrahim, arriva à Nefta tout de suite après la conquête de la région par les musulmans, en 670 après Jésus-Christ, en quête de solitude pour étudier le livre saint de l'islam, le Coran, et pour méditer la volonté d'Allah.

L'enseignement des soufis affirme qu'il y a dans les sourates du Coran un sens caché qui ne peut être dégagé que par une patiente étude. Comme cela implique un examen en profondeur du livre sacré et un refus du sens apparent, les soufis entraient souvent en conflit avec l'islam orthodoxe. Au XIᵉ siècle, un compromis fut trouvé, le soufisme étant dès lors considéré comme une manière d'appréhender la réalité et non plus comme un moyen d'interpréter le Coran.

Les soufis tunisiens établirent des *zawiyas*, ou fraternités religieuses, à travers le pays, surtout dans les zones rurales, où ils offraient à la population protection, éducation et justice. À Nefta, le *zawiya* de Sidi Ibrahim domine la Corbeille et abrite non seulement la tombe du saint, mais aussi celles de son fils et de nombreux disciples. La réputation de sainteté de l'oasis attira d'autres hommes de religion, comme Sidi Bou Ali. Aujourd'hui, 24 mosquées et plus de 100 mausolées s'élèvent dans les vieux quartiers de Nefta et leurs coupoles blanches miroitent sous le soleil.

Un réseau compliqué de *seguias*, ou rigoles d'irrigation, distribue l'eau des sources qui alimentent les fertiles jardins de Nefta. Des rangées régulières de palmiers-dattiers — au nombre de 350 000 — poussent dans les parcelles carrées. Environ un tiers de ces arbres appartiennent à la variété *deglat*, réputée pour être la meilleure. Les fruits, délicieux et riches en énergie — appelés « doigts de lumière et de miel » — ne sont pas les seuls produits du palmier. Les feuilles sont découpées en bandes qui, séchées, sont utilisées pour tresser des paniers et d'autres récipients. Quand les palmiers cessent de produire, ce qui peut arriver après deux cents ans, leur bois est utilisé comme matériau de construction. Les noyaux sont broyés et servent à nourrir le bétail, tandis que la sève est transformée en une sorte de vin appelé *lagmi*.

LES TRAÎTRISES DE LA BOUE

Au sud de l'oasis s'étend le fameux Chott-el-Djérid, un grand lac saisonnier d'eau boueuse qui se transforme, chaque année, en une plaine desséchée. En automne, la nappe d'eau qui se trouve sous les puits artésiens de Nefta monte spectaculairement et se répand dans le chott, qu'elle inonde. Au printemps, cette eau baisse et le lac devient un immense marécage de boue salée. Le soleil estival dessèche la surface, créant l'illusion d'un sol compact, alors qu'au-dessous la terre est meuble. Ces dernières années, les Tunisiens ont construit une grande route à travers le chott, de Tozeur — à 24 km à l'est de Nefta — jusqu'à Kébili — à 90 km au sud-est.

Dans le passé, un chemin praticable traversait le chott, marqué par des troncs de palmiers. Les voyageurs imprudents qui s'égaraient hors de la route indiquée périssaient dans la boue traîtresse. Un écrivain arabe du XIIᵉ siècle raconte comment une caravane de mille chameaux fut avalée par les immensités désertiques : « Malheureusement, l'une des bêtes s'écarta du chemin et les autres la suivirent. Rien au monde ne fut plus rapide que la manière dont la croûte céda et les engloutit ; puis elle redevint comme elle était auparavant, comme si les mille chameaux n'avaient jamais existé. » ∎

LES RANGÉES DE VIGOUREUX PALMIERS-DATTIERS de l'oasis de Nefta offrent une protection contre la chaleur — qui peut atteindre 45°C à l'ombre en été — et contre les vents du désert comme le sirocco. Sous les palmiers, les habitants de Nefta font pousser des arbres fruitiers : figuiers, pamplemoussiers, abricotiers, pêchers, orangers et citronniers. On cultive également des légumes destinés à l'usage domestique ou au marché local.

LE PALMIER-DATTIER (Phoenix dactylifera) *produit de lourds régimes de fruits bruns, doux et exceptionnellement nourrissants. Le palmier-dattier, qui est l'une des plantes le plus anciennement cultivées, s'élève jusqu'à 30 m de haut et vit deux cents ans. Les arbres atteignent leur maturité vers quinze ans et produisent ensuite une récolte annuelle pouvant atteindre 90 kg.*

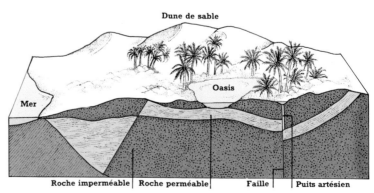

Dune de sable

Oasis

Mer

Roche imperméable | Roche perméable | Faille | Puits artésien

NEFTA ET LES AUTRES OASIS doivent leur fertilité à l'eau de source qui émerge de puits artésiens, ou qui se rassemble dans des bassins à la surface du désert. La pluie qui tombe à une certaine distance de l'oasis, par exemple près de la mer, s'infiltre horizontalement à travers les couches perméables, processus qui peut durer plusieurs années. Les puits artésiens sont habituellement situés le long des lignes de faille de l'écorce terrestre, là où les couches rocheuses ont craqué et glissé. Le poids de l'eau accumulée dans la couche perméable exerce une pression qui force cette eau à remonter à travers la ligne de faille.

LE
LAC
VÄNERN

Le cœur des voies d'eau
de la Suède

Les belles eaux frangées de forêts du lac Vänern se nichent au cœur de la Suède fertile. Cette considérable étendue d'eau, refuge d'une vie sauvage, riche et abondante, est depuis longtemps un foyer d'activité humaine. Il y a plus de cinq mille ans, les ancêtres des Goths y ont fondé la civilisation suédoise. Sur un plateau s'étendant entre les deux pics de Halleberg et de Hunneberg qui dominent la rive sud du lac, les guerriers d'autrefois accédaient au pont de l'Arc-en-ciel qui les conduisait au Walhalla, le paradis mythologique des héros scandinaves.

Le lac Vänern occupe une partie du vaste bassin créé il y a plus de 500 millions d'années, lorsque de puissants mouvements de la croûte terrestre provoquèrent l'affaissement des dures roches volcaniques de la région. Le lac couvre une superficie de 5 546 km², ce qui en fait la plus grande masse d'eau douce de l'Europe occidentale. Sa profondeur maximale atteint 98 m, mais il est souvent beaucoup moins profond. Une rangée de collines coupe le lac, formant au nord et au sud les presqu'îles de Värmlandsnäs et de Kallåndshalvö et, entre les deux, un archipel.

Des collines basses et des montagnes enserrent le lac au sud et à l'est. Au nord, des collines ondulées s'élèvent en direction de la chaîne qui sépare la Suède de la Norvège ; c'est là que naissent les grandes rivières qui alimentent le Vänern, comme le Klarälv.

Le seul déversoir du lac est, au sud, le Götaälv. Les eaux de cette rivière ont creusé un passage à travers une chaîne de gneiss, une roche ancienne durcie par des températures et des pressions intenses. Vers le sud, cette chaîne descend de plus de 30 m en 1,5 km à peine. Jusqu'à ce que les eaux fussent détournées vers un complexe hydroélectrique au cours

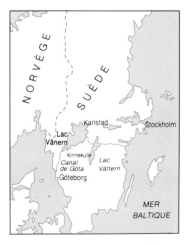

LE LAC VÄNERN s'étend au sud de la Suède, à 75 km au nord de Göteborg et à 200 km à l'ouest de Stockholm. Ce grand lac, qui mesure 130 km de long sur une largeur maximale de 75 km, est essentiellement alimenté par des rivières venant du nord. La superficie des îles et des îlots s'accroît peu à peu, car le niveau de l'eau du lac baisse de 8 cm par siècle.

de la première moitié du XX⁰ siècle, le Vänern se vidait par cette pente, en formant les impressionnantes chutes de Trollhättan. Aujourd'hui, on peut encore voir les chutes dans leur ancienne splendeur au mois de juillet, le « Jour des Chutes », lorsque la station électrique est arrêtée.

LE CANAL DE GÖTA

En 1718, le roi Charles XII de Suède chargea l'ingénieur Christophe Polhem de construire une série de huit écluses autour des chutes, afin que des bateaux puissent naviguer entre le lac Vänern et Göteborg sur la côte de la mer du Nord. Mais le travail fut arrêté la même année après la mort du roi sur un champ de bataille. En dépit de nouvelles tentatives de creusement en 1749, le canal de Trollhättan ne fut achevé qu'en 1800. Neuf ans plus tard, le baron Balthazar von Platen convainquit le parlement suédois de patronner un canal de liaison entre le lac Vänern et la mer Baltique. Lorsque ce chef-d'œuvre de l'ingénierie civile fut achevé en 1832, l'ensemble du système, de Göteborg à Mem sur la Baltique, fut baptisé canal de Göta.

Le canal part de la rive est du lac Vänern à Sjötorp et se dirige vers le lac Vättern, la deuxième étendue d'eau de la Suède. Ce lac a une longueur nord-sud de 130 km et une largeur maximale de 30 km. Sa remarquable clarté — le fond est visible jusqu'à 10 m de profondeur — est due essentiellement aux eaux des sources et des turbulents torrents de montagne qui l'alimentent. Sa profondeur est considérable : de 40 m en moyenne, elle peut atteindre jusqu'à 128 m en certains points.

UN PAYSAGE TABULAIRE

Une montagne insolite, nommée Kinnekulle, s'élève entre le lac Vänern et le lac Vättern. Son sommet est un plateau lisse, de 14 km de long sur 7 km de large, qui domine la région des lacs d'une hauteur de 306 m. Le paysage des pentes de Kinnekulle se distingue d'une manière frappante de la marqueterie de fermes, de forêts et de lacs qui les entoure. Le flanc de la montagne s'élève en une série de terrasses, séparées les unes des autres par des falaises abruptes et portant chacune une végétation différente : ainsi il y aura sur l'une un marécage désert, tandis que la suivante sera couverte d'une forêt.

Le changement de végétation est dû à la nature des roches sous-jacentes. Lorsque, il y a 500 millions d'années, le gneiss dur de la région s'enfonça, le pays fut inondé par la mer. Pendant des millions d'années, boue, sable et déchets organiques se sont déposés au fond de la mer pour former des couches de roches sédimentaires. Quand une poussée releva les terres du fond de la mer, il y a 200 millions d'années, la lave volcanique jaillit à travers des fissures de la croûte terrestre et se déposa par endroits sur les roches sédimentaires. L'érosion attaqua les couches les plus tendres et les plus exposées de ces roches, laissant subsister des plateaux escarpés, ou *mesas,* dont le Kinnekulle est l'exemple le plus vaste et, géologiquement, le plus récent.

Chaque terrasse est formée d'une combinaison différente de roches sédimentaires, gneissiques et volcaniques, d'où la variété de la végétation qui y pousse. La grande diversité des types de plantes et la présence d'espèces rares furent répertoriées au milieu du XVIII⁰ siècle par le botaniste suédois Carl von Linné (1707-1778), le créateur du système moderne de classification des plantes et des animaux. Il décrivit la région autour du Kinnekulle et le paysage à l'est du lac Vänern comme « le lieu le plus charmant de toute la Suède ».

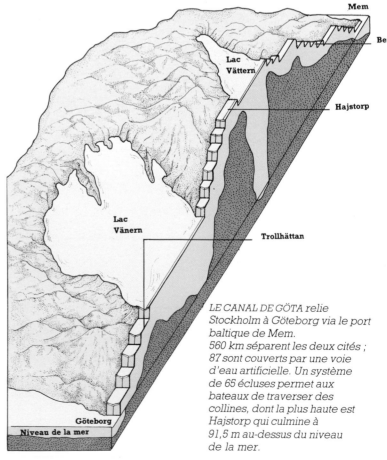

LE CANAL DE GÖTA relie Stockholm à Göteborg via le port baltique de Mem.
560 km séparent les deux cités ; 87 sont couverts par une voie d'eau artificielle. Un système de 65 écluses permet aux bateaux de traverser des collines, dont la plus haute est Hajstorp qui culmine à 91,5 m au-dessus du niveau de la mer.

SUR LA CÔTE OCCIDENTALE DU LAC VÄNERN, la ville de Köpmannebro marque le début du canal du Dalsland. Cette grande voie de 254 km relie plusieurs lacs des régions suédoises du Dalsland et du Värmland et continue jusqu'en Norvège. Le canal fut construit à l'origine pour transporter des marchandises depuis les usines métallurgiques et les scieries de la région des lacs en Suède jusqu'en Norvège et ensuite en mer du Nord.

LES ÉCLUSES DE BERG, à 40 km à l'est du lac Vättern, permettent aux bateaux de traverser l'une des rampes les plus abruptes du canal de Göta. Il s'agit d'une série de 15 écluses — portant chacune le nom d'un membre de la famille royale — qui élèvent le canal à 36 m au-dessus du lac Roxen. 11 écluses escaladent le flanc de la colline d'une seule volée, comme les marches d'un escalier. Elles sont considérées comme l'un des chefs-d'œuvre de l'ingénierie hydraulique.

LE
KÖNIGSSEE

Le joyau du pays des lacs dans les Alpes bavaroises

EUROPE - ALLEMAGNE

Un cercle impressionnant de montagnes escarpées, couronnées de neige, entoure avec majesté les eaux calmes, vert sombre, du Königssee, le « lac du Roi ». Les falaises verticales s'élèvent comme des murs et donnent au lac l'apparence d'un petit fjord. Son ruban d'eau claire comme du cristal s'étend sur 8 km, sans jamais dépasser 1,6 km de large. Situé au milieu des Alpes bavaroises à une altitude de 602 m, le lac a une profondeur maximale de 192 m.

La meilleure façon d'apprécier la beauté du Königssee, c'est de le voir du pont d'un bateau. Depuis 1909, seuls des bateaux à propulsion électrique sont autorisés sur le lac, afin de lui conserver sa tranquillité et d'aider à prévenir la pollution de ses eaux. Actuellement, 21 bateaux de ce type emmènent des touristes faire le tour du lac à partir de la rive Nord. À cet endroit, un petit torrent emporte les eaux vers l'Ache, une turbulente rivière de montagne qui s'élance à travers Berchtesgaden et, par-delà Salzbourg, se jette finalement dans le Danube.

Près du déversoir du lac se trouve une baie tranquille, le Malerwinkel, « le coin du peintre ». De là, d'innombrables artistes ont saisi sur leurs toiles l'un des plus beaux paysages d'Europe. En face, l'impressionnant massif de Watzmann domine le côté occidental du Königssee à une altitude de 2 173 m. La falaise de Watzmann, sans égal dans les Alpes orientales, s'élève presque perpendiculairement à 1981 m au-dessus du lac.

Au pied de cette immense falaise, à mi-chemin environ sur la rive occidentale, une petite rivière a formé un delta avec l'apport, jusqu'au bord de l'eau, de pierres et de sable provenant des hautes vallées montagnardes. Le monticule de débris qui en résulte est appelé « cône d'éboulis ». Sur une

LE KÖNIGSSEE se trouve à 5 km de Berchtesgaden, à l'extrémité orientale des Alpes bavaroises, dans l'extrême sud-est de l'Allemagne de l'Ouest. À 24 km de Salzbourg, de l'autre côté de la frontière autrichienne, le Königssee, semblable à un fjord, reste l'un des rares lacs non pollués d'Europe. Une maison de bois et une barque de pêche à côté d'une pente toujours verte : c'est l'un des nombreux tableaux qui conservent la paix originelle de ce lac glaciaire.

large prairie en bordure du cône se dresse une petite église dédiée à saint Barthélemy (XVIIe siècle). Une promenade de quinze minutes à travers l'Auwald derrière l'église conduit d'abord à la chapelle de Saint-Jean-et-Saint-Paul, puis à la chapelle de glace, une grande voûte naturelle en glace.

LE PAYSAGE GLACIAIRE

Une gorge étroite et profonde sépare les monts Watzmann du Hochalter, qui s'élève à une altitude de 2 607 m. Le sommet de cette montagne est formé par une crête aiguë. Sur l'un des côtés de cette crête s'étend le glacier Blaueis, le plus septentrional des glaciers alpins. Sous l'éclat du soleil, ses profondeurs semblent briller d'une intense lumière bleue, d'où son nom.

À l'extrémité sud du lac se dresse un massif plateau de calcaire, le Steinernes Meer, ou mer de pierre. Mesurant 13 km sur 5, cette énorme table est coiffée par le pic pyramidal et couronné de neige de la Schönfeldspitze qui s'élève à 2 653 m. Un sentier partant de la rive sud du Königssee, au pied du Steinernes Meer, conduit à l'Obersee. Ce lac minuscule, entièrement entouré de falaises, s'est formé à la suite d'un glissement de terrain qui a séparé ses eaux de celles du lac principal.

Le Blaueis est un reste des nappes de glace qui ont creusé le paysage dans et autour du Königssee. Il y a plus de vingt-cinq mille ans, l'Europe était dans l'étreinte de la période glaciaire et des glaciers fermaient toutes les vallées des Alpes bavaroises. Seuls les plus hauts sommets de la région, comme le Watzmann, se dressaient au-dessus des rivières de glace au lent mouvement. En descendant sur le flanc des montagnes, les glaciers emportaient d'énormes quantités de roches.

Lorsque finalement il fondit, il y a dix mille ans, le glacier qui creusa le Königssee laissa une vallée à fond plat, en forme de « U ». Quand sa force fut épuisée et que sa glace eut reculé, un énorme tas de pierres et de graviers fut abandonné au bout de la vallée. Cet énorme amas, ou moraine, obstrua la vallée, piégeant ainsi l'eau.

Dissimulées profondément dans les structures rocheuses sous-jacentes tout autour du Königssee et non affectées par les glaciers, existent d'épaisses couches de sel. Leur exploitation, rendue possible par l'affleurement de certains gisements, est vieille de deux mille cinq cents ans. Dès le milieu du premier millénaire avant Jésus-Christ, les Celtes entretenaient un commerce florissant non seulement avec les tribus voisines, mais également avec des nations éloignées telles que la Chine.

Au XIXe siècle, l'extrême sud-est de l'Allemagne de l'Ouest était une réserve de chasse pour les monarques de Bavière, qui y exterminèrent tous les grands prédateurs de la forêt : aigle royal, gypaète barbu, lynx d'Europe, ours brun et loup. Lorsqu'en 1978 fut instauré le parc national de Berchtesgaden, on y inclut la région entourant le Königssee.

Depuis, l'aigle royal *(Aguila chrysaetos)* est revenu nicher dans les montagnes et le projet de réintroduire le lynx et le gypaète barbu a été formulé. L'intervention de l'État, dans les années trente, avait déjà sauvé au moins deux espèces en voie d'extermination par les chasseurs : le cerf et le chamois. Aujourd'hui, la population de cerfs *(Cervus elaphus)* a décuplé ; mais à cause de son habitude de brouter les feuilles et l'écorce des arbres, le cerf est lui-même une menace pour certaines des forêts du parc, ce qui demandera de nouvelles mesures de conservation.

■   ■

L'ÉGLISE BAVAROISE de Saint-Barthélemy se niche dans un abri de la falaise abrupte des monts Watzmann. La chapelle de glace se trouve à 3 km, dans une belle forêt. Des bateaux électriques sont les seules embarcations à moteur autorisées à naviguer sur ce lac.

LE KÖNIGSSEE ressemble moins à un lac qu'à un fjord alpin, secret et indépendant. Son pourtour long et étroit rappelle la forme du glacier qui le creusa. Son jumeau plus petit, l'Obersee, de couleur vert émeraude, s'étend au sud-est, entouré lui aussi de sommets élevés.

LES MONTS WATZMANN, qui
entourent le Königssee à l'ouest,
forment un contraste marqué
avec les eaux tranquilles au-
dessus desquelles ils s'élèvent.
Accidentées et rébarbatives,
leúrs pentes rapides portent,
parmi d'autres phénomènes
caractéristiques d'une activité
glaciaire, des cicatrices
cratériformes ou cirques.
Parfois, les sommets escarpés
des monts Watzmann sont seuls
visibles, pointant au-dessus d'un
collier blanc de nuages ; bien
que, de loin, le massif
apparaisse à la fois stérile et
indestructible, c'est le refuge
d'une flore et d'une faune
abondantes mais vulnérables,
maintenant protégées par la loi.

LES GROTTES DE FRASASSI

Un « pays des merveilles » souterrain en Italie

Avant 1970, peu de touristes visitaient la petite ville de Genga, sur les pentes orientales des Apennins, dans la province d'Ancône. Ils venaient admirer le château vieux de neuf cents ans ou le triptyque du XVe siècle dans l'église paroissiale. Mais en 1971, la calme bourgade connut la gloire par l'entremise d'un groupe de spéléologues qui découvrit un labyrinthe de grottes dans les gorges de Frasassi, à 5 km au sud.

Les gorges, qui s'allongent sur 3 km entre des murailles rocheuses escarpées, ont été creusées par les eaux tourbillonnantes du Sentino, un affluent de l'Esino. À leur extrémité Sud se dresse le village de San Vittore delle Chiuse, renommé pour les qualités thérapeutiques de ses sources sulfureuses. Les parois calcaires des gorges sont parsemées de nombreuses entrées de grottes. L'une de celles-ci, le Sanctuaire de la Grotte, renferme une église octogonale édifiée sur l'ordre du pape Léon XII en 1828 et une chapelle du XIe siècle dédiée à une sainte locale, Santa Maria infra Saxa.

Les spéléologues découvrirent donc un ensemble de grottes s'étendant sur 13 km sous les Apennins. Cette découverte fut même qualifiée de « plus grand événement spéléologique de ce siècle ». Dans l'atmosphère moite des grottes, les explorateurs avaient pataugé, de l'eau jusqu'aux genoux, à travers des bassins et des bancs de boue, impressionnés par les stalactites et les stalagmites.

La plus grande grotte de Frasassi est la Grande Grotte du Vent. L'accès à ce pays des merveilles souterrain se fait par un chemin facile, qui s'allonge sur 1,5 km à l'intérieur des collines de calcaire. Un court tunnel, creusé à travers le roc, débouche dans une salle aux dimensions de cathédrale. Au centre, un puits, appelé le Gouffre d'Ancône, en l'honneur des découvreurs — qui appartenaient au groupe de spéléolo-

LES GROTTES DE FRASASSI se trouvent dans les contreforts orientaux des Apennins, à 20 km au nord-est de Fabriano et à 50 km au sud-ouest d'Ancône. Le système complexe des grottes s'ouvre dans les gorges de Frasassi, à travers lesquelles serpente le Sentino avant de rejoindre l'Esino, 3 km plus bas. Plusieurs salles, comme la Salle des Chandelles, sont finement décorées de stalactites, de stalagmites et autres sculptures formées de travertin, une roche à base de calcium.

gie des Marches, à Ancône — plonge à des profondeurs insondables. Près du trou se dresse le Géant, une énorme colonne nervurée qui fait face à une cascade pétrifiée, appelée chutes du Niagara, une structure que l'on retrouve dans d'autres grottes calcaires, comme celles des gorges de Cheddar en Angleterre.

Plus bas encore se trouve la Salle des Chandelles, où un alignement de petites stalagmites bien droites émerge de l'eau peu profonde. La beauté de ces colonnes, blanches et entourées à leur base d'une sorte de petite coupe, est soulignée par un savant éclairage. L'illumination met aussi en valeur le Grand Canyon, en jouant sur les ombres et sur les lumières : les zones noires soulignent les cavités, tandis que des lumières réhaussent les couleurs délicates des bandes qui marquent les fines draperies de roc.

LE PAYSAGE KARSTIQUE

Les collines calcaires de la région de Frasassi dans les Apennins, comme celles de Guilin en Chine, sont un exemple de paysage karstique, terme qui désigne un terrain modelé par de l'eau de pluie acide. Quand la pluie tombe, elle absorbe une petite quantité du dioxyde de carbone présent dans l'air ; elle devient alors une solution diluée d'acide carbonique, qui dissout le carbonate de calcium, principal constituant du calcaire.

Lorsqu'il y a un million d'années le Sentino a commencé à creuser les gorges de Frasassi, l'eau de pluie s'est infiltrée à travers les fissures du calcaire, les élargissant progressivement. Lorsqu'elle rencontrait des fractures horizontales, elle formait des torrents souterrains, creusant de longs tunnels avec des cavernes communicantes. L'eau acide infiltrée finit par rencontrer une nappe d'eau sous-jacente au niveau où se trouve maintenant la Grande Grotte du Vent ; ne pouvant pénétrer plus profondément, elle se répandit sur les côtés et façonna le labyrinthe des grottes.

Depuis leur formation, les grottes ont été évidées sur une hauteur de 300 m autour de la nappe d'eau. Puis des stalagmites et des stalactites ont commencé à se former, l'eau rendant aux roches le carbonate de calcium qu'elle leur avait ôté dans un premier temps : saturée de ce sel, elle tombait goutte à goutte des voûtes des salles sur le sol, abandonnant de minuscules grains de carbonate de calcium, ou travertin. Au fil des siècles, le travertin « poussa » progressivement vers le bas, formant d'énormes stalactites.

En tombant sur le sol, l'eau a formé peu à peu des stalagmites, comme dans la Salle des Chandelles. Dans certaines salles, comme celle de l'Infini, stalactites et stalagmites se sont rejointes, reliant la voûte au sol par des piliers à cannelures.

La flore et la faune de Frasassi, comme celles des autres grottes d'Europe, se sont adaptées à la vie souterraine. Les avantages d'une forte humidité et d'une température constante tout au long de l'année (13°C à Frasassi) sont pondérés par l'obscurité totale et la rareté de la nourriture. Cependant des animaux de caverne, aveugles, abondent : salamandres, écrevisses, mille-pattes et vers plats. Les habitants les plus prolifiques sont les chauves-souris, perchées le jour dans la grotte qui porte leur nom et sortant la nuit pour se nourrir.

LES PREMIERS SPÉLÉOLOGUES à poser les yeux sur ces fabuleuses formations de stalactites et de stalagmites les entrevirent l'une après l'autre à la lumière des torches. Aujourd'hui, les grottes sont spectaculairement illuminées, tant pour souligner leur beauté naturelle que pour en apprécier la taille impressionnante.

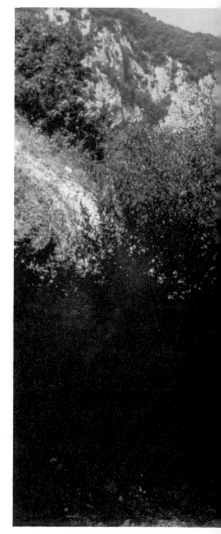

LE SENTINO sort des grottes de Frasassi vers les gorges calcaires — la Gola di Frasassi — qu'il a creusées pendant plus d'un million d'années. Les gorges ont livré des vestiges de la vie préhistorique et sont criblées de grottes dont les noms italiens signifient, mystérieusement, Trou du Diable, Ours Brun, etc.

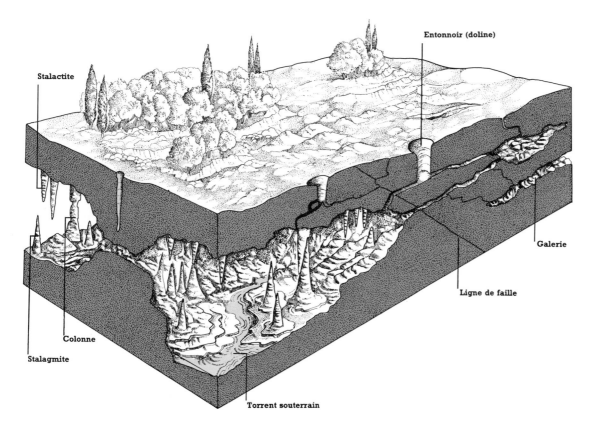

Stalactite

Entonnoir (doline)

Galerie

Ligne de faille

Colonne

Stalagmite

Torrent souterrain

LES GROTTES CALCAIRES ET LEURS DÉLICATES SCULPTURES NATURELLES sont l'œuvre de l'eau et du temps. L'acide carbonique dissous — produit lorsque la pluie absorbe du dioxyde de carbone dans l'atmosphère — attaque le carbonate de calcium dont le calcaire est formé. Quand la nappe d'eau souterraine trouve un passage par des failles dans la roche calcaire, des entonnoirs et des puits peuvent se creuser lentement. Quand l'eau rencontre des cavernes horizontales préexistantes, elle les élargit en galeries et en grandes salles qui forment un réseau souterrain complexe. Les stalactites, stalagmites et autres concrétions qui décorent les grottes se forment lorsque les minéraux en solution, provenant du calcaire érodé, se redéposent graduellement, ce qui se produit quand l'eau tombe goutte à goutte des voûtes et des parois des grottes et s'évapore.

LE
VÉSUVE

Une montagne meurtrière noyée dans la brume

Le 24 août 79 apr. J.-C., Pline le Jeune regardait avec horreur l'éruption du Vésuve, tandis qu'il s'enfuyait avec sa mère loin de leur maison de Misène, à l'extrémité occidentale de la baie de Naples. Dans une lettre écrite plus tard à l'historien romain Tacite, il se souvient d'avoir vu, à l'âge de 17 ans, « la mer aspirée et comme poussée en arrière par le tremblement de terre... Une épaisse nuée noire nous poursuivait, se répandant sur le sol comme un torrent... L'obscurité tomba, aussi noire que dans une pièce close ».

Les deux lettres que Pline le Jeune écrivit à Tacite fournissent aux historiens le premier témoignage visuel d'une éruption volcanique. À Herculanum, Pompéi et Stabies, les maisons et les bâtiments publics prirent feu. Le lendemain, l'aurore ne se leva point, car le nuage noir masquait le soleil. Une épaisse couche de cendres recouvrait le sol et les quelques constructions encore debout. Le Vésuve avait englouti trois villes florissantes : Pompéi et Stabies furent recouvertes de 6 m de cendres et de poussière, tandis qu'Herculanum fut enterrée sous une couche de boue de 17 m d'épaisseur. Nul ne sait exactement combien de victimes moururent, mais les fouilles ont permis de dégager, rien qu'à Pompéi, les corps de plus de 2 000 personnes.

Un immense cratère circulaire, appelé Monte Somma, entoure le cône du Vésuve, formé par les épanchements d'une série d'éruptions. Le bord du Monte Somma s'élève à 1 280 m au-dessus de la baie de Naples : on pense que c'est le reste d'un volcan préhistorique qui explosa avant la naissance du Vésuve, il y a 200 000 ans. Entre le bord du Monte Somma et le cône du Vésuve se trouve un profond ravin, appelé « la Vallée du Géant ».

Entre 79 et 1036, le Vésuve connut neuf autres éruptions,

LE VÉSUVE s'élève sur la lisière occidentale de la plaine de Campanie, à 15 km de Naples. La pente occidentale du volcan descend vers la baie de Naples, à l'endroit où ont été découvertes les ruines d'Herculanum. Les restes bien conservés de Pompéi sont situés à 9 km au sud-est. Le cratère du volcan mesure 610 m de large et 300 m de profondeur ; on peut l'atteindre par une route en lacets ou par un funiculaire.

avant de s'endormir pour six siècles. Le 16 décembre 1631, une nouvelle éruption, terrifiante, détruisit 15 villages nichés sur les pentes du volcan et tua plus de 3 000 personnes. La lave coula jusqu'aux eaux de la baie et Naples fut couverte de cendres jusqu'à plus de 50 cm.

L'importance du désastre de 1631 incita le vice-roi de Naples à ériger, dans le sud de la cité, une stèle commémorative sur laquelle il fit graver : « Enfants et enfants des enfants, écoutez ! Je vous avertis maintenant, après cette dernière catastrophe, que vous ne devez pas être inconscients. Tôt ou tard cette montagne s'enflammera. Mais avant que cela n'arrive, il y a des bruits sourds, des grondements, des tremblements de terre. Elle crache de la fumée, des flammes, des éclairs ; l'air vibre, gronde, hurle. Fuyez alors aussi loin que vous le pouvez. »

Cependant, tel est le stoïcisme des gens qui cultivent le fertile sol volcanique qu'ils ignorent tous les avertissements. 17 ans avant l'éruption de 79, de nombreux édifices de Pompéi et Herculanum avaient été détruits par un tremblement de terre. Mais les habitants avaient reconstruit rapidement les villes. Et en dépit de 19 nouvelles éruptions entre 1631 et 1944, les gens du pays ont continué à relever leurs maisons et leurs fermes, à replanter leurs vignobles et leurs vergers.

L'EXHUMATION DE POMPÉI

Au cours de la reconstruction de Resina, une ville détruite par l'éruption de 1631, des ingénieurs qui creusaient des canaux et des réservoirs découvrirent dans le sol des vestiges de constructions romaines. Mais cela ne souleva que peu d'intérêt. Cependant, en 1738, lorsque des paysans tombèrent sur quelques statues et réussirent à en tirer un prix élevé, cela provoqua un grand enthousiasme. Il s'ensuivit plus d'un siècle de pillage des villes ensevelies, jusqu'à ce que l'archéologue Fiorelli soit chargé, en 1860, d'organiser une véritable fouille.

L'épaisse couche de cendre qui recouvrait Pompéi avait préservé beaucoup de détails de la vie de la ville, stoppée net dans le temps. En plus des bains luxueux et d'imposants bâtiments publics, l'équipe de Fiorelli mit au jour 118 tavernes, 12 échoppes de foulons et 10 boulangeries. La découverte la plus surprenante fut les moulages que les corps des victimes avaient laissés dans la cendre solidifiée.

Fiorelli imagina de verser du plâtre de Paris dans ces moules et d'en enlever ensuite la cendre, une fois que le plâtre aurait pris. Ainsi, il recréa des douzaines de scènes figées formées par des habitants terrifiés, saisis au moment de leur mort : un homme et son esclave lourdement chargés de centaines de pièces de monnaie et d'argenterie, une sentinelle surprise à son poste, trois petits brigands encore attachés au pilori.

L'éruption de 1906 fut la pire après celle de 1631. Pendant 18 jours, le volcan vomit cendre et pierre ponce. Des villages furent ensevelis sur les pentes Nord et Est, de même que 775 km² de terres cultivées. La largeur du cratère s'agrandit de 300 m, tandis que la hauteur tombait à 1 277 m, diminuant de 200 m.

Depuis l'éruption relativement mineure de 1944, le Vésuve dort. Ses pentes fertiles produisent à nouveau les raisins dont est fait le Lacrima Christi. Des villages et des fermes blanchis à la chaux parsèment le paysage. Plus d'un million de personnes vivent alentour. Cependant le Vésuve reste le seul volcan actif du continent européen et la perspective d'une autre catastrophe ne peut être écartée.

■   ■

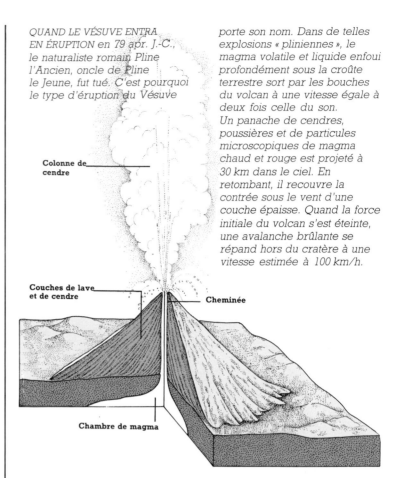

QUAND LE VÉSUVE ENTRA EN ÉRUPTION en 79 apr. J.-C., le naturaliste romain Pline l'Ancien, oncle de Pline le Jeune, fut tué. C'est pourquoi le type d'éruption du Vésuve porte son nom. Dans de telles explosions « pliniennes », le magma volatile et liquide enfoui profondément sous la croûte terrestre sort par les bouches du volcan à une vitesse égale à deux fois celle du son.
Un panache de cendres, poussières et de particules microscopiques de magma chaud et rouge est projeté à 30 km dans le ciel. En retombant, il recouvre la contrée sous le vent d'une couche épaisse. Quand la force initiale du volcan s'est éteinte, une avalanche brûlante se répand hors du cratère à une vitesse estimée à 100 km/h.*

Colonne de cendre

Couches de lave et de cendre

Cheminée

Chambre de magma

COMME UNE MENACE
PERMANENTE, la masse
imposante du Vésuve se dessine
au-dessus de la ville de Naples.
Le bord du cratère du Monte
Somma (à gauche sur la photo)
est tout ce qui reste d'une
éruption préhistorique.

LES DEUX TIERS DE LA VILLE
COMMERÇANTE DE POMPÉI
ont été mis au jour, y compris
le Forum, avec le temple
de Jupiter. La découverte
de précieuses peintures murales
a permis de distinguer quatre
styles principaux de fresques
entre 200 av. J.-C. et 79 apr. J.-C.

LES VICTIMES DE LA TRAGÉDIE
DE POMPÉI furent ensevelies
sous un énorme amoncellement
de poussière. En durcissant,
cette poussière a formé un
moule autour du corps de
chaque victime avant que la
chair se dessèche. En
remplissant les moules de plâtre
de Paris, puis en enlevant la
croûte de poussière, les
archéologues ont reconstitué
le moment précis où périrent
des milliers d'habitants.

LE
DÉSERT
DE NAMIB

Les trésors cachés d'un désert sous le brouillard

Vents de mer froids et dunes voilées de brouillard caractérisent le désert de Namib, situé dans le sud-ouest de l'Afrique. Considéré comme le désert le plus sec du monde, le Namib s'étend sur 2 080 km, du fleuve Orange au sud à la frontière angolaise au nord. Nulle part il n'a plus de 160 km de large et par endroits il se rétrécit jusqu'à 10 km. Le Kuiseb, qui se jette dans l'Atlantique à Walvis Bay, divise la Namibie en deux.

Au sud du Kuiseb se trouve une grande mer de sable contenant de vastes zones de dunes parallèles, séparées par des cuvettes régulières appelées « rues ». Là, dans les anciennes terrasses de gravier qui reposent sous le sable, se trouve le plus grand gisement de diamants du monde. Avant la formation des dunes, il y a plus d'un million d'années, ce mélange de pierres précieuses et de graviers fut emporté vers la mer par l'Orange depuis la région de Kimberley en Afrique du Sud. Les diamants furent ensuite entraînés vers le nord par des courants côtiers, déposés sur le rivage et recouverts ensuite par du sable provenant du même fleuve.

Des plaines de graviers et de rochers s'étendent au nord du Kuiseb. La traîtrise des courants côtiers de la région s'empare régulièrement de bateaux comme le Dunedin Star (1942) ou le Shawnee (1976) et les rejette sur les sables mouvants. Les coques rouillées de nombreuses épaves gisent ensablées sur la plage, que les marins ont appelée la « Côte des Squelettes », l'endroit « où les bateaux et les hommes accostent pour mourir ».

Ce sont ces courants qui ont créé l'atmosphère unique du désert de Namib. Les vents d'ouest, chargés de l'humidité provenant de l'océan Atlantique, plus chauds, sont refroidis lorsqu'ils rencontrent le puissant courant froid de Benguela, remontant de l'Antarctique vers le nord et abandonnent leur

LE DÉSERT DE NAMIB borde le rivage atlantique du sud-ouest de l'Afrique, depuis Moçâmedes en Angola jusqu'au fleuve Orange, à travers toute la Namibie. C'est le plus sec de tous les déserts africains ; il comprend deux régions distinctes : au nord, des plaines de gravier et des montagnes accidentées ; au sud, des dunes de sable rouge, que le vent ordonne en lignes parallèles orientées nord-nord-ouest/ sud-sud-est.

pluie dans la mer. En conséquence, le Namib ne reçoit en moyenne que 2,5 cm de pluie par an.

Les dunes de sable du désert captent un autre type d'humidité, celle en suspension dans l'atmosphère elle-même. Tous les dix jours environ, une dense nuit de brouillard s'étend vers l'intérieur, sur une distance de 80 km ou plus, ensevelissant la côte et la plus grande partie du désert. En se condensant en une épaisse rosée, cette brume fournit une moyenne de 4 cm d'eau par an.

L'EXPLOITATION DU BROUILLARD DU DÉSERT

Le Namib, avec cette humidité particulière, abrite une grande variété d'animaux, adaptés à cet environnement inhabituel. Ils sont en général petits — scarabées, termites, guêpes, araignées, lézards —, parce que seuls peuvent survivre les êtres qui se contentent d'une faible alimentation en eau. En l'absence de grands prédateurs, les espèces animales sont devenues très visibles, incapables de voler et sans défense. Mais les stratégies pour capter le brouillard, surtout celles des scarabées, montrent une remarquable ingéniosité dans l'évolution.

L'omniprésent scarabée bouton (*Lepidochora sp.*) creuse dans le sable de minuscules sillons parallèles orientés perpendiculairement à la direction du vent ; quand le brouillard se répand, il se condense sur les grains de sable des bords des sillons et l'insecte l'absorbe. Un autre type de scarabée (*Onymacris sp.*) attend l'arrivée du brouillard sur le versant des dunes côtières qui fait face au vent ; lorsqu'il sent l'approche des brumes blanches, il grimpe sur la crête d'une dune escarpée et tombe à la renverse, le dos face au vent et la tête entre les pattes ; le brouillard se condense sur sa carapace et coule goutte à goutte dans sa bouche.

Les lézards comptent beaucoup sur les insectes qu'ils mangent pour satisfaire leur besoin en humidité. Les grillons des dunes et les scarabées sombres — appartenant à la famille des ténébrionidés — sont pour eux de succulents festins. Cependant, le gecko nocturne est capable de lécher les larmes de ses yeux avec sa longue langue flexible. Parmi les reptiles, il y a comme prédateur la vipère des sables (*Bitis peringuei*), une parente éloignée du crotale nord-américain. Comme celui-ci, elle glisse sur les dunes chaudes, laissant des traces parallèles, à 45° de la direction dans laquelle elle se déplace ; lorsqu'elle chasse, elle enterre tout son corps dans le sable, ne laissant paraître que ses yeux. Les lézards curieux qui s'aventurent trop près reçoivent du venin et sont entièrement dévorés.

Dans les plaines de gravier au nord du Kuiseb pousse le remarquable welwitschia (*Welwitschia mirabilis*). Propre au Namib et seule espèce de son genre, le welwitschia, qui vit très longtemps, se dresse jusqu'à 2 m de haut, avec deux grandes feuilles coriaces, souvent découpées en rubans par les vents du désert. Lorsque le brouillard se condense sur ses feuilles, la plante absorbe l'humidité à travers les pores de leur surface ; elle fait de même avec celle du sol grâce à un réseau de très fines radicelles.

Beaucoup de créatures invertébrées du Namib mangent les détritus et les débris apportés par les vents chauds venus de l'est. Ces fines particules de plantes, ces grains de matières organiques s'agglomèrent pour former des « garde-manger » dans les intervalles entre les dunes. Au petit matin, les scarabées, en particulier, s'approvisionnent dans ces « magasins ».

DOYENNE DÉGUENILLÉE du Namib, le welwitschia ou tumboa (Welwitschia mirabilis) *peut vivre plusieurs centaines d'années. La plante, rampante et coriace, est ancrée dans le sol de gravier par une racine ligneuse semblable à une carotte et pouvant atteindre 3 m de long. Cette racine stocke la nourriture et l'eau, assurant sa subsistance dans les périodes de sécheresse.*

LA SOIF D'UN SCARABÉE NOIR (Onymacris plana), *l'une des 200 espèces de la famille des ténébrionidés propres au Namib, est apaisée par le brouillard condensé sur les grains de sable. Le scarabée fouille les dunes pour trouver les particules de débris organiques qui constituent son alimentation.*

*LA MOSAÏQUE D'ARGILE
DESSÉCHÉE de Sossusvlei
se trouve au pied des dunes
les plus hautes du monde :
certaines d'entre elles atteignent
300 m. C'est à 65 km de l'océan
Atlantique et à 300 km au sud-
ouest de Windhoek. Sossusvlei
est alimenté quelques jours par
an par de petits cours d'eau et
des rivières souterraines.
À ces périodes, des animaux,
comme le chamois du Cap
(Oryx gazella gazella), viennent
paître une flore
temporairement abondante.
Le chamois du Cap a développé
un moyen original de résister
à la chaleur du désert qui est si
intense qu'elle tuerait la plupart
des mammifères en détruisant
leur cerveau : le sang
du chamois se refroidit à la
température normale du corps
avant d'entrer dans le cerveau
en circulant dans un fin réseau
capillaire situé dans le nez
de l'animal, ce qui permet
sa survie.*

LE BASSIN DU CONGO

La jungle au cœur du « continent noir »

AFRIQUE - ZAÏRE

Les voyageurs du XIXᵉ siècle parlaient du centre vert de l'Afrique comme du « continent noir ». Ils pensaient que cette jungle apparemment impénétrable contenait des bêtes féroces et des cannibales assoiffés de sang. Cette réputation d'inhospitalité, combinée à une inaccessibilité qui triompha des plus courageux explorateurs, a en fait protégé cette zone de l'homme et prévenu ainsi la destruction de l'une des plus grandes forêts vierges du monde.

Le puissant fleuve Congo, avec sa foule d'affluents, forme comme un réseau d'artères et de veines à travers toute la forêt vierge. Des explorateurs portugais découvrirent l'embouchure du fleuve au XVᵉ siècle, mais 208 km seulement du cours inférieur étaient navigables ; le Chaudron de l'Enfer, une gorge avec des rapides en cascades infranchissables, empêchant d'aller plus avant. L'explorateur britannique Henry Stanley (1841-1904) fut le premier homme blanc à naviguer sur les tronçons centraux du Congo, après avoir traversé tout le pays en arrivant de l'est de l'Afrique (1877-1878).

L'énorme « serpent » naît au nord-est de la Zambie, sous le nom de Chambeshi, et coule vers le nord, puis vers l'ouest, sur 4 700 km, ce qui en fait le sixième fleuve du monde par la longueur. Son débit ne le cède qu'à celui de l'Amazone : à l'embouchure, 43 300 m³ par seconde se déversent dans l'océan Atlantique, soit environ le quart du volume de l'Amazone. Le bassin du Congo a un réseau hydrographique couvrant 3 457 000 km², ce qui équivaut à plus de six fois la superficie de la France. La plus grande partie se trouve au Zaïre, dans une vaste dépression entourée de montagnes et de plateaux : escarpement de la vallée du Rift à l'est, plateau de Luanda en Angola au sud, Monts de Cristal à l'ouest, plateau de l'Oubangui en République centrafricaine au nord.

LA FORÊT VIERGE DU BASSIN DU CONGO couvre la plus grande partie de la moitié septentrionale du Zaïre, au nord d'une ligne joignant Kinshasa, la capitale, aux lacs de la vallée du Rift à l'est. Le bassin du Congo, appelé aussi Zaïre, draine à peu près 13 % du continent africain tout entier. Chaque affluent du fleuve est une branche essentielle du réseau de transport zaïrois : il y a en tout 14 166 km de voies d'eau navigables.

La forêt vierge équatoriale du bassin du Congo représente à peu près 1/10e de la surface totale mondiale. Vue du ciel, elle ressemble à une mer agitée de couleur verte. Formant la voûte dense de la forêt, à 30 m au-dessus du sol, des arbres d'espèces variées rivalisent pour accéder directement à la lumière et à la chaleur. Parmi eux, quelques-uns s'efforcent de dépasser les autres en une couche émergente, ouvrant leur couronne tout entière au-dessus de la forêt. Des lianes profitent des arbres qui émergent, et des piverts font des razzias d'insectes à travers leurs branches.

Dans la flore de la voûte croissent des plantes épiphytes — orchidées, fougères, broméliacées — qui s'enracinent sur les troncs et les branches des arbres. Là vivent des colobes rouges, des singes moustachus, des chimpanzés et des mandrilles ; des oiseaux, comme le féérique gobe-mouches bleu, le perroquet gris d'Afrique et le calao au casque jaune ; des papillons, comme le machaon géant d'Afrique et l'hespérie.

Sous la voûte, d'autres arbres se dressent, à la recherche de la rare lumière du soleil qui peut filtrer. Là vivent pythons et vipères, des oiseaux comme le touraco et le guêpier, la chauve-souris à épaulette et l'écureuil à rayures. Dans la zone humide et crépusculaire du sol de la forêt, des herbivores, comme le bongo et le chevrotin d'eau, se nourrissent dans les clairières de feuilles et d'herbe. Les gorilles mangent des bourgeons, des baies et des tiges, dormant la nuit dans des nids de feuilles et de brindilles. Par terre, des termites construisent leurs monticules à air conditionné ; dans le sol mince, autour des troncs des grands arbres, des scarabées goliaths et perce-bois cherchent leur nourriture.

À LA DÉCOUVERTE DE NOUVELLES ESPÈCES D'ANIMAUX

Dans la première moitié du XXe siècle, trois animaux propres à la forêt vierge du bassin du Congo furent découverts. La recherche de l'okapi fut suscitée par les notes d'Henry Stanley sur les Pygmées (1860) : « Les Wambutti connaissent un âne qu'ils appellent *atti*. Ils disent qu'ils en capturent parfois dans des fosses... Ils mangent des feuilles. » Peu à peu se dessina l'image d'un grand animal ressemblant à un cheval, avec les rayures d'un zèbre, des sabots fendus et l'habitude de brouter la nuit.

En 1899, la curiosité de Sir Harry Johnston, le gouverneur britannique de l'Ouganda, le conduisit dans la forêt vierge, où il apprit que les Pygmées appelaient l'animal *okapi*. Lorsque Karl Eriksson, un officier suédois appartenant au service colonial belge, envoya à Johnston, un an plus tard, deux crânes et une peau complète, le gouverneur s'aperçut que l'okapi était apparenté à la girafe. Le professeur Ray Lankester, zoologiste britannique, assigna un genre propre à l'animal et lui donna le nom latin d'*Okapia johnstoni*.

L'existence du paon du Congo (*Afropavo congensis*) fut révélée en 1936, lorsque le zoologiste américain James Chapin comprit que le spécimen de musée, classé comme un paon commun, qu'il étudiait appartenait en fait à un genre entièrement nouveau, le premier à être découvert depuis quarante ans. La troisième espèce nouvelle de vertébrés fut la civette d'eau piscivore (*Osbornictis piscivora*), découverte dans la forêt d'Ituri, au nord-est du bassin du Congo ; mais ce mammifère marron — de la taille d'un chat domestique avec des taches blanches sur la tête et une queue noire et broussailleuse — n'a jamais été revu depuis.

LA FORÊT VIERGE AFRICAINE se compose de six couches, chacune avec sa flore, sa faune et son microclimat caractéristiques. De haut en bas, ce sont : (1) la couche émergée, ouverte sur le ciel ; (2) la voûte, souvent faite de couronnes d'arbre entrecroisées ; (3) les arbres moins élevés ;

(4) la couche des arbrisseaux, avec des plantes ligneuses adultes et de jeunes arbres formant voûte ; (5) le terrain d'herbes à tige molle et de jeunes plantes ; (6) le sol, la couche de base, faite de végétation morte ou en décomposition.

UN FIGUIER ÉTRANGLEUR
(Commelina diffusa) *bien installé fera mourir de faim et étouffera son hôte malheureux. Le figuier commence sa vie au sommet d'un arbre, lorsqu'une graine, lâchée par un oiseau, germe dans un peu de terre accumulée. La nouvelle plante lance des racines vers le sol, le long du tronc de l'arbre-support. Elle grandit alors rapidement, rivalisant avec son hôte pour la lumière et la nourriture, jusqu'à ce que, finalement, elle emprisonne complètement son tronc creux et mort.*

UN GORILLE DES MONTAGNES
(Gorilla beringei) — *la sous-espèce de gorilles la plus menacée — mange du céleri sauvage dans la zone protégée du parc des Volcans au Rwanda, à une altitude de 2 895 m. Le gorille se nourrit principalement de feuilles et de tiges de plantes qui poussent dans les forêts secondaires et de montagne. Son existence est menacée par la destruction de son habitat.*

LES MÉTÉORES

La forêt de pierres de la Grèce

Sur la bordure occidentale de la plaine de Thessalie, au cœur de la Grèce du Nord, 24 rochers gigantesques s'élèvent à la verticale. Ravinées par le vent et la pluie en formes curieuses, ces aiguilles résonnaient autrefois des chants et des prières de la communauté ascétique des Météores, des moines qui vivaient dans des monastères et des chapelles vertigineusement perchés sur leurs sommets.

Les rochers des Météores sont composés d'un mélange de grès et de gravier sédimentaire dur appelé conglomérat. Ils se sont formés il y a 60 millions d'années, au fond de la mer qui recouvrait alors ce qui est aujourd'hui la plaine de Thessalie. Une série de mouvements sismiques a soulevé le fond de la mer, pour former un haut plateau et faire éclater l'épaisse couche de grès par d'innombrables failles. Désagrégé par le vent, l'eau et les différences de température, le grès fracturé a été emporté, laissant subsister des piliers qui ont été qualifiés de « forêt de pierre de la Grèce ».

L'historien grec Hérodote, au Ve siècle av. J.-C., rapporte que les habitants du lieu croyaient à l'inondation ancienne de la plaine de Thessalie par la mer et à la présence de côtes rocheuses. Si ces propos étaient fondés, cela correspondrait probablement à une inondation de la fin de la période glaciaire, vers 8 000 av. J.-C. De fait, les rochers des Météores sont striés par des lignes horizontales que les géologues pensent avoir été tracées par les eaux de la mer. Curieusement, ni Hérotode ni aucun autre auteur de la Grèce antique ne mentionne les piliers des Météores, ce qui conduit à supposer qu'ils n'existaient pas il y a deux mille ans, hypothèse que les géologues ne prennent pas au sérieux.

Ermites et ascètes religieux commencèrent à habiter ces cimes, dont certaines atteignent 550 m d'altitude, au cours du

LES MÉTÉORES se dressent au-dessus de la plaine de Thessalie, près du village de Kastraki, à 26 km au nord de Trikkala et à 375 km au nord-ouest d'Athènes. Les rochers monolithiques gris, qui s'élèvent majestueusement en face des montagnes du Pinde, ont attiré au Moyen Âge des moines en quête de solitude. Des monastères, comme celui de Roussanou construit en 1288, sont perchés au sommet de cimes rocheuses presque inaccessibles.

IXᵉ siècle. Les cavités et les fissures dans les rochers offraient aux anachorètes un abri contre les éléments, tandis que les falaises escarpées dissuadaient d'éventuels visiteurs d'interrompre leur méditation permanente. Le dimanche et certains jours de fête, les ermites se rassemblaient pour célébrer le culte et prier dans une chapelle au pied du rocher à tête ronde appelé Doupiani. À la fin du XIIᵉ siècle, ils s'étaient organisés en une communauté aux règles souples qui respectaient leur idéal de solitude.

LE GRAND MÉTÉORE ET LES AUTRES MONASTÈRES

Au XIVᵉ siècle, l'Empire byzantin, qui avait dominé la région pendant plus de huit siècles, commençait à lâcher prise. La plaine riche et fertile de Thessalie devint un champ de bataille pour la suprématie sur la Grèce septentrionale. Les pacifiques communautés monastiques semblaient particulièrement vulnérables. En 1334, le monastère du Mont Athos, au sud-est de Salonique, fut abandonné. Dix ans plus tard, le moine Athanasios conduisit un groupe de fugitifs jusqu'aux Météores. Entre 1356 et 1372, sur un sommet appelé Platys Lithos (Large Rocher), Athanasios construisit le monastère du Grand Météore.

Le Platys Lithos convenait parfaitement aux besoins d'isolement d'Athanasios et de ses disciples. Une fois installés sur le rocher escarpé, ils avaient un contrôle complet des accès. Une longue échelle était le seul chemin menant au sommet, et elle pouvait être retirée par les moines chaque fois qu'ils se sentaient menacés. Comme la construction originelle, très simple, ne pouvait plus abriter le nombre sans cesse croissant des moines, des bâtiments plus vastes furent érigés. L'échelle fut remplacée par un système de filets et de câbles actionnés par un treuil à partir d'un portique en surplomb.

On conseillait aux visiteurs du Grand Météore — le mot signifie « aérien » — de prier tandis qu'ils effectuaient l'éprouvante ascension. En 1896, un ecclésiastique russe décrivit son voyage dans le filet comme « une montée angoissante ; le câble allait dans tous les sens, me ballottant sans cesse, jusqu'à ce que j'atteignisse le sommet. Mais lorsqu'ils m'eurent tiré sur la plate-forme de bois, ils me firent me retourner vers le gouffre. Horrifié, je fermai les yeux et faillis perdre conscience ». Ce moyen d'accès précaire est aujourd'hui remplacé par une volée de 115 marches taillées dans le roc.

Sur les 24 monastères qui s'élevèrent entre les XIIIᵉ et XVIᵉ siècles, cinq seulement sont encore habités : le Grand Météore, Aghia Trias et Varlaam par des moines, Aghios Stephanos et Roussanou par des nonnes. L'afflux de touristes dans la seconde moitié du XXᵉ siècle a fini par transformer les Météores en musée. Le manque de solitude a entraîné le départ des moines âgés et découragé les plus jeunes de rejoindre l'un des monastères.

Le monastère de Varlaam est perché sur un obélisque adjacent au Grand Météore. Les frères Théophane et Nectaire l'ont construit en 1517, à l'emplacement où l'anachorète Varlaam avait fait retraite au XIVᵉ siècle. Les deux fondateurs établirent une discipline rigoureuse, comportant la prière pendant la moitié de la nuit et la mortification de la chair. Le doigt de saint Jean et l'omoplate de saint André, conservés comme des reliques à Vaarlam, témoignent des croyances morbides de ce monastère. Les fresques peintes en 1548 par l'hagiographe Frangos Catellanos qui ornent l'église de Tous-les-Saints représentent des scènes des vies du Christ et de la Vierge Marie. ∎

LE MONASTÈRE INHABITÉ D'AGIOS NIKOLAOS ANAPAUSAS est perché dangereusement sur un appendice de l'énorme Platys Lithos (Large Rocher), sur lequel se dresse le Grand Météore. Construit vers 1388, le monastère fut agrandi dans la première moitié du XVIIᵉ siècle. En 1527, les murs de sa basilique furent décorés de fresques richement colorées par Théophane le Crétois, un hagiographe renommé. La parfaite conservation de la plupart de ces fresques fournit de précieuses indications sur les techniques de l'art byzantin.

LES AIGUILLES sur lesquelles sont bâtis les monastères des Météores se dressent à l'ombre du massif du Pinde. L'imposant labyrinthe de pierre grise, qui procure une retraite idéale aux saints moines en quête de paix et de solitude, a été façonné par la mer, puis par le vent et le climat. Des cannelures verticales ont été gravées sur les roches par le suintement de l'eau de pluie le long de leurs parois verticales. Les lignes horizontales sont un souvenir des temps préhistoriques, lorsque les eaux de la mer qui couvrait la plaine de Thessalie rongeaient inlassablement les rocs dressés.

LA SIMPLICITÉ DE L'INTÉRIEUR du monastère de Varlaam fait écho à l'humble vie des moines qui l'habitent. On l'atteint par 195 marches taillées à pic dans le roc. Plusieurs parties du monastère montrent des traces de dégradation. Cependant les lieux de culte — la chapelle de Tous-les-Saints et la chapelle des Trois-Hiérarques — sont ornées de fresques bien conservées et d'icônes très travaillées.

LES SOURCES DE PAMUKKALE

Une antique station thermale dans un paysage féerique

Les saisissantes falaises blanches de Pamukkale s'élèvent au-dessus des riches plaines de Denizli, au sud-ouest de la Turquie, comme une cascade de marbre. Ces falaises descendent en une série de marches de plus en plus larges, depuis un plateau haut de plus de 100 m sur les pentes du Cal Daği. Des eaux vaporeuses, chargées de minéraux, coulent le long de la falaise, débordant d'un bassin à l'autre.

Le nom de Pamukkale, qui signifie littéralement en turc « château de coton », a trois origines possibles. La première, et la plus évidente, est liée à son apparence : de fait, les falaises d'un blanc éblouissant ressemblent à un château féerique fait de coton. Deuxièmement, les eaux posséderaient les propriétés chimiques nécessaires pour nettoyer le coton produit localement et faire tenir les teintures sur les tissus. Enfin, un poète turc anonyme aurait imaginé le nom après avoir eu une vision dans laquelle des géants mythologiques appelés Titans étendaient leur récolte de coton sur le flanc de la montagne, pour la faire sécher.

Les falaises ont été créées par l'eau qui sort en bouillonnant de sources thermales situées sous le plateau à une température de 38 °C. Au cours de son voyage vers la surface, cette eau chaude passe à travers des couches de calcaire et dissout le carbonate de calcium contenu dans la roche. Lorsqu'elle coule par-dessus l'escarpement de Pamukkale, l'eau se refroidit et perd sa capacité à retenir les sels minéraux en solution. En conséquence, le carbonate de calcium, appelé travertin sous sa forme solide, précipite graduellement, au fur et à mesure que la solution descend la falaise.

Les marches en gradin sur la falaise sont formées de nombreux bassins remplis d'eau. Comme les marges extérieures des bassins se refroidissent plus vite, le travertin précipite là

LES SOURCES DE PAMUKKALE sont situées à 19 km au nord de la vieille cité de Denizli et à 250 km à l'est d'Izmir, en Anatolie occidentale (Turquie). Visibles par temps clair à travers la large vallée de la rivière Menderes, les falaises couleur de neige descendent en escalier sur le flanc du Cal Daği. Lorsque les eaux chaudes, riches en sels minéraux, passent d'un bassin à l'autre, elles déposent le carbonate de calcium qui a valu aux falaises le nom de Pamukkale, le « château de coton ».

plus rapidement qu'au centre. Ainsi, les bords des bassins s'élèvent peu à peu et finissent par créer une série de « colonnes ». En ajoutant constamment de nouvelles couches aux falaises, les eaux chargées de sels minéraux empêchent les plantes de prendre pied et les éléments naturels de désagréger Pamukkale en une masse informe.

TOURISTES D'AUTREFOIS ET D'AUJOURD'HUI

Les abondantes sources chaudes de Pamukkale ont été utilisées comme station thermale depuis plus de deux mille ans. Aujourd'hui encore, elles sont recommandées pour le traitement des maladies de cœur, les problèmes circulatoires, les rhumatismes, les maladies des yeux et de la peau, ainsi que pour les troubles nerveux en général.

L'attrait de Pamukkale comme station thermale a amené la fondation de la cité de Hiérapolis, la « Cité sainte ». Ses ruines, sur le plateau d'où sortent les eaux de Pamukkale, sont devenues un centre touristique moderne, avec hôtels et piscines. Hiérapolis fut fondée en 190 av. J.-C. par Eumène II, roi de Pergame, un royaume grec qui contrôlait une grande partie de l'Asie Mineure. Le dernier souverain de Pergame, Attale III, savait que les Romains convoitaient son pays. Pour éviter la destruction complète qu'aurait causée une invasion et garder intacte la richesse de sa famille, Attale légua son royaume à Rome à sa mort, en 133 av. J.-C.

L'antique cité de Hiérapolis fut détruite par un tremblement de terre, en 17 apr. J.-C. Au cours des deux siècles suivants, les Romains la reconstruisirent dans leur style propre, avec des thermes, un temple dédié à Apollon, une rue à colonnades et un vaste amphithéâtre de 15 000 places. Hiérapolis devint une station fréquentée par les riches Romains et l'on sait que trois empereurs au moins la visitèrent.

À côté des ruines du temple d'Apollon se trouve le Plutonium, une pièce pavée de 3 m de côté consacrée à Pluton, le dieu romain des Enfers. Un courant chaud pénétrant dans la pièce à travers une fissure dans le rocher dégage des vapeurs si nocives que le Plutonium est appelé aujourd'hui « le Lieu des Mauvais Esprits ». Selon le géographe Strabon (v. 60 av. J.-C. - 21 apr. J.-C.), les fumées étaient si toxiques qu'elles empoisonnèrent immédiatement les moineaux qu'il jeta dans la fissure. Seuls les prêtres eunuques de Cybèle, déesse de la terre en Phrygie et en Lydie, étaient, disait-on, insensibles à ces vapeurs. On en a conclu qu'il y avait un oracle à Hiérapolis, car des pratiques semblables existaient pour les fameux oracles de Delphes en Grèce et de Cumes en Italie.

Derrière le théâtre romain et au-delà des remparts qui forment un demi-cercle autour de la cité se dresse le Martyrium de saint Philippe. Cette église octogonale du Ve siècle commémore la mort de l'apôtre qui, retiré à Hiérapolis avec sa fille, y fut martyrisé en 80.

Le bâtiment qui abrite les thermes romains fut construit au IIe siècle apr. J.-C. Il est remarquablement conservé, parce que le clergé et les habitants du lieu ont constamment entretenu les murs et le toit après qu'il eut été transformé en église, au Ve siècle. Sous l'Empire byzantin, nobles et riches marchands venaient aux thermes de Hiérapolis pour prendre les eaux. Mais lorsqu'un autre tremblement de terre eut dévasté la région en 1334, la cité ne fut pas reconstruite. Ce n'est qu'au XXe siècle que la population locale s'est accrue et que le tourisme a repris.

■   ■

LES TERRASSES BLANC IVOIRE DE PAMUKKALE descendent en cascade sur le flanc de la montagne, comme un escalier géant. Chaque « marche » est un bassin d'eau chaude, riche en sels minéraux, soutenu par un muret cannelé en travertin. La nuit, les eaux thermales submergent ces terrasses ; le jour, l'eau s'évapore à la chaleur du soleil, laissant de nouveaux dépôts de travertin. Les sources de Pamukkale déposent chaque année 4 200 m³ de travertin, assez pour couvrir quatre terrains de football sur une épaisseur de 30 cm.

LES RUINES ÉPARPILLÉES de la station thermale de Hiérapolis se trouvent près de la ville turque moderne de Pamukkale. Après la destruction, en 17 apr. J.-C., de la ville fondée par les Grecs d'Ionie, les Romains la rebâtirent en style monumental, avec des thermes, un théâtre et un temple d'Apollon. La cité fut abandonnée en 1334, après avoir été ruinée par un autre tremblement de terre.

« PRENDRE LES EAUX »

L'action médicinale de l'eau thermale provient des sels minéraux qu'elle contient. Les plus importants sont le carbonate et le sulfate de calcium, le chlorure de sodium, des sels de fer et de soufre, le carbonate de magnésium et la magnésie. Des gaz, notamment le dioxyde de carbone et le nitrogène, rendent l'eau effervescente, contribuant ainsi au brassage des minéraux.

Les bains dans l'eau chaude sont connus pour détendre les muscles, mais l'adjonction de sels minéraux accroît l'aspect curatif du traitement. Les bains dans les eaux sulfureuses, comme à Aix-la-Chapelle en Allemagne de l'Ouest, peuvent améliorer l'état de la peau. Les eaux alcalines, comme celles de Vichy, ont une action purgative. Les eaux de source carbonatées, comme celles de Saratoga, dans l'État de New York, peuvent soulager les rhumatismes et les névralgies. En général, les eaux riches en sels minéraux nettoient le canal alimentaire et aident à la digestion.

LES
RUWENZORI

Les mystérieuses Montagnes de la Lune

AFRIQUE - ZAÏRE/OUGANDA

Lors de son séjour sur le rivage sud-occidental du lac Albert en 1888, Henry Stanley eut la chance de voir un rare spectacle : un jour, d'épais nuages s'écartèrent soudain dans le lointain et révélèrent une chaîne de montagnes qu'aucun homme blanc n'avait jamais signalée ni vue. « Alors que je regardais vers le sud-est (...) je vis un nuage de forme particulière, d'une très belle couleur argentée, qui avait les proportions et l'apparence d'une grande montagne couverte de neige. »

Stanley avait entendu des légendes sur les Montagnes de la Lune, où le géographe grec Ptolémée (90-168) avait affirmé que se trouvait la source du Nil. Mais, comme c'était le cas pour de nombreuses contrées d'Afrique au XIXe siècle, ces montagnes fabuleuses n'avaient pas été identifiées : des rumeurs les associaient aux mystérieux et inaccessibles monts Ruwenzori. Tandis que Stanley continuait à observer, il prit « conscience que ce qu'[il] contemplai[t] n'était pas l'image d'une grande montagne, mais une montagne réelle, ave son sommet couvert de neige. ...Il [lui] vint alors à l'esprit que ce devaient être les Ruwenzori ».

En 1906, le duc des Abruzzes, Louis-Amédée de Savoie, conduisit une expédition qui réussit à gravir et à cartographier les monts Ruwenzori. La chaîne, située à 48 km au nord de l'équateur, sur la frontière entre le Zaïre et l'Ouganda, compte neuf sommets de plus de 4 800 m. Le plus haut, le mont Margherita, atteint 5 109 m. Ces sommets sont invisibles environ 300 jours par an, cachés par un voile de nuages épais ou noyés dans un brouillard dense.

Les monts Ruwenzori forment un massif de 120 km de long et de 48 km de large. À la différence des autres hautes montagnes de l'est de l'Afrique, comme le mont Kenya ou le Kilimandjaro, les Ruwenzori ne sont pas d'origine volcanique.

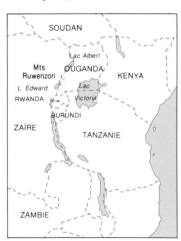

LES MONTS RUWENZORI se dressent en Afrique centre-orientale, entre le lac Albert et le lac Édouard, sur la frontière entre le Zaïre et l'Ouganda. Située sur la branche occidentale de la vallée du Rift, au nord de l'équateur, la chaîne de montagnes renferme de vastes glaciers et des lacs glaciaires. Les pentes supérieures des Ruwenzori sont en grande partie couvertes de mousses, de fougères et de lichens, ainsi que d'une végétation de lobélies, de séneçons et de bruyères de grande taille.

Leurs vieilles roches granitiques furent soulevées il y a deux millions d'années, quand de gigantesques mouvements du sol provoquèrent un affaissement important dans la vallée voisine du Rift.

De vastes marécages occupent les vallées et les contreforts des Ruwenzori. Là, une épaisse végétation de roseaux et d'herbages — comprenant le papyrus et le *pennisetum* — croît à plus de 2 m de haut. Des éléphants *(Loxodonta africana)* passent facilement à travers cette végétation, mangeant les herbes et effrayant par leur seule présence indigènes et voyageurs.

Plus haut sur les pentes, dans une zone luxuriante de bananiers et de fougères arborescentes, vit une grande variété d'animaux, comme le caméléon à trois cornes *(Chameleo johnstoni),* un reptile peu commun de 12,5 cm de long. Des souïmangas boivent le nectar des lobélias et autres fleurs, tandis que des vers de terre longs de 1 m et gros comme un pouce d'homme se frayent un chemin à travers le sol humide.

Vers 2 000 m, d'épais bouquets de bambous procurent un abri aux léopards qui, souvent, suivent les hommes, en quête de détritus comestibles. La plus étrange créature des Ruwenzori est le daman des rochers *(Procavia sp.)* qui ressemble à un lapin et crie comme un cobaye ; mais au lieu de griffes, il a les sabots d'un ongulé.

PLANTES GÉANTES DES PENTES SUPÉRIEURES

Un silence étrange règne sur les parties hautes des énigmatiques Ruwenzori, où les rochers sont recouverts de fougères, de mousses et de lichens. Vers 3 300 m, les animaux sont rares, mais le monde végétal est délirant. Un grand nombre d'espèces, communes et de petite taille dans les climats tempérés, croissent ici de manière démesurée.

Les lobélies *(Lobelia wollastonii* et *L. bequaertii)* grandissent jusqu'à 6 m, 20 fois leur hauteur habituelle. Les séneçons *(Senecio sp.),* qui font normalement 30 cm, atteignent aussi plus de 6 m, leurs bouquets de feuilles semblables à des choux se trouvant au sommet d'un tronc couvert de mousse et de lichens. Des bruyères, qui font en général 1,2 m de haut, croissent en arbres de 12 m. La taille gigantesque de ces plantes résulte de l'absence d'arbres dans leur environnement. Une abondante humidité tout au long de l'année, un sol acide et riche en sels minéraux, de forts rayonnements ultraviolets sont autant de conditions qui leur permettent d'atteindre d'aussi énormes proportions.

Le mot Ruwenzori, qui vient d'un dialecte local signifiant « le faiseur de pluie », est un nom approprié, car les sommets glacés influencent profondément le climat, tant localement que dans toutes les régions de savane de l'Afrique centre-orientale. Des courants d'air venus de l'ouest à travers les forêts vierges humides du bassin du Congo amassent d'énormes quantités de vapeur d'eau. Quand ces vents atteignent les Ruwenzori, ils sont rapidement dirigés vers le haut ; leur vapeur d'eau se condense alors pour former des gouttelettes de pluie, puis des cristaux de glace. Cela produit une couverture de nuages à peu près constante, ainsi que des précipitations de pluie, de neige, de neige fondue et de grêle (env. 2 m par an).

Lorsque des vents puissants et réguliers remontent le long des flancs des montagnes, les nuages franchissent les Ruwenzori et courent au-dessus des vastes régions de savane qui s'étendent vers l'est, provoquant les orages torrentiels de la saison des pluies. Jointes à l'eau de fonte des glaciers, ces précipitations gonflent les affluents du Congo et, par les cours d'eau de l'est de l'Ouganda, les flots du Nil. ■

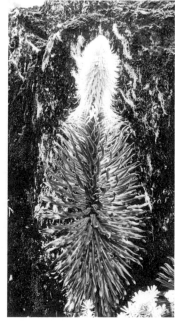

LES LOBÉLIES GÉANTES (Lobelia telekii) *font partie des phénomènes botaniques extraordinaires propres à la ceinture de forêt vierge des pentes supérieures des Ruwenzori, entre 3 000 et 4 300 m d'altitude. Là, ces plantes familières de nos jardins vont jusqu'à multiplier par vingt leur taille habituelle. Un naturaliste qui, au début des années soixante, avait abattu un énorme épi de lobélie pesant 7 kg, se heurta à la superstition des porteurs de son expédition : personne ne voulut toucher le* mulumbu, *par crainte de la mort.*

LE MONT SPEKE, qui porte le nom d'un explorateur anglais du XIXe siècle, John Hanning Speke, est l'un des points culminants de la chaîne des Ruwenzori, à 4 890 m. Il domine le lac Bujuku, dans lequel se déverse l'eau de fonte du plus grand glacier des Ruwenzori, qui porte aussi le nom de Speke. Là, glace et neige sont permanentes, malgré la proximité immédiate de l'équateur. Lorsque les pentes sont dénudées, les montagnes de granite doivent leur légendaire éclat argenté à une abondance de micaschistes, anciennes roches transformées par une chaleur ou une pression extrême.

LE PREMIER HOMME BLANC À APERCEVOIR LES LÉGENDAIRES RUWENZORI fut l'explorateur britannique Henry Stanley, en 1888. Une déchirure fortuite dans la couverture quasi permanente de nuages révéla soudainement les sommets resplendissants, dont l'existence n'avait été jusqu'alors qu'un objet de rumeurs. Même les Africains furent frappés par la magnificence étincelante de la montagne. La gravure victorienne (v. 1890) représente le lieu d'où Stanley observa les montagnes, un village au bord du lac Albert appelé aujourd'hui lac Mobutu-Sese-Seko. Le jeune Africain qui montre les montagnes à Stanley n'avait aucune idée de la neige ; aussi affirme-t-il que les sommets sont blancs de sel.

LE NIL

La sève fécondante de l'Égypte

Tout au long de son cours, du lac Victoria à la Méditerranée, l'environnement du Nil se modifie sans cesse : le fleuve traverse des forêts, des déserts, des marécages, franchit des chutes et des cataractes grandioses. Mais le Nil est, en fait, formé de deux fleuves, le Nil Blanc et le Nil Bleu, qui se rejoignent à Khartoum, au Soudan. Le Nil constitue, selon certains géographes, le plus long fleuve du monde : son cours total mesure 6 695 km.

« L'Égypte est le don du Nil », disait l'historien grec Hérodote (v. 484-420 av. J.-C.). Sans la crue annuelle du Nil, les anciens Égyptiens n'auraient pu obtenir la nourriture dont ils avaient besoin ni établir l'un des empires fondateurs de la civilisation occidentale. Les paysans, qui n'avaient aucune idée de la source du Nil ni de la raison pour laquelle les crues arrivaient presque infailliblement chaque année, en vinrent à honorer le fleuve comme un dieu, qu'ils nommèrent Hapi. Une statue du musée du Vatican représente un Hapi allongé, tenant à la main des épis de blé et entouré de 16 enfants, hauts chacun d'une coudée ; la statue symbolisait un avertissement : si la crue n'atteignait pas la hauteur de 16 coudées — environ 2,5 m —, il y aurait famine.

Malgré son énorme bassin, le Nil Blanc n'est pas responsable de la crue annuelle, car la majeure partie de ses eaux se perdent dans les marécages du sud du Soudan : de ce fait, il ne contribue que pour 1/5 au volume qui coule en Égypte. Le Nil Bleu, long de 1 610 km, en fournit l'essentiel : chaque été, les pluies et la fonte des neiges gonflent ce fleuve et provoquent la crue. C'est un jésuite portugais, Pedro Paez qui découvrit la source du Nil Bleu au lac Tana, à 1 830 m sur les hautes terres d'Éthiopie.

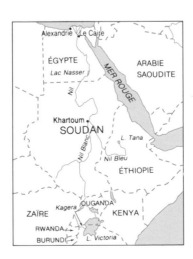

LE NIL et ses affluents drainent à peu près le dixième de tout le continent africain, soit environ 2 850 000 km³. Le bassin, qui s'étend sur neuf pays, représente moins de la moitié de celui de l'Amazone. Les Égyptiens pêchent toujours dans les eaux du Nil, comme ils l'ont fait pendant des siècles. Les bateaux peuvent naviguer sur le fleuve au Soudan et en Égypte tout au long de l'année, sauf pendant la saison des basses eaux, lorsque les cataractes au sud du lac Nasser deviennent infranchissables.

Jusqu'au XIXᵉ siècle, personne n'avait trouvé la source du Nil Blanc et son emplacement restait l'un des mystères géographiques du monde. La meilleure conjecture avait été émise par l'astronome grec Ptolémée qui, en 150 av. J.-C., suggéra que le Nil tirait ses eaux des Montagnes de la Lune — aujourd'hui les monts Ruwenzori —, situées sur la frontière entre l'Ouganda et le Zaïre. De fait, de petits ruisseaux venant des glaciers des Ruwenzori coulent dans le Nil Blanc.

En 1857, la Royal Geographical Society de Londres décida de résoudre l'énigme de la source du Nil. Conduite par l'explorateur Richard Burton (1821-1890), une expédition partit de l'île de Zanzibar et s'enfonça à l'intérieur des terres. Au cours de leur marche, Burton et un autre explorateur, John Speke (1827-1864), découvrirent le lac Tanganyika. Tandis que Burton l'explorait, Speke s'aventura vers le nord et découvrit le lac Victoria, convaincu d'avoir trouvé la source du Nil.

Mais on comprit plus tard que c'était l'unique affluent du lac Victoria, la Kagera, qui alimentait le Nil Blanc, par l'intermédiaire d'un courant traversant l'angle nord-ouest du lac. Dans les années trente, un explorateur allemand, Burkhart Waldecker, remonta la Kagera jusqu'à sa source et donc à l'ultime origine du Nil Blanc : dix sources qui coulent dans un ravin au Burundi, à 96 km des rives du lac Tanganyika.

LE COURS DU NIL

À partir de l'extrémité nord du lac Victoria, les eaux du Nil Blanc coulent à découvert dans une savane broussailleuse, puis tombent de 37 m aux chutes de Murchison. Le fleuve se précipite alors vers la plaine marécageuse du Soudd, un marais impénétrable de papyrus et de lotus couvrant 650 000 km².

Après le Soudd, le Nil Blanc devient large et majestueux, tandis qu'il se fraye un chemin à travers des contrées désertiques jusqu'à Khartoum, la capitale du Soudan. Là, il rejoint le Nil Bleu, dont les eaux sont effectivement bleues — tandis que celles du Nil Blanc sont, à cette jonction, vert pâle. Dans le désert de Nubie, au nord de Khartoum, le Nil franchit quatre cataractes, avant d'entrer dans le lac Nasser — appelé lac de Nubie au Soudan. Ce lac a été formé par le haut barrage d'Assouan, terminé en 1971 — exactement à Sadd al Aali. Aujourd'hui, les eaux de la crue du Nil servent à produire de l'hydroélectricité et à irriguer le pays en aval tout au long de l'année, accroissant ainsi de plus de 50 % la production alimentaire de l'Égypte.

Le barrage, cependant, n'a pas eu que des effets bénéfiques. La création du lac a entraîné le transport pierre par pierre de grands trésors archéologiques à des niveaux plus élevés ; des exploits extraordinaires en matière d'ingénierie ont été accomplis : une section de montagne contenant le temple d'Abou Simbel et pesant 250 000 tonnes a été surélevée de 65 m.

L'effet le plus négatif a été la perte de fertilité du sol en aval. Les énormes masses de limon que le Nil répandait autrefois sur les champs d'Égypte n'y arrivent plus maintenant, mais reposent au fond du lac Nasser. Les paysans doivent utiliser des fertilisants pour maintenir la productivité de leurs champs. Les riches terres du delta sont également privées du limon dont dépendaient les fermiers ; et la Méditerranée gagne lentement du terrain, dévorant la terre fertile ou la noyant dans l'eau salée.

LES CHUTES DE TISSISAT EN ÉTHIOPIE sont le paysage le plus spectaculaire du cours du Nil Bleu — en contraste violent avec les abords calmes du fleuve à sa source au lac Tana. Le nom de Tissisat, dérivant de mots locaux qui signifient « fumée », a été inspiré par la brume vaporeuse qui enveloppe les chutes, à cause de la violence des trois cataractes. Celles-ci font une plongée de 43 m en deux étages, par-dessus des roches basaltiques lisses et noires, flanquées d'une végétation luxuriante. Leur grondement est maximal de septembre à décembre, lors de la saison des pluies.

JOHN HANNING SPEKE, un explorateur anglais du XIXe siècle, fit la sensationnelle découverte du lac Tanganyika avec son compatriote Richard Burton en 1858. Speke continua seul et découvrit le lac Victoria la même année.
En 1861, Speke retourna au lac Victoria avec l'explorateur et chasseur James Grant et prouva que le Nil tirait bien ses eaux de celles du lac. Speke put ainsi terminer son Journal de la découverte de la source du Nil en 1863. Il devait mourir l'année suivante dans un accident de chasse.

LE HAUT BARRAGE D'ASSOUAN, inauguré en 1971, a permis à l'Égypte, pour la première fois de son histoire, de contrôler la crue annuelle du Nil. Haut de 111 m et long de 3 830 m, le barrage a formé un lac de retenue, le lac Nasser, qui s'étend sur 480 km vers le sud. D'immenses surfaces nouvelles ont été ouvertes à l'agriculture et une station hydroélectrique a été construite, avec une capacité de 2 100 mégawatts, assez pour satisfaire aux besoins en énergie d'une ville de plus de 2 millions d'habitants.

LES CÔNES D'ÜRGÜP

Une cité fantastique taillée dans le roc volcanique

En 1907, alors qu'il visitait Ürgüp, en Cappadoce, le prêtre français Guillaume de Jerphanion resta interdit devant ce paysage féerique. Au milieu des montagnes et des vallées s'élevait un fantastique ensemble de cônes, de pyramides, d'aiguilles et de falaises. Stupéfait, le père de Jerphanion décida de se consacrer à l'étude des cônes d'Ürgüp et des églises troglodytiques de Cappadoce. De 1925 à 1942, il publia un ouvrage monumental qui alerta le monde sur une région de la Turquie restée pratiquement inconnue depuis le XIIIᵉ siècle.

Les cônes s'élèvent à la verticale dans les vallées à l'ouest d'Ürgüp ; beaucoup sont groupés, mais quelques-uns se dressent dans un splendide isolement. Chaque cône consiste en un mince pilier rocheux, culminant souvent à 30 m et coiffé par un bloc noir conique : c'est ce que l'on appelle une « cheminée de fée ». Des bandes horizontales de pierre rouge, jaune ou blanche décorent chaque cône.

Cet étrange paysage se forma à la suite d'une série d'éruptions de deux grands volcans, le Hasan Daği au sud-ouest et l'Erciyes Daği au sud-est, il y a 8 millions d'années. Les épanchements volcaniques couvrirent la contrée environnante de couches horizontales de lave, de cendre, de scories et de boue. La lave se refroidit pour former du basalte dur et noir, tandis que la cendre se condensait en une roche tendre et blanche appelée tuf.

Après des milliers d'années, le climat devint plus froid et plus humide. D'abondantes précipitations donnèrent naissance à des torrents rapides qui s'écoulaient au nord vers le Kizìl Irmak ou à l'ouest vers le grand lac salé de Tuz Gölü. Ces cours d'eau ont coupé rapidement à travers le tuf tendre, créant ainsi un réseau de gorges étroites et d'arêtes aux pans

LES CÔNES D'ÜRGÜP se dressent dans des vallées à l'ouest du village d'Ürgüp, situé à 225 km au sud-est d'Ankara, la capitale de la Turquie et à 87 km au sud-ouest de Kayseri. Les grottes creusées dans la tendre roche volcanique des cônes et des falaises sont habitées par des paysans et des moines depuis au moins deux mille ans. Finement décorées de fresques aux riches couleurs, plus de 300 grottes de la région ont été transformées à l'époque médiévale en églises et en sanctuaires.

escarpés. Par la suite, l'érosion élargit les gorges et les seules parties des crêtes qui subsistèrent furent celles qui étaient protégées par des blocs de basalte résistant aux intempéries. Celles-ci s'amenuisèrent en piliers isolés et devinrent les cônes d'Ürgüp. Leurs bandes de couleurs sont dues aux impuretés minérales, comme les oxydes de fer, contenues dans le tuf.

HABITANTS DES CÔNES

Lorsqu'on les regarde à distance, les profils des cônes apparaissent lisses et continus. De près cependant, d'innombrables portes et fenêtres attirent le regard. Cette architecture fantastique, façonnée par des forces naturelles, a été adaptée par les êtres humains. C'est ainsi que les grottes creusées dans les cônes et dans les falaises qui les entourent sont habitées presque continûment depuis plus de deux mille ans.

Les paysans ont transformé ce paysage lunaire en un centre agricole, tandis qu'au début du Moyen Âge moines et ermites y fondaient un avant-poste de la chrétienté. Beaucoup de grottes, encore habitées par des Turcs, sont très confortables, car leurs épaisses murailles rocheuses offrent une protection contre les températures extrêmes.

La contrée qui entoure Ürgüp semble stérile, mais avec une irrigation appropriée elle est, en fait, remarquablement fertile. Les plantes se développent bien dans le sol volcanique riche en sels minéraux, permettant aux fermiers de faire d'abondantes récoltes dans leurs vergers et leurs potagers. Vignes, abricotiers et pêchers, en particulier, viennent bien. Le vin blanc local a un bouquet unique qui fait penser à du soufre brûlant.

Au VIe siècle apr. J.-C., la Cappadoce était sous l'égide de l'Empire byzantin (330-1453), centré à Constantinople. À cette époque, beaucoup de moines furent séduits par l'enseignement de saint Basile le Grand (329-379), qui avait été évêque de Caesarea — la moderne Kayseri, à 87 km au nord-est d'Ürgüp. Saint Basile instaura la tradition monastique en Cappadoce en soutenant l'idée que les moines ne devaient vivre ni dans l'isolement ni en vastes communautés, mais plutôt en petits groupes.

À Ürgüp et dans d'autres villages comme Göreme, les moines ont construit de petites chapelles et des ermitages dans les cônes et les falaises. Voûtées en berceau avec une simple nef rectangulaire et une petite abside, ces églises excèdent rarement 8 m de long. Les moines ont décoré les murs et les plafonds de dessins simples, symboliques du christianisme primitif tels que croix, poisson, grenade et palmier du paradis. Une période d'iconoclasme commença soudain en 726. Mais vers 850, les scènes réalistes et les peintures figuratives revinrent en faveur et les scènes de la Bible furent à nouveau représentées.

Autour d'Ürgüp se trouvent plus de 150 églises taillées dans le roc. Les plus magnifiques datent des Xe et XIe siècles, époque où de riches seigneurs rivalisaient pour construire les plus belles églises ou les plus beaux monastères. Souvent ils chargeaient les meilleurs artistes de l'empire de décorer les intérieurs avec des fresques aux couleurs étonnantes.

Les événements politiques et la guerre mirent fin à cet engouement pour les églises de Cappadoce. Au XIe siècle, les musulmans arrachèrent le contrôle de la région aux Byzantins, et les artistes locaux qui essayaient de maintenir la tradition n'avaient plus l'habileté des peintres d'autrefois. Après les invasions turques du XIIIe siècle, toutes les tentatives pour construire et décorer des églises cessèrent. ∎

L'ENSEMBLE LE PLUS ACCESSIBLE DES ÉGLISES DE CAPPADOCE se trouve parmi les cônes de Göreme et dans la vallée de Göreme, à 8 km à l'ouest d'Ürgüp. La plus grande de ces églises est la Tokali Kilise, l'Église de la Boucle, qui est décorée de fresques représentant des scènes de la vie de Jésus et des Apôtres. Karanlik Kilise, l'Église sombre, renferme des fresques de la Nativité et des Mages. Tout autour des églises, il y a des refuges et des ermitages creusés dans les falaises et accessibles seulement par d'étroits passages ou par des volées périlleuses de marches inégales.

CRIBLÉ D'IMPLANTATIONS HUMAINES, un énorme rocher abrite le village d'Üchisar, situé à 16 km à l'ouest d'Ürgüp. Du sommet d'Üchisar — dont le nom signifie en turc « trois châteaux » —, on découvre l'ensemble de la fantastique « cité » volcanique.

CREUSÉES DANS LA ROCHE VOLCANIQUE, les églises de Cappadoce sont des répliques de l'ancienne architecture chrétienne. L'intérieur d'une église proche d'Ürgüp nous révèle une simplicité vigoureuse contrastant avec le goût du décorateur pour le détail. Colonnes, arches et toitures en dôme sont présentes, bien qu'elles n'aient pas d'utilité fonctionnelle. Dans le style byzantin traditionnel, des fresques représentant des scènes du Nouveau Testament garnissent les murs, les plafonds et même les colonnes.

LA
MER
MORTE

Le lac le plus salé du monde

« Bédouins, pèlerins et voyageurs visitent ses rivages, remarquait à propos de la mer Morte un touriste britannique dans les années trente, mais ces éclairs de vie ne font qu'amplifier l'impression de solitude. Le silence de la mort est partout. » Cela ressemble à un paysage abandonné : aucun oiseau ne crie et l'absence de vent ne fait que souligner le manque d'arbres.

Mais le pays qui domine cet enfer est riche en souvenirs bibliques. Selon le Nouveau Testament, Jésus fut baptisé dans le Jourdain, non loin de Jéricho, la plus ancienne ville connue à ce jour. Et c'est dans des grottes voisines, à Qumran, que furent découverts en 1947 les « Manuscrits de la mer Morte ». Dans les collines, à l'est, se trouve la forteresse de Macheronte, où Jean-Baptiste fut décapité ; dans les collines à l'ouest, une autre forteresse, Masada, garde le souvenir du suicide collectif d'un millier de Juifs zélotes qui refusèrent de se rendre aux Romains.

La mer Morte est la masse d'eau la plus salée de la Terre. L'eau de mer normale contient 3,5 % de sel ; la mer Morte, avec 28 %, en contient huit fois plus. Par comparaison, le Grand Lac salé de l'Utah, aux États-Unis, est seulement six fois plus salé que la mer. La salinité est la cause de la particularité la plus connue de ce lac, sa flottabilité.

Seuls quelques microorganismes extraordinaires, comme la bactérie *Halobacterium halobium,* peuvent survivre dans cette saumure concentrée. Ces organismes contiennent un pigment rouge appelé bactériorhodopsine, qui capte la lumière du soleil de la même manière que la chlorophylle. Ces bactéries sont si dépendantes des hautes concentrations en sel que, si l'eau était diluée jusqu'à trois fois la teneur de l'eau de mer, elles mourraient.

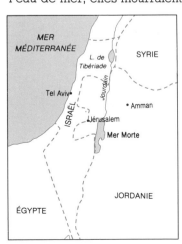

LA MER MORTE est un lac intérieur, situé à 24 km à l'est de Jérusalem et partagé entre Israël et la Jordanie. Avec 75 km de long et une largeur maximale de 15 km, elle a aujourd'hui une surface de 1 010 km², soit près de 2 fois celle du lac Léman. Il y a 17 000 ans, le niveau de l'eau était si haut qu'elle communiquait avec le lac de Tibériade au nord. Les eaux de la mer Morte sont si saturées de sels minéraux que des colonnes de sel apparaissent souvent au-dessus de la surface.

Point le plus bas à la surface de la Terre, les rives de la mer Morte sont à 396 m au-dessous du niveau de la Méditerranée, qui n'est qu'à 75 km. La dépression est située près de l'extrémité nord de la grande vallée du Rift. Ce système de failles est une tranchée immensément longue, qui s'étend en zigzags sur 6 500 km, de la Syrie au Mozambique. Sa formation a débuté il y a 25 millions d'années, lorsque des mouvements dans la croûte terrestre commencèrent à ouvrir d'immenses fractures, entraînant des effondrements de terrains.

DES EAUX RICHES EN SELS MINÉRAUX

Dans le bassin nord de la mer Morte, les eaux ont près de 400 m de profondeur ; celles du bassin Sud ont une profondeur moyenne de 6 m, mais, par endroits, le fond se relève jusqu'à 2 m. Ces deux bassins sont séparés par une étroite péninsule appelée El Lissan, « la langue » en arabe.

Il y a 2 millions d'années, la Méditerranée couvrait la région. Du sel gemme se déposait en énormes quantités et lorsque la mer se retira, celui-ci resta sous forme de collines. Le djebel Ouzdoum, à l'extrémité sud de la mer Morte, est composé de sel gemme presque pur. Une couverture de gypse et de calcaire a empêché les rares pluies d'emporter le sel. S'élevant à une altitude de 150 m, le djebel Ouzdoum s'allonge sur près de 9 km, avec ses flancs abrupts cannelés et ciselés par le vent et l'eau.

Au chapitre 19 de la *Genèse,* la Bible raconte comment « le Seigneur fit pleuvoir sur Sodome et Gomorrhe du soufre et du feu ». Le neveu d'Abraham, Loth, et sa famille s'enfuirent ; mais la femme de Loth se retourna pour regarder les villes en feu et fut instantanément changée en « statue de sel ». Des piliers de sel isolés caractérisent le djebel Ouzdoum ; et selon la légende, les ruines de Sodome et de Gomorrhe gisent sous les eaux du bassin méridional de la mer Morte.

Le Jourdain et de nombreuses petites rivières alimentent la mer Morte en eau et en sels minéraux provenant des collines environnantes. Mais le lac n'a pas de déversoir : ses eaux disparaissent uniquement par évaporation. En regard de précipitations annuelles moyennes de 10 cm, près de 2 m sont perdus par évaporation.

Ce n'est que dans les années vingt, alors que la Palestine était sous mandat britannique, que le riche contenu minéral de la mer Morte fut considéré sérieusement comme une source de matières premières. Pendant la Première Guerre mondiale, les fermiers britanniques avaient été privés des fertilisants à base de potasse qu'ils achetaient antérieurement à l'Allemagne. En conséquence, le gouvernement envoya des ingénieurs et des chimistes sur la mer Morte pour qu'ils trouvent un moyen d'extraire des sels minéraux en quantité.

La première usine chimique fut construite sur la rive nord du lac, puis un vaste complexe fut installé près des basses eaux du sud. Grâce à des bassins d'évaporation grands comme une douzaine de terrains de football, les sels minéraux étaient recristallisés un par un à partir de l'eau. Le premier à être récolté fut le sel ordinaire, puis la potasse, puis le bromure. Aujourd'hui, Israël met en œuvre de grands complexes très sophistiqués pour extraire ces sels minéraux qui sont essentiels pour les industries du verre et des fertilisants. Les Israéliens ont élaboré des projets pour creuser un canal de la Méditerranée jusqu'au sommet des collines qui dominent la mer Morte. Les bénéfices seraient de deux sortes : production d'énergie hydroélectrique et remplissage du lac salé.

■ ■

LE SITE DE LA MER MORTE, vu d'en haut vers le sud, apparaît aussi désolé que l'indique son nom. Le lac s'étend dans le désert du Néguev, dans la vallée du Jourdain, un environnement pratiquement privé de végétation. La pluie est rare et, comme dans la plupart des déserts, violente lorsqu'elle arrive, transformant les lits secs en torrents furieux. Mais ces

incertains déluges saisonniers ne peuvent guère rivaliser avec le taux élevé d'évaporation. L'eau se retire des rivages sablonneux. Bien que le niveau ait monté un peu au cours de la première moitié de ce siècle, des changements climatiques, ainsi que le détournement des eaux du Jourdain pour l'agriculture, l'ont fait baisser à nouveau.

UN BULLDOZER déplace de gros blocs de sel pour les travaux de la mer Morte conduits par les Israéliens à Sodome, sur le rivage Sud-Ouest. Le résidu laissé par l'évaporation de l'eau la plus saumâtre du monde est une véritable usine de sels minéraux, depuis le chlorure de sodium (le sel de table) jusqu'aux sels de brome

et de magnésium — qui sont tous exploités sur une large échelle. L'extraction des produits chimiques, destinés à des usages aussi divers que la fertilisation des sols et les produits pharmaceutiques, se fait par une chaleur oppressante qui atteint fréquemment 40 °C en été.

UN CURISTE, les genoux recouverts d'une crème protectrice contre le soleil encore chaud de l'après-midi, démontre la flottabilité sans égale de la mer Morte. Des légendes bédouines en ont depuis longtemps vanté les qualités thérapeutiques. Aujourd'hui, la combinaison d'eaux riches en sels minéraux, du climat, de sources locales d'eau chaude et de boue Piloma attire par milliers des gens inquiets pour leur santé. Maladies de la peau, des articulations ou du système respiratoire sont les affections les plus couramment traitées.

LE CRATÈRE DE NGORONGORO

Une réserve naturelle dans la vallée du Rift

Les pentes abruptes et les parois ravinées du volcan effondré de Ngorongoro, au cœur de la Tanzanie, renferment l'une des plus spectaculaires réserves naturelles de l'Afrique. Les riches herbages qui couvrent le fond du cratère sont un paradis pour une population permanente de 25 000 à 30 000 mammifères. Les guerriers masaï, qui furent chassés du cratère au milieu du XXe siècle, révéraient le Ngorongoro : même dans les pires sécheresses, ils pouvaient compter sur ses sources pour apaiser leur soif.

Le Ngorongoro est l'un des nombreux volcans éteints de la haute région des cratères en Afrique orientale. Ces volcans ont commencé à entrer en éruption il y a 25 millions d'années, à un moment où la grande vallée du Rift, qui court sur 4 800 km, du Zambèse au sud à la Syrie au nord, était également en cours de formation, par la séparation de deux plaques tectoniques, portant l'une l'Afrique orientale, l'autre le reste du continent, dans le processus de dérive des continents.

La faille — en anglais *rift* — qui s'ouvrait alors dans la croûte terrestre, permettait à des roches fondues, ou magma, de s'échapper du centre de la Terre. Ce liquide ardent jaillit à travers les cônes du Ngorongoro et d'autres volcans, recouvrant les plaines environnantes de lave et de poussière. On pense qu'après l'éruption un grand lac de magma s'est formé sous le Ngorongoro, près de la surface.

Il y a 2,5 millions d'années, de nouvelles perturbations dans la structure rocheuse sous-jacente ont provoqué l'écoulement de ce lac, laissant le Ngorongoro en équilibre au-dessus d'une gigantesque cavité souterraine ; à ce moment, le sommet du volcan devait être à environ 4 570 m au-dessus du niveau de la mer. Par la suite, le poids du roc, combiné à de

LE CRATÈRE DE NGORONGORO est situé dans le nord de la Tanzanie, à 560 km au nord-est de Dar es-Salaam, la capitale du pays, et à 240 km au sud-ouest de Nairobi, la capitale du Kenya. L'herbe courte qui couvre plus des 2/3 du fond du cratère peut nourrir 100 herbivores par km². Quant aux eaux peu profondes et saumâtres du lac du cratère, elles offrent une nourriture abondante à une multitude de flamants.

nouvelles éruptions, a provoqué l'effondrement intérieur du volcan, entraînant la formation d'un énorme cratère ou plus exactement d'une *caldeira*.

Le fond du cratère de Ngorongoro, qui couvre une superficie d'environ 260 km², se trouve à 610 m au-dessous du bord et à 1 830 m au-dessus du niveau de la mer. La Table ronde, une colline basse à sommet plat au nord-ouest de la plaine de Ngorongoro, est probablement tout ce qui reste du sommet du volcan. Dans le bassin plat, grossièrement circulaire, poussent des herbages typiques de la savane de l'Est africain.

Contrairement à la plaine de Serengeti à l'ouest — d'où plus de 2 millions d'animaux doivent émigrer lorsque la saison humide est achevée —, le Ngorongoro jouit d'une alimentation presque continue en eau. Cette irrigation naturelle maintient la population animale tout au long de l'année et évite aux herbivores d'avoir à aller chercher des pâturages au-delà de la bordure du cratère.

FLAMANTS ET HERBIVORES

Deux rivières, la Munge et la Lonyokie, alimentent le cratère en eau, formant des marécages le long de leur cours, pour finalement se déverser dans un lac qui se trouve au point le plus bas du cratère ; comme il n'a pas de déversoir, l'évaporation rend son eau saumâtre et, de ce fait, la vie aquatique y est restreinte — contrairement aux autres lacs d'Afrique orientale : le lac Tanganyika, par exemple, contient plus d'espèces de poissons que n'importe quel autre lac au monde.

De gigantesques bandes de flamants se déplacent à travers les eaux basses, comme un tapis mouvant. À la moindre alerte, ils s'envolent et tournent en rond majestueusement avant de retourner sur le lac. Deux espèces distinctes de flamants vivent dans ces eaux chaudes. Le petit flamant *(Phoeniconaias minor)* se nourrit d'algues microscopiques vertes qui vivent dans les eaux de surface du lac ; un mécanisme délicat contenu dans le bec de l'animal filtre l'eau et recueille les algues ; les petits flamants mangent toute la journée, filtrant environ 30 l d'eau par heure.

Le grand flamant *(Phoenicopterus ruber roseus)* a dans son bec un filtre plus grossier qui lui permet de passer les boues et sédiments du fond du lac pour trouver des crustacés, des petits poissons et des déchets organiques. Les deux espèces de flamants occupent des parties différentes du lac : le grand flamant reste près du rivage, où il peut atteindre la boue du fond ; le petit flamant filtre sa nourriture en marchant ou en nageant sur toute l'étendue du lac.

Le marais Munge, au nord du lac, constitue une mare permanente pour les hippopotames et les éléphants, et un refuge pour les autres animaux qui s'y regroupent pendant la saison sèche. Tout en buvant et en broutant, les herbivores — zèbres, gnous et gazelles — sont constamment en alerte ; leur camouflage n'est efficace qu'un temps : les rayures blanches et noires du zèbre *(Equus burchelli)* déforment sa silhouette ; le pelage tacheté des gnous *(Gorgon taurinus)* se confond avec les tons bruns de la savane sèche.

Ces astuces ne dupent pas les prédateurs les plus habiles du Ngorongoro, les hyènes *(Crocuta crocuta)* ; le fond plat du cratère, presque vide d'obstacles tels que rochers et arbres, fournit un cadre idéal à leurs bandes, qui courent et chassent la nuit. Les lions *(Panthera leo)*, qui chassent à l'affût, ont moins de succès dans ce paysage ouvert ; en revanche, ils profitent du gibier tué par les hyènes.

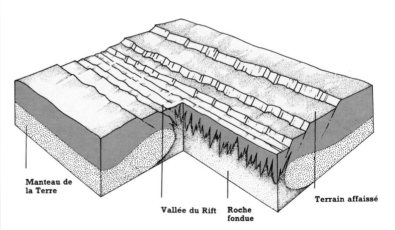

Manteau de la Terre

Vallée du Rift   **Roche fondue**   **Terrain affaissé**

LA GRANDE VALLÉE DU RIFT est une immense chaîne de lacs, de ravins, de volcans et de mers, en Afrique orientale et au Moyen-Orient, du Mozambique à la Syrie. Elle a été formée pour l'essentiel par des mouvements des plaques tectoniques, gigantesques masses rocheuses qui s'ajustent les unes aux autres sur la croûte terrestre, comme un puzzle.

En Afrique orientale, deux plaques tirent en sens opposés, déchirant le manteau de la Terre et provoquant l'effondrement du sol le long de la frontière des plaques. Au cours du processus, des roches fondues sortent des profondeurs de la Terre et forment des volcans, comme l'ancien sommet du Ngorongoro.

LA GORGE D'OLDUVAÏ se trouve sur le bord oriental des plaines de Serengeti, dans le nord de la Tanzanie. Ce ravin aux parois abruptes, de 48 km de long sur 90 m de profondeur, fait partie, comme le cratère de Ngorongoro à l'est, de la grande vallée du Rift. La gorge a été formée par une rivière qui a creusé son chemin à travers sédiments rocheux et dépôts volcaniques tombés au fond d'un lac pendant 2 millions d'années.

Le travail de pionnier du paléo-anthropologue Louis Leakey (1903-1972) et de sa femme Mary a permis une riche récolte de fossiles et d'outils de pierre dans les couches rocheuses d'Olduvaï. Ces fossiles comprennent notamment les ossements de 50 hominidés primitifs, comme l'Australopithecus robustus *et l'*Homo habilis, *vieux de quelque 1 750 000 ans.*

*LA SAVANE DÉCOUVERTE DU CRATÈRE DE NGORONGORO procure un pâturage idéal aux troupeaux d'herbivores, tels les zèbres et les gnous. Le cratère nourrit aussi une vaste population de rhinocéros noirs (*Diceros bicornis*) ; cela est inhabituel, car les rhinocéros préfèrent d'ordinaire dormir* pendant les heures chaudes du jour à l'ombre d'arbustes et de fourrés qui sont difficiles à trouver au Ngorongoro ; leur prospérité dans le cratère est probablement due à l'abondance des broussailles, des herbes et des trèfles qui constituent l'essentiel de leur alimentation.

MADAGASCAR

Un musée vivant d'espèces rares

AFRIQUE

Depuis 1500, date de sa découverte par le navigateur portugais Diego Diaz, Madagascar est considérée comme le musée vivant d'une flore et d'une faune originales et uniques. Quatrième île du globe par la taille — après le Groenland, Bornéo et la Nouvelle-Guinée —, Madagascar mesure 1 570 km de long pour une largeur maximale de 570 km. L'île est grossièrement divisée en trois zones s'allongeant chacune du nord au sud : un large plateau central, qui s'élève jusqu'à 1 400 m, est flanqué d'une forêt vierge tropicale à l'est et d'un pays boisé et vallonné à l'ouest.

Le long d'une côte Est étrangement rectiligne, des montagnes s'élèvent brusquement jusqu'à plus de 2 500 m ; les vents chauds et humides soufflant de l'océan Indien abandonnent leur pluie sur leurs flancs et contribuent ainsi à maintenir une ceinture côtière de forêt vierge, large de 50 km. À l'ouest, une bande de forêt feuillue large de 60 à 125 km descend en ondulations vers la côte ; lorsque les grands fleuves qui coulent dans la région approchent de la mer, leur estuaire saumâtre forme de denses mangroves.

Le sud de l'île présente un fort contraste avec cette image d'abondance naturelle. Abritée des vents humides par les montagnes et coupée des fleuves par la configuration du terrain, cette région semi-désertique est appelée le Pays de la Soif. Une de ses formations végétales caractéristiques est un groupe de plantes xérophytes qui ont une écorce épaisse et spongieuse pouvant stocker de grandes quantités d'eau pour les périodes de sécheresse. Font partie de ce groupe le baobab, qui semble pousser à l'envers — d'où son surnom d'« arbre renversé » —, et le *Pachypodium,* qui a un tronc en forme de gourde et des branches longues d'un mètre, couvertes de chaume.

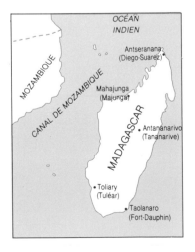

MADAGASCAR se trouve dans le sud-ouest de l'océan Indien, à environ 800 km de la côte du Mozambique, au sud-est de l'Afrique. L'île couvre 587 041 km², soit un peu plus que la France. Les restes de la forêt vierge tropicale croissent le long de la côte Est, où ils bordent des plages de sable, comme celle de Maroantsetra, à 450 km au nord-ouest d'Antananarivo (Tananarive), la capitale.

Les forêts d'un xérophyte appelé *Didierea* offrent un aspect mystérieux et menaçant. Ce sont des bouquets de troncs minces, sans branches, de 10 m de haut, protégés par des milliers de fines épines coupantes comme des rasoirs. Ces épines empêchent les herbivores de brouter les feuilles qui poussent parmi elles et retiennent une couche d'air pour réduire la perte d'humidité.

L'un des animaux typiques de l'île habite dans l'inhospitalière forêt de *Didierea*. C'est le sifaka *(Propithecus verreauxi)*, qui se chauffe au soleil au sommet des troncs épineux ; il appartient à la famille des lémures, dont les 22 espèces sont inconnues dans le reste du monde. Le plus grand est l'indri *(Indri indri)*, qui mesure plus de 1 m de long ; ses marques noires, blanches et marron lui procurent un camouflage efficace dans les taches d'ombre de la forêt ; contrairement à beaucoup d'autres lémures, l'indri a une queue courte et trapue. Le plus familier est le lémure à queue zébrée *(Lemur catta)*, une créature amicale avec une longue queue rayée de noir et de blanc, qui vit dans le Sud sec et rocailleux parsemé de rares arbres.

UN TRÉSOR NATUREL UNIQUE

90 % des espèces animales et végétales de Madagascar sont propres à cette île : lorsque, il y a 60 millions d'années, Madagascar se sépara de l'Afrique, l'île fut isolée du reste du monde, les animaux qui y vivaient évoluèrent sans être dérangés ni menacés par de grands carnivores ou des singes supérieurs. C'est l'arrivée de l'homme, il y a moins de deux mille ans, qui commença à bouleverser l'ordre de la nature.

La liste des espèces propres à l'île est impressionnante. En dehors des lémures, il y a 49 genres d'oiseaux, le plus grand et le plus petit caméléon du monde, 148 sortes de grenouilles aux couleurs éclatantes. Les tenrecs insectivores forment une famille de mammifères composée de 30 espèces, qui se sont adaptées à différents environnements. Le grand tenrec hérisson *(Setifer setosus)* habite la forêt sèche et les hauts plateaux ; lorsqu'on le dérange, il s'enroule en une boule serrée d'épines pointues, tout à fait comme le hérisson européen. Le tenrec du riz *(Oryzorictes hova)* vit dans les champs de paddy, omniprésents à Madagascar, et se nourrit d'invertébrés ; sa faible vue et son habileté à creuser de profonds terriers dans le sol en font le proche cousin malgache de la taupe.

La présence humaine est rendue responsable de la disparition de nombre des premiers habitants de Madagascar, dont l'oiseau-éléphant, l'hippopotame pygmée et plus d'une douzaine d'espèces de lémures. Personne ne sait exactement quelles formations végétales ont disparu, mais on estime actuellement à plus de 10 000 le total des espèces présentes dans l'île.

Les premiers colons, qui traversèrent l'océan Indien depuis l'Indonésie et la Malaisie dans des canoës à balancier, apportèrent avec eux la technique de la culture sur brûlis : ils abattaient des arbres de la forêt, y mettaient le feu et plantaient leurs cultures sur le sol couvert de cendres ; au bout de deux ans, les fermiers se déplaçaient pour défricher un nouvel espace dans la forêt.

La forêt vierge de Madagascar continue à être décimée. Actuellement, 150 000 ha sont détruits en moyenne chaque année. 60 000 km² étaient encore intacts en 1985, mais si le même rythme est maintenu, 99 % des forêts auront disparu en l'an 2000, laissant place à une savane ouverte et à des pâturages ou des champs à culture intensive de riz, d'épices, de vanille et d'huiles à parfum. ∎

L'OISEAU-ÉLÉPHANT, le plus grand oiseau que le monde ait connu, mesurait près de 3 m. Cet Aepyornis maximus, propre à Madagascar mais aujourd'hui disparu, dépassait l'autruche de plus de 30 cm et pesait trois fois plus qu'elle. Sans ailes et incapable de courir vite, cet oiseau-éléphant était un herbivore ; avec son long cou, il pouvait arracher les feuilles des basses branches des arbres. Les premiers ancêtres de l'oiseau-éléphant vinrent d'Afrique, mais ils restèrent à Madagascar lorsque l'île commença à s'écarter du continent, il y a 60 millions d'années. Les zoologistes pensent qu'Aepyornis maximus et six autres espèces furent exterminés par les hommes venus de l'Asie du Sud-Est qui colonisèrent l'île il y a moins de deux mille ans. On découvre encore les œufs géants pondus par ces oiseaux : pesant autour de 9 kg — soit 8 fois le poids d'un œuf d'autruche —, ils mesurent 35 cm de long et ont une capacité de 9 litres.

LE BAOBAB est presque aussi large que haut, avec un diamètre moyen de 10 m et une hauteur de 12 m. Son tronc bulbeux est garni d'une matière pulpeuse appelée « pain de singe » et ses fleurs sont fécondées par les chauves-souris. Habitant des zones arides, le baobab a des racines qui peuvent s'étendre sur plus de 100 m.

LE LÉMURE À QUEUE ZÉBRÉE (Lemur catta) *est un grimpeur agile, mais, contrairement aux autres lémures, il passe aussi une grande partie de son temps à terre. Des groupes de 20 à 40 individus, en majorité des femelles et des jeunes, peuvent occuper un même territoire. Actifs pendant le jour, les lémures à queue zébrée de blanc et noir se nourrissent abondamment de fruits, de feuilles, d'herbes et d'écorces ; ils boivent aussi la résine des arbres, en perçant l'écorce de leurs incisives inférieures.*

L'AYE-AYE (Daubentonia madagascariensis) *est l'un des plus petits lémures, avec une longueur maximale du corps de 44 cm et une queue pouvant atteindre 60 cm. Seule espèce de cette famille, l'aye-aye vit exclusivement dans les arbres de la forêt vierge malgache, où il est en danger d'extinction. Il sort la nuit pour se nourrir de larves d'insectes, d'œufs, de pousses et de fruits. Utilisant un de ses longs doigts l'aye-aye frappe un tronc d'arbre et écoute avec ses oreilles de chauve-souris les mouvements des insectes perce-bois. Lorsqu'il en a localisé un, l'aye-aye l'extrait avec un doigt ou dénude le bois avec ses dents.*

LES LACS BAND-I AMIR

Des joyaux sur les contreforts de l'Hindou Kouch

Quand Mahomet, le fondateur de l'islam, mourut en 632 apr. J.-C., son beau-père prit le pouvoir religieux en Arabie. Ali, le gendre du Prophète, que beaucoup auraient souhaité comme successeur, fut contraint à l'exil. Son absence des allées du pouvoir suscita bien des légendes sur ses faits et gestes. L'une d'elles rapporte comment, lors d'un voyage en Afghanistan, il façonna les six lacs bleus étincelants de Band-i Amir.

Ali arriva en Afghanistan avec son fidèle serviteur, Kambar, avant que le pays fût converti à l'islam. Un tyran local tenta de les capturer dans la vallée de Band-i Amir, où un fleuve serpente à travers les contreforts occidentaux de l'Hindou Kouch. Furieux, Ali s'échappa en grimpant sur une montagne où, après avoir donné un coup de pied dans un rocher en direction de ses poursuivants, il déclencha un glissement de terrain. L'avalanche de pierres bloqua la rivière et créa un lac ; ce lac et le barrage qui le retient sont connus depuis sous le nom de Band-i Haibat, la « Digue de la Colère ».

D'un coup de son épée Zulficar, Ali détacha du flanc de la colline un autre rocher qui provoqua une autre avalanche et créa le Band-i Zulficar, la « Digue de l'Épée ». Kambar, prenant exemple sur son maître et seigneur, façonna le troisième lac en formant le Band-i Kambar, la « Digue du Serviteur ». Des esclaves libérés du tyran par Ali firent le Band-i Rholaman, la « Digue des Esclaves ». Puis le gendre du Prophète jeta dans la rivière du fromage préparé par les femmes du pays, ce qui donna le Band-i Panir, la « Digue du Fromage ». La sixième et dernière digue, Band-i Pudina, la « Digue de la Menthe », se forma lorsqu'Ali jeta de la menthe fraîche dans les eaux de la rivière.

À son retour en Arabie, en 656, Ali devint le quatrième calife, après la mort de son rival, Osman ; mais cinq ans plus

LES LACS DE BAND-I AMIR miroitent au milieu de contreforts arides à l'extrémité ouest des montagnes de l'Hindou Kouch, à 80 km à l'ouest de Bamiyan. Les six lacs sont groupés près de la source de la rivière Band-i Amir, qui coule vers le nord jusqu'au-delà de Mazar-i Sharif et se termine près de la frontière entre l'Afghanistan et l'URSS. Les lacs se nichent dans une vallée étroite, brûlée par le soleil, et leurs eaux s'écoulent par-dessus des barrages faits de travertin, une roche calcaire.

tard il fut assassiné. Ses successeurs constituèrent la branche
chiite de l'islam, qui est toujours florissante en cette fin du
XXᵉ siècle. Les chiites croient que les musulmans doivent être
conduits par un homme à demi dieu, médiateur entre Allah et
les fidèles. Les musulmans sunnites, représentants de l'islam
traditionnel, croient au contraire que les fidèles sont directement face à Allah, sans chef charismatique pour intercéder en
leur faveur.

LE CHAPELET BLEU ÉTINCELANT

La magnifique chaîne des lacs de Band-i Amir — littéralement
la « Digue du Prophète » — ressemble à un chapelet de lapis-
lazuli parmi les contreforts rocheux et stériles de l'Hindou
Kouch. Cette chaîne de montagnes est la deuxième dans le
monde — après l'Himalaya — par l'altitude. Elle s'étend sur
800 km, du nord-est de l'Afghanistan au nord du Pakistan, où
le pic le plus élevé, le Tirich Mir, s'élève à 7 699 m. La chaîne
tire son nom du grand nombre d'hindous qui y périrent en la
traversant pour regagner l'Inde.

   Les sommets qui dominent les lacs s'élèvent à quelque
3 000 m et ne reçoivent que rarement la pluie. Entourés de
falaises à pic, les lacs scintillent dans la lumière du soleil : leur
couleur bleu foncé est due à la clarté de l'air aussi bien qu'à la
pureté de l'eau. Chaque lac est fermé par une longue arête
rocheuse et se trouve à un niveau différent de celui de ses voisins, ce qui fait que la rivière coule de l'un à l'autre.

   La rivière Band-i Amir tire ses eaux de la fonte printanière
des neiges des montagnes environnantes. Celles-ci s'infiltrent
dans le sol et passent lentement à travers le calcaire sous-
jacent, dissolvant son sel principal, le carbonate de calcium,
et formant des bassins et des courants souterrains. Lorsqu'ils
émergent des collines, ces courants deviennent les sources
de la rivière. Chargée de carbonate de calcium et d'autres
sels minéraux dissous, celle-ci coule dans une vallée étroite,
tortueuse, de 12 km de long.

LES DIGUES DE TRAVERTIN

Dans beaucoup d'autres parties du monde, les eaux contenant du carbonate de calcium déposent leur contenu de sels
minéraux soit par évaporation, comme à Pamukkale en Turquie, soit par refroidissement rapide, comme à Strokkur en
Islande. Aux lacs Band-i Amir, le processus est tout différent :
les ruisseaux serpentant paresseusement entre les lacs entraî-
nent la formation de surfaces marécageuses et sableuses
intermittentes, dans lesquelles peuvent pousser des saules,
des broussailles, mais aussi des plantes aquatiques. Ces plantes dégagent une substance chimique qui réagit sur le calcium dissous et le fait précipiter en une pâle substance
cireuse appelée travertin.

   Au cours des siècles, le travertin s'est déposé sur les bords
des lacs, formant des barrières ou « digues » qui emprisonnent
l'eau dans des bassins de plus en plus grands. Ces digues ont
en moyenne 10 m de haut et 3 m d'épaisseur. Lorsque la
rivière a rempli le lac le plus élevé, l'eau coule par-dessus la
digue de travertin et serpente à travers le sable jusqu'au lac
suivant, où le processus de dépôt continue.

   Des six lacs, Band-i Amir est le plus petit, avec un diamètre
d'environ 100 m ; le plus grand est Band-i Zulficar, qui mesure
6,5 km de long. Quand le Band-i Amir a franchi le barrage
final de Band-i Zulficar, il coule librement sur les pentes de
l'Hindou Kouch vers les basses terres du Nord. Mais ses eaux
sont vouées à disparaître dans les déserts brûlants du nord de
l'Afghanistan, près de la frontière avec l'URSS. ∎

*DES TRIBUS ESSENTIELLEMENT
D'ORIGINE MONGOLE forment
la population éparse, mais
colorée de la zone accidentée
des lacs Band-i Amir. Les
Hazaras (haut et bas)
comprennent à la fois des
sédentaires et des nomades.
En fait, beaucoup sont semi-
nomades, en fonction
des nécessités du terrain :
une steppe aride qui ne peut
faire vivre beaucoup d'hommes
et d'animaux et n'est utilisable
que comme pâturage saisonnier.
Les Pashtouns (milieu), avec leur
structure tribale complexe, se
maintiennent dans les régions
reculées de la montagne, où ils
ont longtemps échappé à
l'influence et au contrôle du
gouvernement central.*

*LES MAISONS DE BOUE SÉCHÉE
DES BERGERS se serrent à l'abri
de l'un des lacs aux parois
escarpées de Band-i Amir qui
constituent une très importante
réserve d'eau. Des ânes, utilisés
pour le transport à courte
distance, cherchent tout ce qu'ils
peuvent trouver comme
végétation à une telle altitude. La
survie, dans ce cadre sauvage,
beau mais rude, est
un exploit quotidien.*

*UNE CASCADE « GELÉE »
accueille des cavaliers réunis
en hiver au pied de l'un des
barrages naturels de travertin
de Band-i Amir. Le carbonate
de calcium, dissous dans l'eau
qui dévale la succession
abrupte des lacs, se dépose
en spectaculaires formations
de « glace ». Mais cela reste
un spectacle accessible à peu
de gens.*

LA VALLÉE DU CACHEMIRE

Retraite d'empereurs, havre de paix

ASIE - INDE

Blottie entre les pics neigeux de l'Himalaya et les sommets du Pir Panjal, la vallée du Cachemire scintille comme une précieuse émeraude. C'est l'une des plus riches et des plus fertiles régions de l'Inde, ornée de champs multicolores, de paisibles cours d'eau et de luxueux palais. Au XIXe siècle, le poète irlandais Thomas Moore l'appela l'« Eden de la Terre ». La capitale, Srinagar, où les cours d'eau sont plus nombreux que les rues, a été surnommée « la Venise de l'Orient ».

Un livre du XIIe siècle raconte les origines légendaires de la vallée. Celle-ci était autrefois un immense lac où vivait le démon aquatique Jalodbhava, que les dieux voulaient anéantir ; mais tant qu'il restait dans l'eau, Jalodbhava était invulnérable. Le conflit s'est achevé lorsque Kashyapa, un saint homme, petit-fils de Brahma, le dieu créateur, creusa à Baramula un passage à travers les montagnes avec une épée magique. Le lac se vida, laissant le démon au sec et sans défense.

La géologie de la région soutient la légende. Lorsque l'Himalaya s'est soulevé, sous l'effet de la lente collision de l'Inde et de l'Asie, il y a 40 millions d'années, la croûte terrestre alentour s'est déformée en de nombreux plis et replis. Celui qui devint la vallée du Cachemire avait 900 m de profondeur, 140 km de long et 32 km de large. De l'eau de fonte des glaciers et des torrents de montagne gonflés par les pluies remplirent la dépression et formèrent un immense lac.

Limon et roches arrachés par les rivières se déposèrent sur le fond du lac. Simultanément, la rivière, en drainant le lac, creusait une échancrure dans les montagnes environnantes et ainsi le lac finit par disparaître, laissant une vallée couverte de couches sédimentaires de plus de 600 m d'épaisseur. Aujourd'hui, ce pays fertile est traversé par la rivière Jhelam,

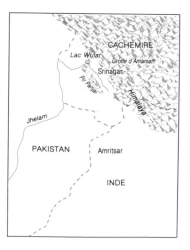

LA VALLÉE DU CACHEMIRE est située dans le nord-ouest de l'État indien de Jammu-et-Cachemire, qui fut partagé en 1949 par une ligne de cessez-le-feu, après le conflit avec le Pakistan voisin. Entourée de montagnes s'élevant jusqu'à 1 650 m, la vallée a 135 km de long et 30 km de large. Symbole de la fertilité de la vallée, un poirier fleurit à l'ombre du cercle des montagnes.

qui serpente à travers lacs, marécages et champs de paddy, pour finalement quitter le Cachemire à Baramula.

À une altitude de plus de 1 600 m, la vallée du Cachemire a un climat beaucoup plus doux que les régions voisines de l'Inde et du Pakistan : elle est épargnée à la fois par le froid âpre des hivers montagneux et par la chaleur desséchante des étés des plaines ; et comme elle est située juste au bord de la ceinture de la mousson, elle n'est pas exposée à un contraste marqué entre saison sèche et saison humide comme le reste du sous-continent indien.

LA STATION D'ÉTÉ DES MOGHOLS

Quand l'empereur Akbar, qui régna de 1556 à 1605, conquit la vallée du Cachemire en 1585, il dut penser que c'était le paradis. Comme il était proche de Delhi, le centre du pouvoir moghol, et des routes commerciales traversant les montagnes, Akbar fit du Cachemire le lieu de sa capitale d'été. La fraîcheur de son climat contrastait agréablement avec la chaleur et la poussière des vallées du Gange et de l'Indus. Srinagar fut transformée en une luxueuse station d'été, avec des palais magnifiques et des jardins sacrés, comme le Wishat Bagh (« Jardin de la Gaieté ») et le Shalimar Bagh (« Jardin de l'Amour »).

Alors que Jahangir, fils d'Akbar et père du Shah Jahan qui construisit le Taj Mahal, se mourait, ses courtisans lui demandèrent s'il désirait quelque chose. « Seulement le Cachemire », répondit celui qu'on appelait « le Conquérant du Monde ». Un siècle plus tard, les Moghols furent battus par les Perses et leur empire disparut. Il ne s'écoula pas longtemps avant qu'un autre empire, britannique celui-là, ne prenne le contrôle du Cachemire ; cependant, les Anglais ne vécurent pas dans des palais, mais dans des bateaux aménagés en maison sur les canaux de Srinagar, car le maharadjah du Cachemire avait interdit aux Européens de posséder des terres.

SUR LES CONTREFORTS DE L'HIMALAYA

Après le départ des Anglais, en 1947, une lutte à mort pour le contrôle du Cachemire éclata entre l'Inde hindouiste et le Pakistan musulman. Le conflit se compliqua du fait que le maharadjah du Cachemire était un hindou, tandis que la plupart de ses sujets étaient musulmans. Le Pakistan envahit le nord-ouest du pays et l'Inde vola au secours du maharadjah. Un cessez-le-feu fut proclamé le 1er janvier 1949, mais les combats reprirent en 1965 et 1971.

Dominant les grandes exploitations où l'on récolte riz, maïs et blé, les contreforts des montagnes n'ont guère changé depuis l'époque des Moghols. Beaucoup d'endroits ne sont accessibles qu'à cheval ou à pied. Les montagnes sont habitées par les tribus gujar et bakharval, semi-nomades, qui conduisent leurs troupeaux de buffles ou de chèvres vers les hauts pâturages au printemps et en été.

Dans les montagnes, à 140 km de Srinagar, se trouve la grotte d'Amarnath, l'un des grands pèlerinages hindous. La grotte renferme une grande colonne de glace, formée par l'eau qui suinte constamment d'une source naturelle et se congèle dans l'air froid ; pour les Hindous, la colonne est consacrée à Shiva, dieu de la création et de la destruction, et ils sont persuadés qu'elle croît et décroît en fonction des phases de la Lune. C'est surtout vers le milieu de l'été, à la veille de la pleine lune, que les pèlerins arrivent par milliers de Srinagar, pour jeter des fleurs sur la colonne et prier Shiva.

■   ■

LA PROCESSION DES PÈLERINS HINDOUS serpente le long d'un étroit sentier de montagne, vers la grotte d'Amarnath. Là, une énorme colonne de glace marque le point où Shiva, le dieu hindou de la création et de la destruction, révéla le secret de l'immortalité à son épouse Parvati. À la fin de leur voyage, les pèlerins prieront Shiva et couvriront la colonne de présents faits de fleurs, de fruits séchés, de bijoux, d'habits de soie et même de friandises.

LES EMPEREURS MOGHOLS se retiraient dans la fraîcheur de la vallée du Cachemire pour se reposer et pratiquer des sports comme le polo, appelé « le sport des rois ». Cette peinture du milieu du XVIIe siècle représente le jeu, vieux de plus de 2 500 ans, tel qu'on le jouait au Cachemire. Le deuxième empereur moghol, Akbar (1542-1605), qui conquit le Cachemire, rédigea les plus anciens règlements du polo subsistant aujourd'hui.

LE SAFRAN, L'ÉPICE LA PLUS CHÈRE DU MONDE, est récoltée à la main sur les crocus d'automne (Crocus sativa). Les champs de crocus du Cachemire se trouvent à Pampur, à 13 km au sud-est de Srinagar, sur la Jhelam. À l'intérieur de chaque fleur pourpre de crocus se nichent trois anthères orange, qui sont du safran pur. Plus de 160 fleurs sont nécessaires pour donner un seul gramme d'épice, une denrée qui vaut littéralement son poids d'or.

LE
MONT EVEREST
ET L'HIMALAYA

Les plus hauts sommets du monde nés au fond de l'océan

Vus de loin, les sommets de l'Himalaya s'élèvent comme les tours et les tourelles d'un palais de conte de fées. Des pics couverts de neige scintillent dans la lumière du soleil, comme s'ils étaient faits du marbre le plus fin. De gigantesques piliers rocheux semblent flanquer des portails ouverts. Lorsque le soleil glisse au couchant, ses rayons inondent les sommets d'une douce lumière rouge, et les ombres se poursuivent l'une l'autre à travers les crêtes roses. La nuit, les montagnes se figent sur le ciel étoilé en silhouettes noires et déchiquetées.

Formant un croissant de 2 400 km — en gros la distance de Londres à Moscou —, la plus haute chaîne de montagnes du monde est large de 160 à 240 km. Trois des plus grands fleuves du monde, l'Indus au nord et à l'ouest, le Brahmapoutre au nord et à l'est, le Gange au sud, l'encerclent presque complètement. Le nom d'Himalaya vient d'un mot sanskrit signifiant « demeure de neige ». Ce gigantesque massif est formé de trois chaînes. La plus basse et la plus méridionale, les Siwalik Hills, a des sommets atteignant 1 500 m d'altitude. Plus au nord se trouve le Petit Himalaya, environ trois fois plus élevé. Ces deux chaînes sont parcourues de vallées fertiles, où le climat est doux et où prospèrent de nombreux villages. La chaîne la plus septentrionale, le Grand Himalaya, est dominée à 8 848 m par le mont Everest, le plus haut sommet du monde.

C'est pourtant au fond de la mer que l'Himalaya a commencé son existence : on trouve souvent dans la neige des poissons fossiles et des restes d'autres créatures marines. Il y a 60 millions d'années, la plaque portant l'Inde s'est déplacée vers le nord, en écrasant le fond d'un océan nommé Téthys contre la plaque de l'Asie. Les roches se trouvant

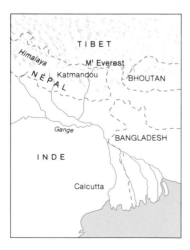

LE MONT EVEREST se dresse à l'extrémité est de la chaîne du Grand Himalaya, sur la frontière entre le Népal et le Tibet. Entouré de glaciers, le sommet déchiqueté de la plus haute montagne du monde perce l'atmosphère glacée et raréfiée, mais est rarement couvert de neige. L'Everest et ses proches voisins, le Nuptse et le Lhotse, dominent le panorama que l'on contemple depuis Gokyo, une région alpestre à 32 km au sud-ouest.

entre les deux furent déformées et brisées, s'entassant par couches les unes sur les autres. Siècle après siècle, le socle soulevé a formé montagnes et plateaux. Ces forces irrésistibles sont encore au travail : les géologues estiment que l'Himalaya s'élève encore d'environ 5 cm par an. En 1987, des océanographes ont analysé des particules sédimentaires du fond de l'océan Indien qui avaient été évacuées de l'Himalaya au moment de sa naissance. Ils en ont conclu que le mont Everest et les autres géants himalayens sont nés il y a 20 millions d'années.

LA FASCINATION DU PLUS HAUT SOMMET DU MONDE

Le premier explorateur de l'Himalaya fut Fa-Hsian, un moine chinois qui se risqua dans les montagnes en 400 apr. J.-C., à la recherche de la révélation mystique. Plus tard, des chasseurs de gros gibier, venus de l'Inde anglaise pour traquer tigres, ours et chèvres sauvages, parcoururent et cartographièrent de vastes régions des montagnes. Quelques-uns, comme B.H. Hodgson en 1832, rapportèrent des histoires sur une étrange créature simiesque, mais aucun spécimen ne fut trouvé. Ce n'est qu'au milieu du XXᵉ siècle que le *yéti*, ou « abominable homme des neiges », devint l'objet d'une recherche scientifique. À ce jour, malgré un certain nombre d'observations et la découverte d'énormes empreintes, l'existence du *yéti* n'a pu être établie.

Lorsque Sir George Everest, contrôleur général de l'Inde de 1830 à 1843, conduisit une expédition dans l'Himalaya, il dressa la carte de plusieurs montagnes, mais ne fut pas en mesure d'indiquer avec exactitude laquelle était la plus élevée. En 1852, on s'aperçut que le sommet portant le numéro « XV » sur les cartes d'Everest était plus haut que ses voisins et, en 1865, on lui donna le nom de Sir George.

Peu de temps après l'expédition d'Everest, les autorités du Tibet et du Népal fermèrent leur pays aux Européens. En 1921, le Dalaï Lama se laissa convaincre d'en laisser entrer à nouveau quelques-uns au Tibet. Un groupe britannique, commandé par le colonel Howard-Bury, atteignit le pied de la montagne mais eut seulement le temps de cartographier ses basses pentes. En 1924, un jeune membre de l'expédition du colonel, George Mallory, revint à la tête d'une autre équipe. Sous les regards de leurs camarades, Mallory et son compagnon d'ascension Andrew Irvine se mirent en route pour escalader la dernière pente ; ils avaient presque atteint la cime lorsqu'ils furent enveloppés par les nuages et disparurent à jamais. Personne ne sait s'ils vainquirent ou non l'Everest.

En 1953, le côté tibétain fut à nouveau fermé aux alpinistes, mais les frontières du Népal étaient alors ouvertes. Cette année-là, une expédition britannique, organisée avec une efficacité toute militaire par John Hunt et transportant oxygène et équipement mis au point pendant la Seconde Guerre mondiale, affronta la terrible majesté de l'Everest.

Le matin du 29 mai 1953, le Néo-Zélandais Edmund Hillary et le sherpa népalais Tensing Norgay se préparèrent pour l'assaut final. Partant de leur camp avancé à 8 450 m, ils entamèrent une escalade difficile le long d'une arête étroite ; de chaque côté, il y avait un précipice de 3 300 m. Cinq heures plus tard, Hillary comprit qu'il avait atteint le sommet. « Mon premier sentiment fut le soulagement, écrivit-il plus tard, plus d'arêtes à franchir, plus de bosses pour nous torturer avec l'espoir du succès. Je regardais Tensing... qui ne pouvait dissimuler une grimace de contentement. » Depuis cette triomphale conquête, plus de 130 ascensions ont été couronnées de succès, dont 5 sans l'aide d'oxygène. ∎

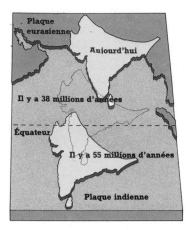

L'INDE, L'AUSTRALIE ET L'ANTARCTIQUE formaient autrefois un supercontinent appelé Gondwana, autour de l'Afrique méridionale. Il y a 150 millions d'années, la plaque tectonique portant l'Inde se détacha et se dirigea vers le nord à travers une mer appelée Téthys. Lorsque la plaque indienne entra en collision avec la plaque eurasienne, il y a 60 millions d'années, le lit de la mer se déforma vers le haut. Ce processus géologique allait créer l'Himalaya.

EDMUND HILLARY (à gauche), un alpiniste néo-zélandais, et Tensing Norgay (à droite), un guide sherpa qui en était à son septième voyage sur la montagne, posent triomphalement après leur victoire sur l'Everest le 29 mai 1953. Les sherpas, que leur vigueur dans les expéditions himalayennes ont fait surnommer « les tigres des neiges », ont longtemps vénéré le mont sous le nom de Sagarmatha, « la déesse de l'Univers ».

*LE PAYS DE L'ABOMINABLE
HOMME DES NEIGES entoure
le lac glaciaire Tso Dolpa, dans
la haute vallée de Rowaling,
à peu près à mi-chemin entre
l'Everest et Katmandou, la
capitale du Népal.
Ce territoire himalayen
caractéristique fut exploré
par Sir Edmund Hillary et
un groupe de 10 personnes
parcourant la vallée à la
recherche du légendaire
yéti en 1960.*

*LE LÉOPARD GRIS DES NEIGES
(Panthera uncia) hante les
roches escarpées et les arêtes
désolées de l'Himalaya et des
autres chaînes de montagnes
d'Asie centrale. Espèce*
*hautement menacée, le léopard
des neiges passe l'été au-dessus
de la ligne des neiges, montant
parfois jusqu'à 5 500 m. En hiver,
il descend jusqu'à 2 000 m, à
la poursuite de ses proies, tels*
*le bouquetin et le mouton
sauvage, qui se déplacent
pour brouter dans les forêts
et les broussailles.*

LE
LAC BAÏKAL

Le lac le plus profond du monde

Jusqu'en 1891, date à laquelle le tsar Alexandre III de Russie donna l'ordre de construire le Transsibérien, la lointaine région du lac Baïkal n'était connue que des tribus sibériennes des Toungouzes et des Eventis. L'arrivée du chemin de fer favorisa le développement des industries de la pêche et du bois de construction. C'est alors qu'on s'aperçut que le Baïkal était aussi l'un des lacs les plus spectaculaires du monde. En forme de croissant de lune à son premier quartier, mais avec un contour découpé de nombreuses baies et péninsules, le lac Baïkal a 636 km de long pour une largeur moyenne de 48 km. Sa superficie est de 31 500 km², l'équivalent de celle de la région Provence-Côte d'Azur ; sa profondeur maximale, 1 620 m, en fait le lac le plus profond du monde.

De gigantesques lignes de faille dans la croûte terrestre balafrent le centre du continent asiatique. Lorsque, il y a 80 millions d'années, de formidables soulèvements et tremblements de terre ont élargi ces failles, une portion de la croûte terrestre s'est effondrée, formant un gouffre profond aux parois abruptes, que les géologues appellent *graben*. Le *graben* resta plutôt sec, car l'eau qui y parvenait s'évaporait rapidement. Mais il y a 25 millions d'années, le climat devint plus humide ; les pluies l'emportèrent sur l'évaporation, déclenchant ainsi le long processus de remplissage du lac.

Aujourd'hui, plus de 300 rivières s'écoulent dans le lac Baïkal, tandis qu'une seule, l'Angara, en sort. Le volume total du lac atteint 23 000 km³, soit 1/5 du volume total d'eau douce sur la terre. Et le lac ne cesse de s'étendre : en 1862, un fort tremblement de terre affecta la zone de l'embouchure de la Selenga, qui procure au lac 50 % de son eau, et sépara du rivage 175 km² de terre ; l'eau du lac s'y précipita, créant la

LE LAC BAÏKAL est situé dans le sud-est de la Sibérie, dans la République autonome des Bouriates, à 80 km de la frontière de l'URSS avec la Mongolie. Le bassin de drainage du lac s'étend sur 540 000 km², soit 13 % de plus que le bassin total des Grands Lacs d'Amérique du Nord. Lorsque le vent sarma souffle du nord-ouest à 130 km/h, les eaux du lac Baïkal forment des vagues de plus de 5 m de haut.

nouvelle baie de Proval. Comme la terre continue de glisser sous le lac Baïkal, c'est un gouffre encore plus considérable qui est en train de s'ouvrir et qui, dans quelques millions d'années, le reliera à l'océan Arctique, divisant l'Asie en deux.

Le Baïkal n'est pas seulement le lac le plus profond du monde, c'est aussi le plus vieux. Depuis plus de la moitié de ses 25 millions d'années d'existence, le lac a offert des conditions de vie à peu près constantes et c'est pourquoi il possède un si large éventail de formes de vie endémiques. Environ 35 % des 600 espèces végétales et 65 % des 1 500 espèces animales qu'il contient sont propres à ses eaux.

ANIMAUX DES PROFONDEURS

Toutes les créatures du lac Baïkal dépendent de la nourriture et de l'oxygène que les algues et le plancton produisent dans les 50 m supérieurs de l'eau. Les animaux vivant dans les profondeurs se nourrissent, comme les crevettes, des détritus tombant de la couche superficielle, ou se mangent les uns les autres. Les 255 espèces de crevettes d'eau douce — un tiers du total mondial — vivent toutes, sauf une, dans les eaux profondes ; ces espèces appartiennent à 35 genres différents, dont un seul est représenté ailleurs dans le monde.

Plus de 50 espèces de poissons, dont la moitié sont propres au lac, habitent les eaux du Baïkal. Le plus grand est l'esturgeon *(Acipenser sturio)*, qui croît jusqu'à 1,8 m et pèse plus de 100 kg. À cause de son extraordinaire caviar et de sa chair très recherchée, l'esturgeon avait été presque éliminé des eaux du lac Baïkal ; seuls des règlements de pêche très stricts lui ont permis de se développer à nouveau.

Le poisson le plus insolite est sans doute le golomyanka, qui est représenté par deux espèces endémiques — *Comephorus baicalensis* et *C. dybowski*. Complètement transparents, ces poissons sans écailles atteignent 20 cm de long et accumulent près de 1/3 de leur poids en huile. La nuit, ils remontent de 500 m vers les eaux de surface pour se nourrir des petites créatures du zooplancton. Ils doivent descendre à nouveau avant que la température du lac ne dépasse 7 °C, sinon leur huile commence à se liquéfier et ils meurent. La femelle golomyanka ne dépose pas d'œufs, mais donne naissance à 3 000 larves, dont très peu survivent.

Un des délices du lac Baïkal est le corégone blanc *(Coregonus autumnalis migratorius)*, qui ressemble au saumon. Représentant 70 % du poisson capturé dans le lac, le corégone atteint une taille de 30 cm et un poids d'environ 450 g. Ce poisson reste inactif jusqu'à l'été, lorsque la température de la surface du lac s'élève jusqu'à 16 °C. Au crépuscule et à l'aurore, des bancs de corégones dévorent alors avidement le zooplancton — qui monte et descend régulièrement pour passer la nuit en surface.

Chaque année, le lac gèle à la fin de janvier pour quatre ou cinq mois. Durant les hivers exceptionnellement froids, la glace peut atteindre 1,2 m de profondeur. Le phoque du Baïkal ou nerpa *(Phoca sibirica)*, qui est propre au lac, survit en se ménageant dans la glace des trous d'air ; en été, il vit parmi les rochers à l'extrémité nord du lac, où il se nourrit de l'abondante population de poissons. Comme le corégone, le phoque du Baïkal est un « outsider ». Son parent le plus proche est le phoque arctique, qui vit à 3 200 km de là, dans l'océan Arctique. Mais comme il n'y a pas de trace d'une ancienne mer dans la région, il doit avoir voyagé vers le lac en remontant à contre-courant l'Iénisséi et l'Angara, il y a probablement 12 000 ans. ■

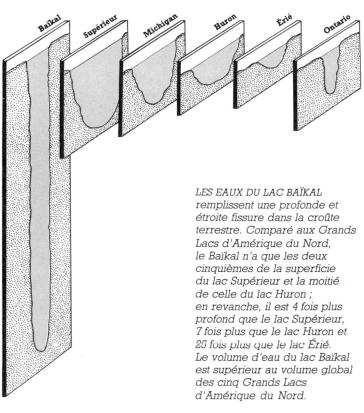

LES EAUX DU LAC BAÏKAL remplissent une profonde et étroite fissure dans la croûte terrestre. Comparé aux Grands Lacs d'Amérique du Nord, le Baïkal n'a que les deux cinquièmes de la superficie du lac Supérieur et la moitié de celle du lac Huron ; en revanche, il est 4 fois plus profond que le lac Supérieur, 7 fois plus que le lac Huron et 25 fois plus que le lac Érié. Le volume d'eau du lac Baïkal est supérieur au volume global des cinq Grands Lacs d'Amérique du Nord.

LE TERRAIN ACCIDENTÉ
entourant le lac Baïkal contient
une végétation très diversifiée :
taïga, toundra, prairie tourbeuse
et différents types de forêt.
Dans ces cadres variés vivent
220 espèces d'oiseaux et plus
de 40 espèces de mammifères,
comme le porte-musc, le renne
et la zibeline. Une grande partie
de la région est protégée grâce
aux réserves nationales de
Baïkalaky et de Garguzinsky,
qui couvrent une superficie
totale de 4 640 km².

LE PHOQUE DU BAÏKAL (Phoca
sibirica), *qui est propre au lac,
est l'une des deux espèces de
phoques d'eau douce existant
au monde. La population de
phoques du Baïkal est évaluée
actuellement à 70 000 individus
et elle continue de s'accroître.
Les phoques s'accouplent sur
le lac glacé en hiver et donnent
naissance à leurs petits, de fin
février à début avril, dans
des abris isolés creusés dans
la neige.*

LE
KRAKATOA

L'éruption volcanique qui ébranla la Terre

Lorsque l'île de Krakatoa entra en éruption, le 27 août 1883, 36 000 personnes furent tuées et 300 villages détruits. Des maisons furent endommagées jusqu'à 160 km de distance. Le bruit fut entendu à des centaines de kilomètres. L'onde de choc dans l'air fit sept fois le tour du globe. Des corps et des épaves flottèrent dans la mer pendant des jours. Ce fut la plus grande explosion naturelle de l'histoire.

Au début de cette année-là, le Krakatoa semblait être une île volcanique ordinaire, dans le détroit de la Sonde entre Java et Sumatra, en Indonésie, alors Indes orientales hollandaises. Mesurant 28 km², l'île était dominée par un pic central haut de 820 m. Peu d'insulaires se préoccupaient du volcan : il n'y avait pas eu de signe d'activité depuis l'éruption survenue deux siècles auparavant, en 1681 ; on pensait qu'il était éteint.

Le 20 mai 1883, le cône de la montagne se réveilla, vomissant des cendres chaudes dans le ciel, mais s'éteignant tout aussitôt. Au fur et à mesure que l'été avançait, d'autres petites éruptions se produisirent. Jusque-là peu de gens s'inquiétaient, car de telles éruptions survenaient fréquemment dans les îles. Au cours du mois d'août, de sourds gémissements se firent entendre dans les profondeurs du sol, comme si un animal géant se réveillait.

Au début de la soirée du 26 août, une explosion assourdissante secoua l'île. Du cône central partit une violente éruption, projetant dans l'air une colonne dense de cendre et de fumée haute de 27 km. Aux premières heures du jour suivant, beaucoup d'insulaires avaient fui. Un Anglais solitaire, qui put s'échapper, se souvint plus tard des foules incapables de bouger : « Les indigènes, pensant que la fin du monde était venue, se blottissaient les uns contre les autres comme des moutons et remplissaient l'air de leurs lamentations. »

L'ÎLE DE KRAKATOA se trouvait dans le détroit de la Sonde, à peu près à mi-chemin entre Java et Sumatra, avant qu'elle se soit détruite dans une puissante explosion volcanique en 1883. Tout ce qui resta de l'île fracassée, ce furent de petits îlots déchiquetés, couverts de débris volcaniques. En 1952, une nouvelle île apparut sur les décombres de l'ancienne. Connu sous le nom d'Anak Krakatau, « Fils de Krakatoa », ce jeune volcan actif s'élève à plus de 150 m au-dessus de la mer.

L'EXPLOSION FATALE

À 10 h du matin, le 27 août, une explosion cataclysmique déchira l'île tout entière. Les 2/3 de Krakatoa cessèrent tout simplement d'exister. Plus de 19 km³ de roches furent pulvérisés et projetés en l'air — à peu près 5 fois le volume expulsé par l'explosion du mont St. Helens aux États-Unis en 1980. Poussière et pierres furent catapultées à 55 km de hauteur dans la stratosphère. En quelques minutes, le ciel devint noir autour de l'île et dans un rayon de 280 km l'obscurité fut totale.

Le bruit de l'explosion fut prodigieux. À Batavia (auj. Jakarta), à près de 160 km au nord sur la côte de Java, les passants dans les rues furent temporairement assourdis. Les insulaires de Célèbes (auj. Sulawesi), à près de 1 600 km à l'est, crurent entendre des fusées de détresse et mirent à la mer leurs canots de sauvetage. Sur l'île de Rodriguez, à plus de 4 800 km à l'ouest dans l'océan Indien, les gens s'imaginèrent qu'une bataille navale se livrait juste derrière l'horizon.

Le cratère béant laissé par l'explosion avait 6,4 km de diamètre, mais il avait plongé à 275 m au-dessous du niveau de la mer. Les eaux environnantes se ruèrent dedans avec une telle force qu'elles créèrent un énorme raz de marée, ou *tsunami,* haut de plus de 30 m. La vague s'éloigna de l'île à plus de 1 000 km/h, presque la vitesse du son. Elle s'écrasa sur le rivage des îles alentour, en balayant tout sur son passage.

Près de la ville d'Anjer, à 24 km sur la côte de Java, un Hollandais nommé De Vries vit la vague s'approcher comme « une énorme masse d'eau, haute comme une montagne ». Pour se mettre à l'abri, De Vries monta sur un cocotier et attendit. La vague frappa la ville et l'engloutit. Il rapporta : « Je regardais autour de moi. Une vision terrifiante frappa mes yeux. Là où était Anjer, je ne voyais rien d'autre qu'un flot écumant... » Les autres rivages de Java et de Sumatra connurent le même sort. Avec une force réduite, la vague roula jusqu'en Australie et en Californie. Elle atteignit même l'Angleterre, de l'autre côté du globe, où des scientifiques purent mesurer sa hauteur, réduite à 5 cm.

Le 28 août, le capitaine T.H. Lindeman menait son vapeur *Gouverneur-General Loudon* le long de la côte nord de Java jusqu'à Batavia. Il décrivit les effets de la vague dans son livre de bord : « Partout l'emportait la même couleur grise et lugubre. Les villages et les arbres avaient disparu ; nous ne pouvions même pas voir de ruines, car les vagues avaient détruit et emporté les habitants, leurs maisons et leurs plantations. C'était vraiment une scène de jugement dernier. » La poussière resta dans l'atmosphère plusieurs mois, créant de beaux couchers de soleil et des lunes bleues tout autour du globe ; elle mit trois ans pour se redéposer complètement.

La plus grande partie de l'île de Krakatoa antérieure à l'éruption disparut, laissant plusieurs îles et îlots dans la mer d'un bleu étincelant. En 1927, un réveil de l'activité volcanique forma une nouvelle île sous la surface de la mer. En 1952, une explosion la propulsa à l'air libre. Nommée Anak Krakatau, ce qui signifie « le fils de Krakatoa », la minuscule île volcanique a 150 m de haut. Située au milieu de quatre îles dont les contours déchiquetés s'élèvent au-dessus des eaux bleu pastel comme des dents cassées, la jeune Anak Krakatau semble être le signe qu'un autre cycle volcanique a commencé.

UNE GRAVURE TRÈS VIVANTE, inspirée d'une photographie prise peu de temps après l'éruption du Krakatoa, offre un aperçu de l'île avant que la plus grande partie s'enfonce sous la mer. La colonne ondoyante de poussière et de pierres atteignit une hauteur de 55 km.

LE RAZ DE MARÉE engendré par l'explosion du Krakatoa frappa les côtes indonésiennes. Une gravure de la fin du XIXe siècle montre un vapeur échoué par la vague à Telekbetung, à 24 km au nord de Krakatoa.

L'ÎLE DE ANAK KRAKATAU sortit de la mer 69 ans après la disparition presque totale de Krakatoa. La nouvelle île et les restes de l'ancienne furent rapidement colonisés par des plantes et des animaux. Des botanistes qui visitèrent Krakatoa en 1886 découvrirent plus de 30 espèces de plantes ; dix ans plus tard, l'île était couverte d'herbes et d'arbustes.

LES HERBES PROVENANT DE SEMENCES apportées par le vent et les oiseaux donnent vie au sol noir d'Anak Krakatau. Cependant, ces herbes ne sont généralement pas les premières à coloniser les nouvelles îles volcaniques ; elles sont précédées par des plantes plus courtes, comme des algues bleu-vert, des lichens, des fougères et des mousses.

LES
COLLINES
DE GUILIN

Des pains de sucre creusés de grottes

Artistes et poètes chinois ont, depuis des siècles, célébré le spectaculaire paysage qui entoure la ville de Guilin : des collines de calcaire aux sommets arrondis et aux pentes abruptes s'élèvent brusquement au-dessus des plaines qui encadrent la rivière Xi, souvent noyées dans le brouillard ou enveloppées dans d'épais nuages blancs. Sous la dynastie des T'ang, le poète Han Yu (768-824) décrivit la rivière comme « une ceinture de gaze turquoise » et les collines comme « de longues épingles de jade ».

Les « tourelles » de Guilin s'étendent sur 48 km le long de la rivière Xi et s'élèvent jusqu'à 100 m et plus. Elles sont parsemées d'affleurements escarpés, de fissures verticales et de saillies rocheuses parallèles, où des arbres rabougris au feuillage vert foncé survivent précairement. De longues plantes grimpantes partent des branches des arbres, balançant leurs vrilles par-dessus les falaises, ou s'accrochant aux rochers. Orchidées et autres fleurs sauvages jettent de brillantes touches de couleur dans un paysage où domine le gris-vert.

Il y a 300 millions d'années, la région était recouverte par un océan, dont le lit était fait d'une roche dure et résistante appelée quartzite. Au cours des millénaires, des couches de sédiments se déposèrent sur le quartzite, se transformant d'abord en schiste, puis en calcaire. Des soulèvements de la croûte terrestre firent monter le fond de l'océan à l'air libre, exposant alors les épaisses couches de calcaire au pouvoir érosif des éléments. De grandes quantités de calcaire tendre et poreux furent dissoutes et emportées, laissant les parties plus résistantes se dresser au-dessus de la plaine.

Le site de Guilin est l'un des meilleurs exemples de « karst à tours », une formation géologique constituée de calcaire criblé de grottes, de cours d'eau et de couloirs souterrains. Le maî-

GUILIN est située en Chine, dans le nord de la région autonome du Guangxi, à 545 km au nord-ouest de Hong Kong et à 480 km au sud-ouest de Changsha, la capitale de la province du Hunan. Constituant l'un des plus beaux sites de la Chine, les pains de sucre enveloppés de brume qui entourent la ville de Guilin s'élèvent au-dessus de la plaine comme des dents de dragon. Lieu d'inspiration pour les poètes et les artistes depuis plus de 1 300 ans, les collines enchantées de Guilin sont comme un condensé de paysage chinois.

tre d'œuvre de cette architecture tourmentée est l'eau de pluie, rendue légèrement acide par l'absorption du dioxyde de carbone de l'air. L'eau acide creuse son chemin dans chaque crevasse, faille ou fissure de la roche et attaque le calcaire. Peu à peu les ouvertures s'élargissent en galeries ou en grottes et les filets d'eau originels deviennent des torrents. Cet agent d'érosion est abondant autour de Guilin, où la moyenne annuelle des précipitations est comprise entre 1,1 m et 2,8 m. Grâce à l'humidité et à la chaleur tropicale, le pouvoir chimique de l'eau atteint son maximum.

GROTTES ET COLLINES AUX NOMS POÉTIQUES

L'eau de Guilin est créatrice tout autant qu'érosive ; riche en calcaire, cette eau suinte constamment à travers les voûtes de nombreuses grottes et dépose le carbonate de calcium dont elle est chargée en stalactites et stalagmites. Les centaines de stalactites accrochées à la voûte de la Grotte du Pipeau, située à 6 km au nord de Guilin, forment comme la maquette inversée du paysage de collines à l'extérieur.

Dans les années trente et de nouveau au cours de la Seconde Guerre mondiale, les grottes de Guilin ont été utilisées comme abris anti-aériens par des centaines de milliers de réfugiés chinois des provinces du Nord. Quant à la Grotte du Pipeau, elle a longtemps servi de cachette aux habitants du lieu et n'a été ouverte au public qu'en 1958. Près de l'entrée de cette grotte se tient le Vieux Savant, une stalagmite ressemblant à un scribe assis ; selon une vieille légende, c'est un poète qui s'est assis là pour décrire les beautés de la grotte et qui fut changé en pierre avant d'avoir pu trouver les mots convenables.

La Grotte venteuse, la bien-nommée, s'étend dans toute l'épaisseur de la Colline du Velours de Soie, située à côté de la rivière Xi, au nord de Guilin ; la structure particulière de la grotte et la disposition des collines environnantes produisent dans le tunnel un courant d'air froid permanent, quel que soit le temps à l'extérieur.

Le nom de Guilin signifie littéralement « forêt de cassiers » et se réfère aux nombreux arbres à casse *(Cassia lignea)* qui croissent dans la région. Entre août et octobre, les fleurs odorantes remplissent la ville d'un fort parfum de cannelle. Le centre est dominé par le Pic de la Beauté solitaire, qui se dresse au milieu des ruines d'un palais de la dynastie Ming construit en 1372. Ce pic offre une vue panoramique sur les collines calcaires érodées qui peuvent être noyées dans le brouillard ou se refléter dans les eaux calmes de la rivière, des lacs ou des rizières. Les caractéristiques naturelles de plusieurs sommets leur ont valu, dans le style traditionnel chinois, des noms poétiques tels que Colline de la Chauve-Souris, Colline du Chameau, Cinq Tigres attrapant une Chèvre, Tortue grimpante, Colline de l'Éléphant.

En 1973, les autorités chinoises ont ouvert la ville de Guilin et les plus beaux tronçons de la rivière Xi aux étrangers. Les usines polluant la rivière ont été remplacées par des jardins paysagers et des hôtels modernes. 90 000 cassiers ont été plantés. En cinq ans, plus de 50 000 touristes ont visité la ville, près des deux tiers étant des Chinois expatriés. Beaucoup de ces touristes font une croisière le long de la rivière Xi, sur des bateaux qui doivent franchir de nombreux bas-fonds et rapides. Une légende locale affirme que les bateliers noyés dans ces eaux se transforment en diables qui cherchent à renverser d'autres bateaux et à attirer leurs occupants au fond.

L'ÉTRANGE, MAIS EFFICACE PRATIQUE DE LA PÊCHE AU CORMORAN contribue à donner une atmosphère de livre de contes aux rives de la rivière Xi. Avec comme toile de fond les pentes éthérées des hauteurs arrondies de Guilin, les pêcheurs exploitent les dons particuliers de ces oiseaux pour le plongeon et la chasse, en ajustant autour de leur cou des colliers serrés qui les empêchent d'avaler les poissons qu'ils attrapent. La technique n'est pas toujours très rentable au cours des mois de printemps. À ce moment, quand les eaux de fonte des neiges remplissent la rivière de grandes quantités de boues et de sédiments, même les cormorans aux yeux perçants ont du mal à repérer leur proie dans les profondeurs obscures.

LE GRAND CORMORAN OU CORMORAN NOIR (Phalacrocorax carbo) *est à la fois le plus grand et le plus répandu parmi les 30 espèces de la famille. Les oiseaux plongent pour capturer leurs proies — surtout des poissons, mais aussi des crustacés et des amphibiens — restant sous l'eau une demi-minute. Ils attendent d'avoir refait surface pour manger, secouant alors fortement leur prise avant de la dévorer.*

DES GROTTES SPECTACULAIRES ajoutent une dimension supplémentaire à l'extraordinaire paysage de Guilin, l'une des principales régions de « karst à tours » du monde. À la base de plusieurs de ces étranges collines coniques s'ouvrent des entrées de cavernes, qui ont reçu des Chinois des noms poétiques que l'on peut voir sur des inscriptions gravées dans la pierre. À l'intérieur, les cavernes présentent les formations finement sculptées qui caractérisent le calcaire érodé par une eau acide.

AYERS ROCK

Le géant rouge
au cœur de l'« outback »

Simple masse plus noire dans la nuit du désert, Ayers Rock commence à s'éclairer lorsque le soleil darde ses premiers rayons à travers le ciel. Passant du noir au mauve foncé, le gigantesque monolithe devient peu à peu plus distinct. Mais quand les rayons le frappent directement, alors la pierre éclate en un déchaînement de taches rouges et roses qui se poursuivent mutuellement à travers la surface à une vitesse étonnante. Les changements de couleur continuent plus lentement tout au long de la journée ; lorsqu'arrive le crépuscule, la course des couleurs recommence.

Quand on approche d'Ayers Rock le long de la route cahoteuse et souvent non goudronnée qui vient d'Alice Springs, c'est sa masse abrupte qui frappe. Long de 3,6 km et haut de 348 m, il se dresse sur l'horizon avec l'air d'une baleine échouée. Mais en réalité, le roc tient plutôt de l'iceberg, car une grande partie de sa masse se trouve sous le sol : des géologues estiment qu'il descend jusqu'à 6 km dans l'épaisseur de la croûte terrestre.

Bloc compact fait d'un conglomérat de grès, le roc est l'un des quelques vestiges du fond de l'océan primitif qui occupait le centre de l'Australie il y a 500 millions d'années. Élévations graduelles et mouvements de la croûte terrestre ont retourné les couches anciennement horizontales ; la désagrégation a façonné ses faces exposées en arêtes et cannelures. Pendant des centaines de milliers d'années, le roc a défié les forces d'érosion, tandis que le centre rouge de l'Australie, autrefois paysage luxuriant et fertile, devenait un désert.

Quand il pleut, le roc prend encore une autre couleur, celle de l'argent liquide d'une pellicule d'eau. Les cannelures de la surface deviennent des torrents furieux. L'eau descend en cascades pour former, sur le sol du désert, des flaques où elle

AYERS ROCK s'élève au-dessus d'une plaine lisse, à 450 km au sud-ouest d'Alice Springs, dans le Territoire du Nord (Australie). Visible de plus de 100 km, le roc est un bloc massif d'arkose, un grès riche en feldspath. C'est le minerai de fer qui est responsable de la teinte rouge doré du roc et des spectaculaires changements de couleur que l'on observe à l'aube et au crépuscule.

sort de leur léthargie les triops, crustacés dont la carapace forme un bouclier, en un processus immuable que ces petites créatures et leurs prédécesseurs connaissent depuis 150 millions d'années ou plus.

UN SITE SACRÉ POUR LES ABORIGÈNES

De près, le roc révèle une incroyable finesse de formes sculptées par l'eau de pluie et les vents hurleurs. Le « Cerveau », par exemple, est une dépression peu profonde, rayée et cannelée comme les circonvolutions d'un cerveau. Une cavité plus lisse, appelée la « Coquille sonore », mérite bien son nom quand le vent souffle. En un point de la base du roc, l'érosion a creusé dans le grès une longue et étroite cavité qui ressemble à une gigantesque vague légère prête à se briser sur le sol à tout moment.

À l'extrémité ouest du roc, des crampons de fer enfoncés dans la pierre soutiennent une main-courante qui grimpe le long de la pente escarpée et disparaît à la vue. C'est la bonne route pour le sommet : une plaque au bas de la chaîne rappelle la fin tragique de ceux qui ont essayé de trouver d'autres chemins. L'ascension, longue de 1 612 m, est éprouvante pour les poumons et fatigante pour les muscles. Mais la vue que l'on a du sommet à travers le désert calciné est une juste récompense : à l'ouest se trouvent les monts Olgas, au sud la chaîne des monts Musgrave, à l'est le sommet plat du mont Conner.

La masse imposante d'Ayers Rock est appelée Uluru par les tribus locales d'Aborigènes, les Yankunitjatjara et les Pitjantjatjara. Beaucoup de peintures sacrées relatives aux « Temps mythiques » décorent leurs grottes, où il est interdit aux touristes d'entrer. Pour les Aborigènes, ces « Temps mythiques » représentent le début de toutes choses ; c'était l'époque où les dieux et les hommes-animaux parcouraient le pays, appelant à l'existence, par leurs chants, chaque élément du paysage : roches, montagnes, rivières. Chaque détail d'Ayers Rock, la moindre échancrure, fissure, aspérité, a une signification pour les Aborigènes locaux.

LES MONTS OLGAS NÉGLIGÉS

L'explorateur d'origine anglaise Ernest Giles (1835-1897) fut le premier homme blanc à poser les yeux sur Ayers Rock. C'est en 1872 qu'il le vit, depuis les rives marécageuses du lac Amadeus, à 40 km au nord, lors de l'une de ses nombreuses expéditions dans l'intérieur du continent australien. Forcé d'interrompre son voyage, Giles y retourna l'année suivante, mais ce fut pour constater qu'une expédition du département du cadastre, conduite par William Gosse (1842-1881), avait escaladé le roc avant lui. C'est Gosse qui donna au monolithe isolé le nom de Sir Henry Ayers (1821-1897), qui était alors Premier ministre de l'Australie méridionale.

Giles fut enchanté par la beauté des Olgas, un groupe de 30 rochers géants situé à 32 km à l'ouest d'Ayers Rock. Le plus haut d'entre eux, le mont Olga proprement dit, s'élève à 546 m au-dessus de la plaine sableuse. Giles donna à ces rochers le nom d'une princesse russe qui venait d'épouser le roi d'Espagne. Le nom aborigène local, Katatjuta, signifie « le lieu des nombreuses têtes », car les monts Olgas sont hauts et ronds comme des sommets de crânes géants enterrés dans le sable. Ils sont presque aussi spectaculaires qu'Ayers Rock, mais attirent beaucoup moins l'attention. C'est peut-être parce que les Olgas, bien que composés du même grès dur, manquent de l'abondant minerai de fer qui provoque les changements de couleur si spectaculaires d'Ayers Rock sous le soleil. ∎

UNE GIGANTESQUE NERVURE DE PIERRE, appelée « Queue de Kangourou », descend sur la pente nord d'Ayers Rock. Lorsqu'il est exposé aux alternances extrêmes de chaud et de froid qui prévalent dans le désert, le grès sédimentaire monolithique se dilate et se contracte ; finalement, dans un processus d'effritement, le grès se craquèle et se dépouille de fines lamelles qui, habituellement, tombent et s'écrasent sur le sol. Mais quelques-unes, comme la « Queue de Kangourou », restent intactes. L'effritement se produit à peu près au même rythme sur toute la surface d'Ayers Rock ; en conséquence, le roc diminue peu à peu de volume, mais sans changer de forme extérieure.

LA DÉGRADATION CONSTANTE d'Ayers Rock explique que sa surface soit criblée de grottes, comme la caverne photographiée ici. Celle-ci se trouve à côté de l'endroit appelé par les Aborigènes le « Camp du Lézard endormi ». Grottes et cavernes sont creusées par l'eau de pluie qui détache les grains de sable et les cailloux assurant la cohésion du grès. Sur la face nord d'Ayers Rock, un ensemble de cavités a constitué une structure alvéolaire pleine de circonvolutions qui a reçu le nom, justifié, de « Cerveau ».

LE TERRIFIANT DINGO menaçait jadis les Pitjantjatjara, le peuple aborigène des Wallabies, dont l'habitat mythique était situé sur le côté nord d'Ayers Rock. La tribu ne survivait qu'en se sauvant à grands sauts et en arrachant de la gueule des dingos son animal totem, un petit kangourou. Ce sont pourtant les Aborigènes qui introduisirent les dingos (Canis dingo) en Australie, il y a des milliers d'années. Difficiles à distinguer des chiens domestiques, les dingos vivent dans des terriers ou des crevasses et chassent rats, moutons et kangourous.

LE
MONT FUJI

Montagne parfaite, montagne sacrée

La parfaite symétrie de la silhouette du mont Fuji est depuis longtemps, pour les Japonais, le symbole parfait de la beauté. Le volcan sacré est couvert de neige la majeure partie de l'année, tandis que ses pentes basses sont revêtues d'une végétation luxuriante ou de landes brunes. Les aborigènes Aïnous révéraient la montagne bien des siècles avant la colonisation japonaise, il y a deux mille ans. Des tribus d'Aïnous survivent aujourd'hui à Hollaïdo, à Sakhaline et dans d'autres îles de l'océan Pacifique au nord du Japon. Ce sont eux qui nommèrent la montagne « Fuji », ce qui se traduit approximativement par « vie éternelle » ou « déesse du feu ». Les Japonais ont conservé le nom et la tradition sacrée de la montagne.

Selon l'enseignement bouddhique, qui atteignit le Japon vers 550 apr. J.-C., le Fuji fut créé lors d'un puissant tremblement de terre, qui ébranla le pays une nuit de l'an 286 av. J.-C. ; c'est le même séisme qui forma le lac Biwa, le plus vaste du Japon, à 280 km à l'ouest. En fait, le volcan du Fuji entra en éruption pour la première fois voici 300 000 ans, émergeant d'une vaste plaine. Les épanchements de plusieurs cônes volcaniques ont contribué à façonner la forme actuelle du Fuji, en accumulant l'une sur l'autre des couches alternées de lave solidifée et d'un conglomérat composé de scories, de cendre et de lave. Ces couches représentent la séquence des éruptions du volcan, qui est du type « stratovolcan » : d'énormes quantités de lave en fusion se répandent uniment sur les pentes de la montagne. De violentes explosions s'ensuivent, au cours desquelles de denses nuages de scories et de cendre et des boules de lave sont projetés très haut dans les airs.

Depuis sa première éruption datée, en 800 apr. J.-C., le volcan du Fuji a vomi de la lave à dix reprises. Chaque fois, les épanchements recouvrent les restes de deux anciens cratè-

LE MONT FUJI s'élève dans le sud de la région centrale de l'île principale du Japon, Honshu, à 100 km au sud-ouest de Tokyo. Appelée aussi Fuji-San ou Fuji-Yama, la montagne sacrée se trouve dans le parc national Fuji - Hakone - Izu, créé en 1936 sur une superficie de 1 222 km². C'est à travers le lac Kawaguchi que l'on a la plus belle vue, lorsque le cône symétrique de la montagne se reflète dans l'eau.

res, appelés Vieux Fuji et Komi-Take. Lors de la dernière éruption, en 1707, des nuages de cendre et de scories furent entraînés jusqu'à Tokyo, à 100 km à l'est, où des rues furent bloquées et des immeubles endommagés.

Ce volcan aujourd'hui endormi est le plus haut sommet du Japon, avec une altitude de 3 776 m. Depuis le haut du cratère, d'environ 700 m de diamètre, la pente descend à 45°, puis s'atténue peu à peu avant d'atteindre la plaine. La base de la montagne dessine un cercle presque parfait, de 40 km de diamètre et de 125 km de circonférence.

L'ASCENSION DE LA MONTAGNE SYMBOLIQUE

En tant que montagne sacrée du *shinto*, la religion officielle du Japon, le Fuji était interdit aux femmes jusqu'en 1868. Cependant, la première femme à avoir atteint le sommet, l'épouse de l'ambassadeur britannique au Japon, avait en fait effectué l'ascension l'année précédente. Jusqu'à la fin de la Seconde Guerre mondiale, le sommet a été le but de tout adepte du *shinto* et les grimpeurs devaient y transporter une pierre pour soulager les âmes des pêcheurs.

Depuis 1945, la montagne sacrée a perdu de plus en plus son caractère spirituel devant les désirs profanes des touristes. Actuellement, 300 000 visiteurs font l'ascension chaque année, chiffre remarquable, car les cinq chemins qui mènent au sommet ne sont ouverts qu'en juillet et août, puisque la montagne est couverte de neige le reste de l'année. Des refuges installés le long des cinq chemins offrent des lits et des rafraîchissements aux pèlerins et aux touristes qui désirent voir le *goraïko,* le lever du soleil extraordinaire que l'on peut contempler du sommet du Fuji.

Le caractère unique de l'escalade s'exprime bien dans ce proverbe japonais : « Il est aussi insensé de ne pas faire l'ascension du Fuji-San que de la faire deux fois dans sa vie. » Le *goraïko* est un lever de soleil particulier, parce qu'immédiatement avant que le soleil apparaisse au-dessus de l'horizon son disque se reflète dans les couches supérieures de l'atmosphère, créant un lavis de couleurs qui disparaît avec les premiers rayons directs de lumière.

Le mont Fuji est honoré comme la demeure des dieux, lien symbolique entre les mystères du ciel et les réalités de la vie quotidienne. Plus qu'aucun autre élément de la culture nationale, le Fuji est l'emblème du Japon. Depuis douze siècles, poètes, peintres et écrivains du pays ont tenté d'exprimer sa beauté particulière et ses humeurs capricieuses. Les « 36 vues du mont Fuji » du peintre Katsushika Hokusaï (1760-1849) sont devenues les archétypes des représentations picturales de la montagne.

Au cours des XIIIe et XIVe siècles, le mont Fuji joua un rôle important dans le développement du *zoen,* l'art du paysage. Cet art fut influencé par la pensée du bouddhisme Zen, qui mettait l'accent sur la contemplation de l'essence de la nature. L'idée était de créer un paysage qui, vu d'une maison ou d'un belvédère, ne montrait aucun signe d'interférence humaine et dont les éléments se mêlaient en un tout harmonieux. Autour du mont Fuji, beaucoup d'artistes paysagers ont utilisé la montagne comme point de mire lointain. C'est du mont Tenjo, au nord, que l'on peut contempler le paysage *zen* par excellence, lorsque, par temps clair, le Fuji se reflète entièrement dans les eaux calmes du lac Kawaguchi.

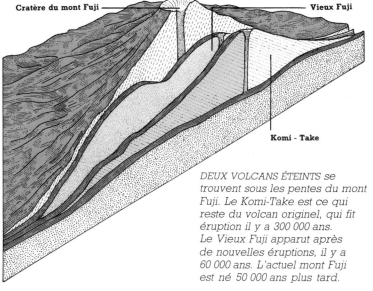

DEUX VOLCANS ÉTEINTS se trouvent sous les pentes du mont Fuji. Le Komi-Take est ce qui reste du volcan originel, qui fit éruption il y a 300 000 ans. Le Vieux Fuji apparut après de nouvelles éruptions, il y a 60 000 ans. L'actuel mont Fuji est né 50 000 ans plus tard.

*LE SOMMET DU MONT FUJI
s'élève au-dessus de
la campagne japonaise comme
une fleur rare et sacrée. Le
mont Fuji est la plus haute de
toutes les « montagnes de feu »
du Japon et, sans conteste, le
volcan à la forme la plus
parfaite. Son cratère forme un
orifice immense, large de 503 m
et profond de 221 m. La cime
du volcan est couverte de neige
pendant dix mois de l'année ;
seules les arêtes du sommet
restent sans neige à cause
des vents violents. Huit crêtes
entourent le bord du cratère :
on les appelle les Yatsudo Fuyo,
les « Huit Pétales du Fuji » ;
la crête la plus haute,
Kengamine, se dresse à 76 m
au-dessus du bord.*

*LE MONT FUJI est révéré depuis
des siècles par les Japonais
comme une « déesse du feu »
ou la « demeure des dieux ».
Beaucoup de fidèles ont
considéré la montagne comme
un sanctuaire : son ascension
est devenue ainsi une étape
essentielle dans
le développement de l'âme.
Les adorateurs les plus fervents
sont les Fujiko, une secte
religieuse fondée en 1558 par
Takematsu qui gravit la
montagne 120 fois. Du sommet,
les pèlerins contemplent un
lever de soleil unique,
appelé goraïko, ou méditent
sur la tranquillité des lacs
qu'il domine, comme le lac
Yamanaka.*

LA GRANDE BARRIÈRE DE CORAIL

Des jardins de coraux vivants au bord du Pacifique

OCÉANIE - AUSTRALIE

Le capitaine James Cook, explorateur anglais du XVIIIe siècle, découvrit la Grande Barrière de Corail par le moyen le plus simple, mais le plus dangereux : en y pénétrant. Alors qu'il cherchait la Grande Terre inconnue que la rumeur disait exister au sud de l'océan Pacifique, Cook tomba par hasard sur l'un des trésors sous-marins les plus importants et les plus fascinants du monde. Après avoir effectué des observations près de Tahiti et dressé la carte des côtes de Nouvelle-Zélande, Cook avait mis le cap vers l'ouest. Le 19 avril 1770, il aperçut la côte du pays qui allait s'appeler l'Australie ; il vira alors au nord, mais se rendit vite compte qu'il naviguait à travers un lagon calme et peu profond, comme on en trouve habituellement entre un récif corallien et la côte. Malgré ses précautions pour éviter les récifs, son navire *Endeavour* s'échoua rapidement sur une pointe de corail isolée.

Les hommes de Cook mirent deux mois à réparer l'*Endeavour*, mais ils étaient toujours enfermés dans la barrière. Ce n'est qu'après avoir atteint le point appelé aujourd'hui cap Melville qu'ils purent s'échapper du labyrinthe corallien et gagner la pleine mer, par une voie appelée désormais passage de Cook. Plus tard, alors qu'ils naviguaient vers le nord, ils faillirent être jetés contre les parois de corail par une forte houle. Une nouvelle fois, Cook chercha désespérément une faille dans le récif et trouva finalement une étroite ouverture qui mena aux eaux tranquilles du lagon et qu'il nomma Canal de la Providence.

Le long du rivage oriental du Queensland, une large plateforme continentale de calcaire s'avance dans l'océan Pacifique. Les eaux claires, salées, bien oxygénées qui la surmontent procurent des conditions de vie idéales à une riche variété de coraux durs. Mais ces créatures ne s'installent en

LA GRANDE BARRIÈRE DE CORAIL s'étend sur plus de 2 000 km le long de la côte nord-est de l'Australie, de Bundaberg jusqu'à la Papouasie-Nouvelle-Guinée. L'ensemble du complexe corallien couvre une superficie de 259 000 km², à peu près le tiers de celle de l'État de Nouvelle-Galles-du-Sud, un peu moins de la moitié de celle de la France. Riches de formes et de couleurs, les jardins sous-marins de la barrière sont composés de myriades de coraux, tel le corail tabulaire (Acropora hyacinthus).

formant des récifs que si l'eau conserve tout au long de l'année une température au moins égale à 20 °C.

Animaux simples apparentés aux anémones de mer, plus familières, les coraux durs ont en moyenne 5 mm de diamètre. Leurs squelettes blancs, riches en carbonate de calcium, sont habillés de tissus mous de formes variées et très colorés. Ces animaux contiennent des algues monocellulaires appelées zooxanthellae, qui procurent le support métabolique vital dont ils ont besoin pour sécréter le carbonate de calcium et construire ainsi le récif. La présence de ces algues signifie que les récifs coralliens ne peuvent se former que dans une eau peu profonde, puisqu'au-dessous de 55 m les algues ne peuvent plus recevoir la lumière dont elles ont besoin pour la photosynthèse.

Plus de 350 espèces de coraux vivent sur le soubassement de calcaire formé par les squelettes de leurs innombrables ancêtres. Les grandes colonies kaléidoscopiques qu'ils construisent sont la demeure de plus de 1 400 espèces de poissons, de myriades d'éponges et de nombreux échinodermes comme les oursins et les ophiures. Les échinodermes appelés concombres de mer jouent un rôle important dans la consolidation du récif : se nourrissant de détritus, ils excrètent de minuscules fragments de coquille et de sable qui se déposent pour former les fondations du récif.

La Grande Barrière a une longueur totale d'environ 2 000 km. À leur extrémité Sud, près du cap Manifold, le plateau continental et le récif ont leur largeur maximale, environ 320 km ; là où le plateau se termine à pic sur le fond de l'océan, les basses eaux turquoise contrastent vivement avec le bleu profond du Pacifique. Plus au nord, au large du cap Melville, le récif forme seulement une étroite bande de corail frangée par le ressac, tout près de la côte. 90 % du récif se trouvent sous l'eau. Pointant à travers une mer incomparablement claire, un archipel d'îles, de bancs et d'écueils est sillonné de passages tortueux où seules de petites embarcations peuvent naviguer en sécurité.

LA MENACE DE L'ÉTOILE DE MER

La variété des couleurs et des formes du récif ne laisse pas d'étonner. Les multiples branches des coraux, éventails géants ou tentacules chatoyants, rivalisent avec les motifs éclatants des poissons, des crustacés et des vers. Des créatures éblouissantes passent en tous sens dans les jardins de corail ou se tiennent aux aguets, dissimulées sous un étrange camouflage.

Mais ce fascinant spectacle offert par la nature est peut-être en danger. En dehors des risques d'une imminente exploration pétrolière, les coraux sont trahis par un de leurs propres hôtes, l'étoile de mer à couronne d'épines (*Acanthaster planci*). Cet animal est apparu en grand nombre sur le récif dans les années soixante ; dans la décennie suivante, d'immenses zones du récif ont été dépouillées de leur corail vivant, ne laissant subsister que du calcaire stérile. Une seule étoile de mer, de 40 cm de diamètre, peut consommer jusqu'à 100 cm² de corail par jour.

Depuis, le nombre des étoiles de mer diminue, permettant ainsi au corail de se régénérer lui-même ; mais le processus complet peut prendre trente ou quarante ans. Les savants qui étudient le récif ont trouvé la preuve de dévastations semblables dans le passé, ce qui semble indiquer que cette menace, comme beaucoup d'autres dans la nature et dans le récif lui-même, est un élément du cycle normal.

■ ■

À L'ÂGE DE 40 ANS, LE CAPITAINE JAMES COOK (1729-1779) reçut du gouvernement britannique le commandement d'une expédition chargée de dresser la carte de certaines zones du Pacifique Sud. Sur son bateau de 368 tonneaux, l'Endeavour, le navigateur autodidacte mena à bien des explorations qui révolutionnèrent la connaissance des mers du Sud. C'est au cours de ce voyage, le premier des trois qu'il devait faire dans la région, que Cook découvrit la Grande Barrière de corail.

UNE PROMENADE À TRAVERS LA PLATE-FORME DE CORAIL de l'île Héron à marée basse permet de voir de près beaucoup d'espèces multicolores et fascinantes. Là, poissons, coraux, mollusques, échinodermes peuplent des flaques ensoleillées laissées par la marée.

L'île Héron, à 70 km de la côte du Queensland, est unique, parce qu'elle est une authentique caye corallienne, contrairement aux nombreuses autres îles de la zone qui appartiennent au plateau continental.

LE RÉCIF NORD, presque circulaire, avec tout juste 2 km de diamètre, se trouve en face de la côte du Queensland, à l'extrémité sud de la Grande Barrière. Un phare y a été érigé pour prévenir les navires que c'est à cet endroit que le Canal du Capricorne change soudain de dimension : étroit au sud, large au nord.

Baliste

Poisson-clown

Empereur aux lèvres d'or

LA GRANDE BARRIÈRE DE CORAIL est le séjour de plus de 1 400 espèces de poissons, parmi lesquels : le baliste (Balistoides conspicillum), un animal aux dessins flamboyants qui, pour se défendre, augmente son volume en dilatant un mantelet situé sur son ventre ; le poisson-clown (Amphiprion percula), qui se protège en nageant à l'intérieur des grandes anémones, tout en se défendant contre leur venin par un mucus sécrété par son propre corps ; l'empereur aux lèvres d'or (Lethrinus chrysostomus), un poisson qui ressemble à la perche et que l'on a surnommé l'« astucieux chapardeur ».

119

LA BANQUISE DE ROSS

Le plus grand iceberg du monde

« Eh bien, il n'y a pas plus de chance de passer à travers cela qu'à travers les falaises de Douvres ! » s'exclama le capitaine James Clark Ross en 1841, lorsqu'il découvrit la spectaculaire banquise qui devait plus tard porter son nom. Ross avait reçu pour instructions du gouvernement britannique d'explorer les régions sud du globe ; surtout il devait atteindre le pôle Sud magnétique.

Les rapports des premiers explorateurs britanniques sur l'Antarctique, spécialement ceux de James Cook (1773) et de James Weddell (1823), avaient été encourageants. Bien qu'ayant navigué dans des mers pleines d'icebergs, ils n'avaient pas signalé de terre. En 1831, en se fondant sur des remarques semblables à propos de l'Arctique, l'oncle de Ross, John, avait atteint le pôle Nord magnétique.

En novembre 1840, le *Terror* et l'*Erebus* pénétrèrent dans la région des icebergs et, pendant deux mois, naviguèrent lentement à travers l'eau perfide. Enfin la vigie poussa un cri de triomphe et Ross vit à travers son télescope, vers le sud, une étendue d'océan libre jusqu'à l'horizon.

Les espoirs de l'expédition furent refroidis lorsque l'énorme banquise se dessina devant eux, les empêchant d'aller plus avant. Le principal objectif n'avait pas été atteint, mais le journal détaillé du navigateur, avec cartes et illustrations, allait se révéler indispensable aux futurs explorateurs de la région.

La banquise de Ross, la plus grande masse de glace flottante du monde, a des dimensions extraordinaires. Avec 800 km de long, elle remplit complètement une énorme baie du continent antarctique. Dans les parties méridionales, les plus proches du pôle géographique, la glace peut atteindre une épaisseur de 750 m, deux fois plus qu'au nord.

Le côté de la banquise qui fait face à la mer semble, vu de

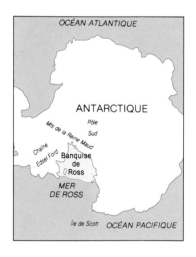

LA BANQUISE DE ROSS s'étend sur 965 km, de la mer de Ross à l'intérieur des terres, en direction du pôle Sud. La surface de glace couvre environ 520 000 km², presque la superficie de la France. Les formidables falaises bleu-vert qui terminent la banquise au-dessus de la mer sont comme l'extrémité d'une bande transporteuse : des icebergs géants, longs de 40 km, se détachent régulièrement et partent dans les courants de la haute mer.

loin, parfaitement rectiligne ; de près, on peut voir les falaises de glace monter jusqu'à 70 m au-dessus d'une mer battue par le vent et étinceler d'un bleu-vert éthéré sous le soleil. En outre, la banquise bouge : avec une puissance impitoyable, l'énorme plaque de glace s'avance dans la mer à raison de 1,5 à 3 m par jour. Ce mouvement permanent est produit par trois agents : les glaciers derrière, la neige dessus, la glace dessous.

Plusieurs glaciers gigantesques, comme le Beardmore, descendent des lointaines montagnes transantarctiques ; ils ajoutent continuellement des quantités de glace à l'arrière de la banquise, ce qui la pousse en avant. Les énormes masses de neige qui tombent chaque année sur la banquise ne peuvent pas fondre à cause du froid extrême. Simultanément, la mer gelée au-dessous de la banquise pousse celle-ci vers le haut. Ces pressions constantes laminent la couche inférieure de la banquise et la font avancer dans la seule direction possible, la mer.

Crevasses et fractures dans la banquise peuvent s'étendre sur plusieurs kilomètres, formant souvent des bras de mer libre. Quand une fracture encercle une masse de glace, de gigantesques blocs se détachent de la banquise principale. Dérivant sous forme de plateaux de glace, ces « montagnes » ont couramment une quarantaine de kilomètres de long. En 1956, un iceberg aux dimensions fantastiques fut aperçu au large de l'île de Scott, à 1 280 km au nord de la banquise de Ross : avec une longueur de 335 km et une superficie de 31 000 km², il était plus grand que la Belgique.

LA COURSE VERS LE PÔLE SUD

La physionomie peu accueillante des falaises de glace contraste avec celle de la surface supérieure de la banquise, qui est remarquablement plane et solide. C'est pourquoi la banquise a été le point de départ de nombreuses expéditions dans l'Antarctique. En 1908, l'explorateur britannique Ernest Shackleton débarqua à l'extrémité occidentale de la banquise, avec une équipe déterminée à atteindre la première le pôle Sud. Avant de lancer l'assaut final, trois membres du groupe accomplirent ce rêve et établirent la position du pôle magnétique.

Le 29 octobre, Shackleton partit avec 4 traîneaux tirés par des poneys et escalada le glacier Beardmore pour atteindre la calotte glaciaire du pôle. Son groupe était à 160 km du but lorsque la mort des poneys et le manque de nourriture les obligèrent à faire demi-tour. Mais Shackleton avait ouvert une voie que d'autres allaient bientôt suivre.

En janvier 1911, le capitaine Robert Scott débarqua sur la banquise de Ross près de l'ancienne base de Shackleton. Au même moment, l'explorateur norvégien Roald Amundsen débarquait à l'est ; la course vers le pôle était engagée. Les deux expéditions partirent au printemps, pour bénéficier d'un ensoleillement plus long. Ayant choisi un chemin plus plat et accompagné de chiens plus robustes, Amundsen atteignit le pôle le premier, le 14 décembre 1911. L'équipe de Scott arriva un mois plus tard.

Au retour, Scott et ses compagnons souffrirent beaucoup de la mort de leurs animaux. Au bord de la banquise, le capitaine Titus Oates, mourant de froid, se sépara de ses amis pour ne pas les ralentir. Mais quelques jours plus tard, c'est tout le groupe qui mourut de froid et du manque de nourriture. Dans le journal de Scott, les sauveteurs trouvèrent ces mots terribles : « Grand Dieu ! Quel endroit effroyable ! »

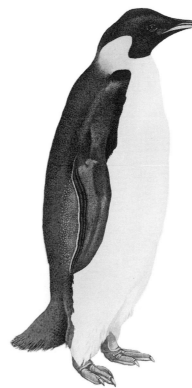

LE PINGOUIN EMPEREUR (Apterodytes forsteri) *est le seul animal à supporter l'hiver antarctique. Quand toutes les autres créatures ont fui, les empereurs reviennent de la mer pour se reproduire, dans des conditions les plus hostiles que puisse connaître un oiseau. Assemblés par milliers sur la banquise au-dessous des falaises, ils se mettent par couples. Les « époux » s'identifient mutuellement au moyen d'un son propre à chaque oiseau. Aucun nid ne peut être aménagé dans cet habitat gelé ; aussi le mâle couve-t-il soigneusement l'unique œuf pondu par la femelle. Lorsque le petit sort de l'œuf, ses deux parents le nourrissent et s'occupent de lui.*

QUAND LE CAPITAINE JAMES ROSS vit pour la première fois, de son œil de marin, le formidable iceberg, en 1841, il pensa que l'escarpement gelé de la banquise était infranchissable ; et c'était bien le cas par bateau. Mais la surface supérieure, plane, devait se révéler une base utilisable pour les explorateurs futurs et aujourd'hui des avions, des moyens de transport motorisés et des navires brise-glace continuent à en améliorer l'accès. L'Antarctique compte maintenant des douzaines de stations permanentes de recherche, comme celle du McMurdo Sound, sur le bord oriental de la banquise de Ross. Là, des scientifiques mènent des expériences, notamment en météorologie, et étudient la couche atmosphérique d'ozone qui est menacée.

LE CAPITAINE ROBERT SCOTT et ses compagnons atteignirent le pôle Sud à la mi-janvier 1912, pour découvrir qu'ils avaient perdu leur course contre Roald Amundsen. Le petit drapeau flottant sur la tente abandonnée proclamait la victoire norvégienne — pour 35 jours — sur la morne étendue de glace environnante. Les cinq membres du groupe de Scott périrent tous sur le chemin du retour et le film contenant cette photographie fut retrouvé dans leurs bagages. La course victorieuse d'Amundsen avait commencé à la baie des Baleines, un bras de la mer de Ross à l'extrémité orientale de la banquise. La traversée rapide de la banquise était pour beaucoup due à l'entraînement des Norvégiens au ski de fond. Amundsen survécut seize années, succombant lui-même dans l'Arctique en essayant de sauver le pilote italien Umberto Nobile, dont l'avion s'était écrasé sur la glace.

LE MILFORD SOUND

Des strates zoologiques dans les eaux d'un fjord

La majestueuse beauté des immenses falaises du Milford Sound, de ses denses forêts et de ses eaux scintillantes incita l'écrivain anglais Rudyard Kipling (1865-1936) à déclarer que c'était « la huitième merveille du monde ». C'est le plus septentrional de la douzaine de fjords qui entaillent profondément le sud-ouest de l'île du Sud de la Nouvelle-Zélande : dans ses eaux et alentour vit un ensemble unique de flore et de faune.

D'énormes glaciers descendant des montagnes ont façonné la vallée du Milford Sound il y a 20 000 ans. Lorsque, 10 000 ans plus tard, les glaciers se retirèrent, les eaux de la mer de Tasman se précipitèrent pour créer un fjord de 19 km de long et 2,5 km de large. Là se trouvent les plus hautes falaises du monde, qui s'élèvent à près de 1 500 m au-dessus de l'eau et s'enfoncent au-dessous jusqu'à des profondeurs de 400 m. Le retrait de petits glaciers affluents a créé des « vallées suspendues », où des torrents déversent leurs eaux dans le Milford Sound en cascades de plus de 300 m.

À l'entrée du fjord se dresse l'impressionnant pic Mitre, qui s'élève en une pyramide presque parfaite à 1 695 m au-dessus du niveau de la mer. Ses pentes, comme celles des autres montagnes entourant le fjord, sont couvertes d'épaisses forêts, surtout de hêtres. Protégées — elles appartiennent au Parc national du Fjordland —, elles abritent un oiseau rare et curieux, le takehe *(Notornis mantelli)* ; cet oiseau sans ailes, au plumage pourpre et bleu, a à peu près la taille d'un poulet ; on le croyait disparu, lorsqu'en 1947 on en découvrit une colonie d'une centaine d'individus. Presque aussi rare est le kakapo *(Strigope habroptilus)*, un perroquet fouisseur qui ressemble à un hibou et qui vit le jour dans un terrier.

L'eau du Milford Sound a une composition inhabituelle. Deux facteurs expliquent sa disposition en couches : d'abord

LE MILFORD SOUND est situé dans le sud-ouest de l'île du Sud de la Nouvelle-Zélande. C'est un bras de mer isolé, dominé par les plus hautes falaises du monde et le majestueux déroulement de la Milford Track. Ce sentier ondulé, qui serpente sur les montagnes et à travers les vallées forestières jusqu'au lac Te Anau, à 55 km au sud-est, a été appelé « la plus belle marche du monde ». Le pic Mitre se dresse comme une sentinelle géante au-dessus des eaux sombres du fjord : c'est le point culminant de la région.

l'embouchure du fjord, étroite et peu profonde, limite l'entrée et la sortie de l'eau de mer ; celà est dû au fait que le glacier, dont la force a faibli avant d'atteindre la mer, a laissé un seuil rocheux en travers de l'entrée, où l'eau n'est profonde que de 55 m.

Le second facteur, ce sont les pluies prodigieuses qui tombent sur la région ; la moyenne des précipitations annuelles est de 6,4 m. Un énorme volume d'eau tombe donc sur les montagnes environnantes et s'infiltre à travers les épais tapis de mousse qui couvrent leurs pentes boisées. Puis cette eau rejoint celles du fjord par d'innombrables cascades et torrents, prenant la couleur du thé à cause des matières organiques qu'elle a collectées. Quand elle arrive au fjord, elle ne se mélange pas à l'eau salée, mais, étant moins dense, forme par-dessus une couche de 3 m d'épaisseur. L'eau douce se déplace peu à peu vers la mer, entraînant avec elle les couches supérieures de l'eau salée. Ce mouvement engendre un contre-courant et attire l'eau de mer dans le fjord, jusqu'à une profondeur de 30 m.

LA VIE MARINE SUR LES PAROIS DU FJORD

Des savants conduits par Ken Grange, de l'Institut océanographique de Nouvelle-Zélande (NZOI), ont montré que la couche d'eau douce a eu un effet important sur la vie marine du Milford Sound. Le plus notable se remarque dans les eaux des marées qui sont exemptes des algues et des mollusques que l'on trouve habituellement sur les côtes de Nouvelle-Zélande, parce qu'ils ne peuvent pas supporter les faibles taux de salinité. En revanche, la zone intercotidale des parois du fjord a été colonisée par des espèces d'escargots, de laitues de mer vertes, de moules bleues et de bernacles qui sont normalement associées aux eaux saumâtres.

Ces dernières années, les recherches du NZOI ont montré que la flore et la faune qui vivent sur les parois rocheuses à des profondeurs de 6 à 40 m sont celles qui sont normalement associées à une eau de mer plus profonde. C'est la couleur noire de la couche supérieure d'eau douce qui restreint la pénétration de la lumière du Soleil et encourage les espèces des eaux plus profondes à occuper des refuges plus élevés dans les saillies et les fissures des parois rocheuses abruptes ; c'est ainsi que l'on trouve des plumes de mer, des pennes de mer, des outres de mer, des gorgones et des brachiopodes.

L'espèce la plus étonnante de cette zone intermédiaire est le corail noir (Antipathes aperta). En fait, tant qu'ils sont vivants, les polypes de ces coraux sont blancs ; leurs corps ne noircissent que lorsqu'ils meurent. Cette espèce se développe habituellement en colonies au-dessous de 45 m, mais dans le fjord le corail noir croît à moins de 35 m. Beaucoup de colonies sont comme de petits buissons de moins de 10 cm, mais quelques-uns sont des arbres vieux de cent cinquante ans et hauts de 4 m.

Le NZOI estime qu'il y a 7,5 millions de colonies de corail noir dans le Milford Sound et les autres fjords de l'île du Sud de la Nouvelle-Zélande. Cela représente le plus grand gisement de corail noir connu dans le monde. Comme ces colonies sont facilement accessibles aux plongeurs, elles sont en grave danger d'être récoltées : leur forme et leur couleur fascinantes ont déjà fait du corail noir une matière très recherchée pour la fabrication de bagues et de broches ailleurs dans le Pacifique. Cette exploitation serait désastreuse, car le corail noir, qui croît en moyenne de 2,5 cm par an, met plusieurs années à se reconstituer.

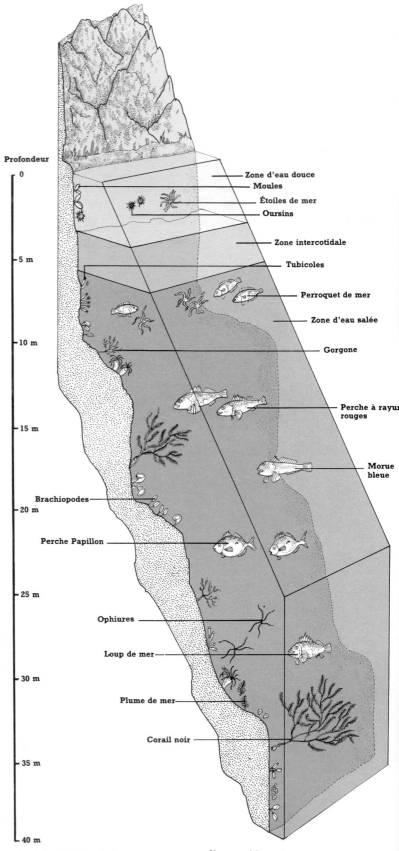

Profondeur

— 0

— 5 m

— 10 m

— 15 m

— 20 m

— 25 m

— 30 m

— 35 m

— 40 m

Zone d'eau douce
Moules
Étoiles de mer
Oursins
Zone intercotidale
Tubicoles
Perroquet de mer
Zone d'eau salée
Gorgone
Perche à rayur rouges
Morue bleue
Brachiopodes
Perche Papillon
Ophiures
Loup de mer
Plume de mer
Corail noir

L'ORGANISATION UNIQUE de l'habitat marin du Milford Sound résulte de la combinaison de divers facteurs. D'abruptes parois arrêtent la lumière et procurent un abri. Sous l'eau douce foncée, l'eau salée est inhabituellement calme et chaude. Au cours de l'année, les températures oscillent entre 11° et 15°C, la plus faible amplitude pour l'eau de mer de la Nouvelle-Zélande.

LA CASCADE DU VOILE SUSPENDU est typique des spectaculaires chutes d'eau que l'on peut voir partout dans le Parc national du Fjordland. Tout autour du Milford Sound — qui est lui-même un fjord creusé par un glacier —, les vallées ont été littéralement suspendues par le recul des glaciers de l'âge glaciaire. L'eau tombe le long des montagnes en cascades qui produisent une écume semblable à un voile, lorsqu'elle se pulvérise sur les rochers en contrebas. Le long de la route du Milford Sound au lac Te Anau, vers l'intérieur du pays, d'innombrables « rubans » blancs descendent sur les parois presque verticales des pics noirs de jais. Au-dessous se trouvent des chaos d'éboulis qui prennent l'allure fantastique de constructions extra-terrestres. Depuis la Milford Track — la voie royale des randonneurs —, on peut voir la cascade de Sutherland ; avec ses 580 m, elle est la plus haute de Nouvelle-Zélande et l'une des plus hautes du monde.

WHAKAREWAREWA

Sources d'eau chaude et jets d'eau géothermiques

En mars 1886, on vit un canoë de guerre maori traverser à vive allure un lac, au centre de l'île du Nord de la Nouvelle-Zélande. Les journaux locaux notèrent que le pays était en paix et que l'on n'avait pas vu de tels canoës depuis des années. Les Maoris, eux, déclarèrent que le bateau était un vieux fantôme venu annoncer un désastre. Ils n'eurent pas à attendre longtemps.

Le 10 juin de la même année, les sommets volcaniques du mont Tarawera, près de Rotorua, furent désintégrés par une série de fortes explosions. De la lave jaillit, la terre trembla. Les éruptions cessèrent presque aussi brusquement qu'elles avaient commencé. Et il resta, au milieu d'un paysage recomposé, l'un des complexes géothermiques les plus importants du monde : sur quelques hectares, de tumultueuses sources d'eau chaude et de spectaculaires geysers proposent toujours leur eau sulfureuse.

« J'ai trouvé que c'était un lieu extraordinairement agréable, bien qu'il eût l'odeur de l'Hadès », commenta le dramaturge irlandais George Bernard Shaw (1856-1950), après une visite du plateau volcanique de Nouvelle-Zélande en 1934. Il trouva Tikitere — à 16 km à l'est de Rotorua — particulièrement infernal : « Tikitere est, je pense, l'endroit le plus abominable que j'aie jamais vu... »

Whakarewarewa n'est qu'à une courte distance du centre de Rotorua. Dans des mares de vase bouillante, populairement appelées « pots à porridge », une boue visqueuse s'agite en prenant des formes continuellement changeantes. Des bulles de gaz sulfureux trouvent leur chemin vers la surface, explosant avec des bruits sourds et projetant dans l'air de minuscules globules de boue chaude.

Des terrasses composées de silice cristalline forment le

WHAKAREWAREWA est un faubourg maori de Rotorua, le chef-lieu du plateau volcanique de Nouvelle-Zélande. Parmi des bassins de boue, les fumerolles de vapeur et des vents sifflants, le geyser le plus haut du pays, le Pohutu, s'élance vers le ciel ; c'est l'un des sept geysers actifs de ce spectaculaire pays des merveilles, et il produit des jets jumeaux de vapeur et d'eau qui s'élèvent souvent jusqu'à 30 m de hauteur.

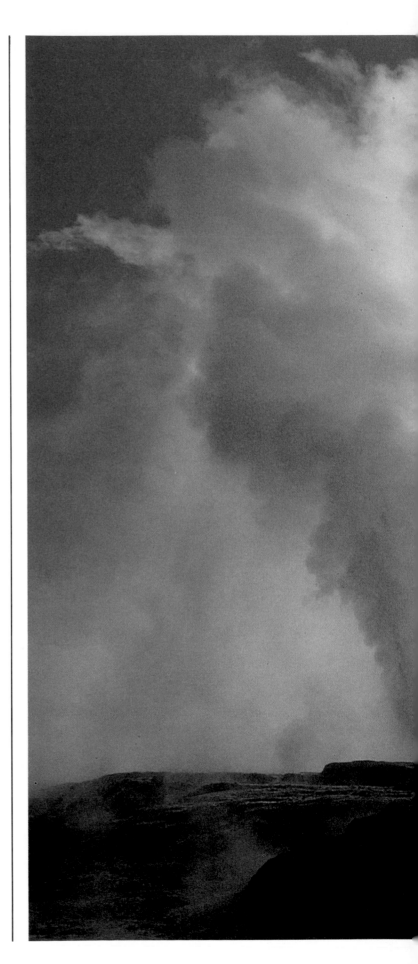

socle du plateau des Geysers, où l'on peut en voir sept en action. La plupart du temps, ce sont des bassins tranquilles d'eau fumante ; mais à des intervalles fréquents quoique irréguliers, ils reprennent vie. Le Pohutu est le plus grand de ces geysers ; c'est même le plus grand de Nouvelle-Zélande : son panache impressionnant d'eau bouillante et de vapeur peut s'élever jusqu'à 30 m. Le Pohutu — dont le nom signifie en maori « eau qui éclabousse » — est imprévisible : il peut passer des mois sans bouger, mais il peut aussi faire éruption plusieurs fois par jour.

L'activité du Pohutu est habituellement précédée par celle d'un geyser plus petit, appelé « les Plumes du Prince de Galles », dont les eaux sortent par trois ouvertures, créant un tableau qui ressemble effectivement à l'emblème en plumes d'autruche du prince de Galles. Les deux geysers tirent leur eau de la même réserve souterraine et font éruption selon un ordre immuable : les « Plumes du Prince de Galles » fonctionnent pendant de 2 à 5 h, projetant leurs jets d'eau à une hauteur de 12 m ; dès qu'elles s'arrêtent, c'est le majestueux Pohutu qui jaillit.

Le spectacle naturel des geysers, des trous à vent et des mares de boue a attiré l'attention des ingénieurs sur une source d'énergie souterraine utilisable. En 1961, à Wairakei, près de Taupo, la première station géothermique néozélandaise fut mise en service. Les ingénieurs ont capté la chaleur de la terre, qui est conduite vers de gigantesques turbines à vapeur produisant de l'électricité. Bon marché et inoffensive pour l'environnement, l'énergie géothermique pourrait fournir à l'île du Nord plus de la moitié de ses besoins en électricité.

LES SOURCES DE WAIMANGU

À l'est de Whakarewarewa, se trouvent les mystérieuses sources thermales de Waimangu, le site de ce qui était autrefois le geyser le plus spectaculaire du monde. Sa première éruption fut mentionnée en 1900 ; en 1904, il lança un jet d'eau bouillante qui atteignit une hauteur estimée à 450 m. Au cours des années suivantes, son activité devint moins fréquente et moins spectaculaire, jusqu'à ce qu'elle cessât tout à fait en 1917.

La plupart des sources d'eau chaude de Waimangu sont de petits jets d'eau, mais quelques-uns, comme le « Chaudron de Waimangu », sont impressionnants par leur intensité. Audessus de l'un des bords de ce lac s'élève la « Cathédrale de pierre » ; recouverts d'une luxuriante végétation, ces rochers émettent constamment de la vapeur, tandis que de l'eau bouillante sort à travers des crevasses et tombe en cascades dans le « Chaudron ». Par temps froid, le lac est couvert d'une brume de vapeur d'eau, que des courants d'air font tournoyer d'étrange manière.

Le lac Rotomahana était la principale attraction de la région avant que la contrée autour de Waimangu ne fût radicalement altérée par la grande éruption du Tarawera. Cette catastrophe a multiplié par 20 la profondeur du lac — qui dépasse aujourd'hui 200 m —, submergeant les célèbres Terrasses roses et blanches ; édifiées au cours des siècles par l'accumulation de sels minéraux provenant de l'eau de source chaude, ces terrasses couvraient près de 4,5 hectares et étincelaient en nuances graduées de blanc et de rose ; quand les eaux bleues et vertes du lac suintaient par-dessus, elles brillaient d'un riche chatoiement de délicates teintes pastel. Sauf si les eaux du lac Rotomahana reviennent à leur ancien niveau, ces terrasses de silice colorée sont à jamais perdues. ■

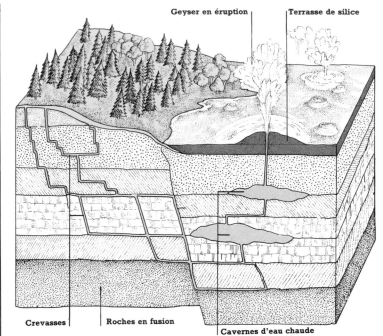

Geyser en éruption — Terrasse de silice

Crevasses — Roches en fusion

Cavernes d'eau chaude

LES GEYSERS SONT CARACTÉRISTIQUES DE ZONES GÉOLOGIQUEMENT JEUNES, comme la Nouvelle-Zélande, où des roches en fusion, appelées magma, flottent près de la surface du sol. De l'eau infiltrée par des crevasses s'accumule dans des cavernes souterraines, dans la couche de roches chaudes au-dessus du magma.

Chauffée jusqu'à ébullition, cette eau doit alors trouver une sortie vers le haut. La pression de la vapeur la fait jaillir sous la forme d'un geyser qui fonctionne pendant un temps puis retombe, jusqu'à ce que la pression le lance à nouveau. Chaque geyser a son rythme, mais celui-ci est susceptible de variations.

LES ÉTINCELANTES TERRASSES DE SILICE ont été formées par les sels minéraux dissous en abondance sous terre par les eaux chaudes vaporisées ensuite en geysers. Enveloppées de vapeur, ces terrasses sont creusées des sept bassins où font éruption les célèbres jets d'eau de Whakarewarewa.

BOUILLONNANT ET CRACHOTANT, les fumerolles émettent des gaz sulfureux qui donnent à Whakarewarewa son odeur désagréable d'œuf pourri. Les mares de boue bouillante sont surnommées « pots à porridge », à cause de leur consistance gluante.

LE GEYSER DU BOXEUR lance vers le ciel une grêle de gouttelettes luisantes. Il partage le plateau des Geysers avec six capricieux compagnons.

BORA BORA

Une île d'émeraude dans un océan d'améthyste

OCÉANIE - POLYNÉSIE FRANÇAISE

Des cocotiers ombragent les bords des plages sableuses de Bora Bora, tandis que des montagnes abruptes se mirent dans les eaux tranquilles du lagon. Un récif de corail borde l'île comme un collier et la protège des grandes vagues du Pacifique ; c'est, selon l'écrivain américain James Michener, « la plus belle île du monde ». Située à 225 km au nord-est de Tahiti, Bora Bora est un minuscule paradis de 6,5 km sur 4 km. C'est une des innombrables îles volcaniques dispersées à travers le Pacifique Sud : formée, à la suite d'une série d'éruptions volcaniques sous-marines, elle s'élevait autrefois à 1 200 m au-dessus du niveau de la mer et à 5 400 m au-dessus de sa base.

Quand le volcan s'éteignit, le vent et la pluie attaquèrent la montagne, emportant les roches tendres, tandis que la mer envahissait peu à peu le cratère, grignotant le rivage. Les sommets de Taimanu et Pahia, qui s'élèvent à plus de 655 m au-dessus du niveau de la mer, sont tout ce qui reste de la bordure nord du cratère. Cependant, tout en restant soumis à l'érosion, le volcan s'enfonce ; dans quelques centaines de milliers d'années, ses restes disparaîtront sous l'eau du lagon.

Tandis que l'érosion désagrégeait et modelait les contours du volcan éteint, de nouvelles forces étaient à l'œuvre sous les eaux côtières. Il y a, flottant dans le Pacifique, une multitude de minuscules larves de corail ; apparentés aux anémones de mer, ces animaux dérivent dans les courants de l'océan jusqu'à ce qu'ils trouvent un point d'appui sur un socle solide, aux eaux claires, peu profondes et bien oxygénées. Chaque larve de corail se métamorphose alors en un polype cupulaire d'environ 2 mm de diamètre. Le côté supérieur du polype est ouvert et lui sert de bouche ; un cercle de tenta-

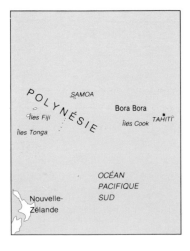

BORA BORA est l'une des 14 îles de la Société qui font partie de la Polynésie française, dans le Pacifique Sud. Au cœur de l'île, couverts d'une forêt tropicale, se trouvent les restes d'un volcan. Un lagon turquoise l'entoure, dont ses eaux restent calmes grâce au récif presque circulaire de corail qui arrête les vagues déferlantes du Pacifique. À terme, le volcan s'enfoncera sous le lagon, laissant un atoll — un anneau de corail —, comme unique témoin de son existence passée.

cules attrape des particules microscopiques de nourriture et les dirige vers cette ouverture. Les polypes extraient du calcium de l'eau de mer qui leur permet de fabriquer de dures coquilles de calcaire autour des moitiés inférieures de leur corps. Une fois installés à un endroit favorable, les polypes se divisent rapidement pour donner naissance à de nouveaux individus et former ainsi un massif de corail rocheux en expansion constante. Au fil des millénaires, ces petits animaux ont bâti un récif de corail presque circulaire autour des pentes immergées du volcan de Bora Bora. Apparaissant comme une chaîne continue de petites îles appelées *motus*, la barrière de corail protège le lagon des grandes vagues du Pacifique. La seule ouverture, la passe de Teavanni, offre un passage pour les bateaux jusqu'au cœur de l'île.

Le récif est richement coloré. Les polypes de corail branchu forment de vastes mais fragiles forêts, tandis que le type compact constitue de grands massifs de calcaire. Des myriades d'animaux dépendent d'eux, non seulement pour l'abri qu'ils leur offrent contre les prédateurs ou au contraire comme cachette pour guetter une proie, mais aussi comme source de nourriture.

LES COLONS DU PARADIS

Les marins polynésiens au long cours furent les premiers à poser le pied sur Bora Bora, vers la fin du VIIIe siècle apr. J.-C. Leurs ancêtres étaient les Lapitas, une vieille race d'habiles navigateurs qui partirent de Nouvelle-Guinée vers les Fidji autour de 1000 av. J.-C. Les descriptions de la société polynésienne données par les anciens explorateurs suggèrent que les voyages entre îles voisines étaient courants. Les pirogues prises dans les tempêtes étaient souvent entraînées loin de leur point de départ, forçant leurs occupants à chercher refuge sur des îles inconnues. En outre, la société polynésienne était souvent secouée de guerres tribales, qui ne laissaient pas d'autre choix aux vaincus que d'aller chercher de nouveaux territoires.

Une fois sur mer, les Polynésiens sont habiles à découvrir la terre. Ils savent interpréter les formes des vagues, les gonflements de l'océan et la disposition des nuages. La présence d'une île modifie la forme normale des vagues : en observant les oscillations de sa pirogue, un navigateur expérimenté peut déduire la distance et la direction de l'île la plus proche.

Les Polynésiens ont défriché une petite partie de la forêt tropicale de Bora Bora, cultivé la terre et pêché dans les eaux du récif. Au cours du XVIIIe siècle, des navires européens firent des escales dans l'île lors de leurs longs voyages d'exploration. En 1769, un explorateur britannique, le capitaine James Cook, fut le premier à mentionner l'île — sous le nom de Bola-Bola —, bien qu'il n'y ait jamais débarqué.

Bora Bora ne restera peut-être pas longtemps une île paradisiaque. Au cours de la Seconde Guerre mondiale, plus de 5 000 hommes de troupe américains y stationnèrent, apportant avec eux l'électricité, l'argent et un nouveau style de vie. Les insulaires abandonnèrent leurs cultures traditionnelles de coprah et de vanille, mais ils furent perdus lorsque les Américains repartirent, en 1946. Les années soixante-dix ont vu un accroissement de la population et de l'activité, mais aussi l'arrivée d'envahisseurs hollywoodiens et de promoteurs immobiliers. L'un de ceux-ci, qui a construit un ensemble en copropriété sur le rivage nord de Bora Bora, laisse présager du destin de l'île lorsqu'il déclare : « Il y a un boum des voyages dans le Pacifique Sud qui commence à peine, et cela va s'étendre partout, de Pitcairn à la Papouasie. » ∎

UN RÉCIF DE CORAIL ET DE SABLE COURONNÉ DE PALMIERS, de 14,5 km sur 9,5 km, empêche les vagues déferlantes du Pacifique de troubler les eaux tranquilles du lagon de Bora Bora. Dans le fond, se détachant sur le ciel, s'élève l'arête montagneuse de l'île, composée de roches volcaniques rouges et noires. Dans leurs traditionnelles pirogues à balancier, un petit groupe d'insulaires pêche dans les eaux bleu clair du lagon. Les pirogues modernes, bien qu'inchangées dans leur style, sont plus petites que celles d'autrefois. Les embarcations polynésiennes du XVIIIe siècle étaient à double coque, propulsées par de longues pagaies et capables de contenir chacune 40 personnes.

UNE PETITE ÉGLISE CATHOLIQUE à Vaitape, le chef-lieu de Bora Bora, symbolise la conversion des insulaires au christianisme. Depuis 1847, l'île a été gouvernée par la France, après l'annexion des 14 îles de la Société, dont Bora Bora fait partie. La France a annexé aussi quatre autres archipels en Polynésie — les îles Australes, Marquises, Tuamotu et Gambier — et la majorité de leur population s'est convertie au catholicisme.

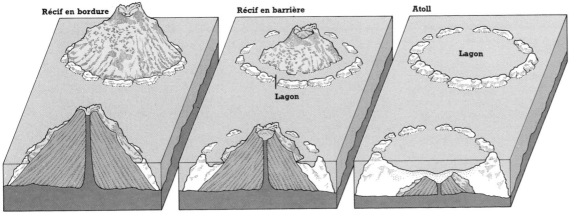

Récif en bordure **Récif en barrière** **Atoll**

Lagon

Lagon

Lagon

TROIS TYPES DE RÉCIFS CORALLIENS sont impliqués dans le développement d'un lagon tropical. D'abord se développent des récifs en bordure, sur les rivages d'une île volcanique. Puis, à mesure que la terre s'enfonce, le corail croît en hauteur pour former un récif en barrière, séparé de l'île centrale par un lagon ; Bora Bora est à ce stade. Lorsque l'île se sera enfoncée sous la mer, le récif entourera le lagon et formera un atoll.

LA FAILLE DE SAN ANDREAS

La bombe à retardement qui menace la Californie

À première vue, les rues de Taft, dans le centre de la Californie, sont comme celles de toutes les autres villes américaines : de larges avenues bordées de maisons avec des jardins soignés, des automobiles stationnées le long des rues et des réverbères disposés à intervalles réguliers. Mais quelque chose n'est pas à sa place : les réverbères ne sont pas parfaitement alignés et, de temps en temps, une rue tout entière se tortille, comme si une extrémité était en train de dépasser lentement l'autre. Ces distorsions sont dues à la non-stabilisation du soubassement de la Californie. La côte pacifique se déplace vers le nord-ouest le long de la faille de San Andreas, tandis que la plus grande partie de l'État glisse vers le sud-est. Ce mouvement relatif ne semble pas particulièrement rapide : la moyenne est de 5 cm par an. Mais cela signifie que Los Angeles aura rejoint la latitude actuelle de San Francisco dans 10 millions d'années environ.

Tous les Californiens connaissent la faille de San Andreas, elle fait partie du paysage. De San Francisco au point où le Colorado coupe la frontière mexicaine — soit sur une distance de 1 125 km —, les Californiens vivent au-dessus d'un nid de tremblements de terre, dont beaucoup sont imperceptibles, sauf aux antennes des instruments scientifiques. Quelques-uns, cependant, comme celui de San Francisco en 1906, sont dévastateurs.

Deux plaques tectoniques, sections de la croûte terrestre, se rencontrent le long de la faille de San Andreas. La plus grande partie de l'Amérique du Nord repose sur la plaque américaine, tandis que la plus grande partie de la côte de Californie repose sur la plaque pacifique, et les deux plaques glissent inexorablement l'une contre l'autre, engendrant des tremblements de terre.

LA FAILLE DE SAN ANDREAS coupe en deux le territoire de la Californie, de San Francisco au point où le Colorado traverse la frontière mexicaine. La ligne de faille taillade le paysage comme une balafre non cicatrisée. Sur la plaine de Carrizo, à 160 km au nord de Los Angeles, des rivières qui tentent de suivre leur cours sont déportées par des tremblements de terre successifs ; l'une d'elles a été déplacée de 130 m.

Il y a 250 millions d'années, l'enveloppe de plaques tectoniques de la Terre était configurée de telle sorte que les continents actuels formaient un supercontinent, auquel on a donné le nom de Pangée. Lorsque, 50 millions d'années plus tard, la Pangée s'est déchirée, les continents furent séparés ; les géologues estiment que c'est vers cette époque que les plaques américaine et pacifique commencèrent à frotter l'une contre l'autre.

LES ZONES DE TREMBLEMENTS DE TERRE

La faille de San Andreas court en un léger arc de cercle à travers la Californie. Sur la plus grande longueur de la faille, les deux plaques adjacentes glissent l'une contre l'autre à une vitesse moyenne de 3,5 cm par an ; l'énergie engendrée dans ces zones de « glissement » est libérée dans des milliers de minuscules tremblements de terre, qui peuvent être détectés par des instruments très sensibles, mais ne causent pas de dommages. Dans les zones « verrouillées », les deux plaques semblent adhérer l'une à l'autre et s'empêcher mutuellement de bouger ; d'énormes tensions s'accumulent sur une période de cent à deux cents ans, avant que l'adhérence ne soit vaincue et que les plaques ne se débloquent ; quand cela se produit, d'énormes quantités d'énergie sont libérées et il en résulte des tremblements de terre qui peuvent atteindre le degré 7 sur l'échelle de Richter, comme ceux de 1857, à Fort Tejon, au nord de Los Angeles, et de 1906, à San Francisco.

Entre les zones de « glissement » et de « verrouillage » se trouvent les zones « intermédiaires », où il y a une activité sismique plus faible, mais régulière. Parkfield, une petite ville à mi-chemin entre Los Angeles et San Francisco, a un cycle d'environ vingt-deux ans de tremblements de terre qui atteignent le degré 6 sur l'échelle de Richter ; le séisme de 1857 et les suivants — en 1881, 1901, 1922, 1944 et 1966 — ont tous affecté le même endroit à la faille, une section de 25 à 30 km de long, qui s'enfonce à 10 km sous la terre. Nulle part ailleurs on ne trouve de séismes se répétant ainsi ; la prochaine secousse dans cette zone est attendue avant 1993.

PRÉVOIR L'IMPRÉVISIBLE

Des traces dans les roches autour de la faille de San Francisco ont permis aux géologues d'établir qu'il y a eu douze grands séismes dans la région depuis 200 apr. J.-C. Les Californiens savent qu'il y en aura d'autres dans les années à venir, mais ils ne savent ni où, ni quand, ni de quelle ampleur : le pire scénario prévu par les ingénieurs qui dessinent les constructions de Los Angeles est un séisme de magnitude 7 ; un tel tremblement de terre dans le sud de la Californie tuerait, selon les estimations, entre 17 et 20 millions de personnes, causerait 70 milliards de dollars de dégâts et engendrerait des incendies et des gaz toxiques affectant 11,5 millions d'habitants.

Peu de particularités géologiques du globe sont étudiées plus intensément que la faille de San Andreas. Des instruments mesurant la pression de l'eau dans des puits de 75 m de profondeur permettent de distinguer les soulèvements dans la masse du sol et les glissements dans la faille. Des lasers bicolores mesurent les déplacements relatifs des deux côtés de la faille. Ces informations sont envoyées par satellite à des ordinateurs programmés pour répondre aux signaux anormaux. L'espoir est que tout l'État de Californie puisse être alerté, comme ce fut le cas la dernière fois à Parkfield, avec 72 h d'avance.

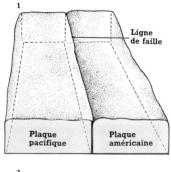

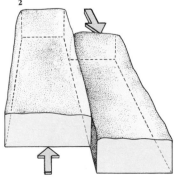

UNE LIGNE DE FAILLE existe là où deux sections de la croûte terrestre, ou lithosphère, se rejoignent. Les frottements entre ces deux plaques tectoniques retardent temporairement leur mouvement naturel dans des directions opposées, mais l'énergie qui s'accumule déforme les matériaux autour de la faille au-dessous de la surface.
Le long de la faille de San Andreas, la plaque américaine glisse vers le sud-est, tandis que la plaque pacifique va vers le nord-ouest. Dans un tremblement de terre, l'énergie est violemment libérée et les plaques bougent. On peut alors observer le déplacement sur la surface, là où les plaques ont glissé l'une contre l'autre avant de s'immobiliser à nouveau.

UNE MONSTRUEUSE CICATRICE BOURSOUFLÉE traversant la plaine de Carrizo est la manifestation la plus visible de la faille de San Andreas — qui, sur sa plus grande longueur, du Mexique au nord-ouest de la Californie, passe relativement inaperçue. Cette section se trouve à environ 40 km au nord de Fort Tejon, une ville qui fut en 1857 l'épicentre d'un des pires tremblements de terre qui soient connus : la terre se fendit sur 320 km.

LE BOULEVERSEMENT DES COUCHES SOULEVÉES révèle l'impressionnante puissance des tensions physiques qui s'exercent dans la zone de la ligne de faille. Cette structure, qui apparaît sur la route 14, à Palmade, au nord de Los Angeles, est un lais de faille à structure parallèle. Bien que l'essentiel du déplacement le long de la ligne de faille soit horizontal, la déformation de ces couches de sédiments, avec leurs plis étranges, est un exemple du mouvement vertical de la croûte terrestre.

DES PERSONNAGES ÉDOUARDIENS DANS UN PAYSAGE DÉVASTÉ errent dans Sacramento Street en contemplant les conséquences du grand tremblement de terre de San Francisco en 1906. La secousse provoqua un déplacement horizontal de 6,4 m de chaque côté de la faille. Aujourd'hui, près de cinq millions de personnes vivent dans la baie de San Francisco, qui est parcourue par trois grandes lignes de faille et donc désignée par les géologues comme le siège probable d'un prochain séisme dévastateur.

139

LE
GRAND CANYON

Un couloir à travers les ères géologiques

En 1858, un différend politique entre le gouvernement américain et des colons mormons décidés à quitter l'Utah en direction du sud eut pour conséquence l'exploration du bas Colorado. Le ministère de la Guerre chargea le lieutenant Joseph Ives de conduire une expédition dans le nord-ouest de l'Arizona. Sur un vapeur à roues nommé *Explorer,* Ives remonta pendant deux mois le fleuve depuis son embouchure dans le golfe de Californie avant de s'aventurer à terre.

Sur la rive gauche de ce qu'il appela « le Grand Canyon du Colorado », Ives chevauchait un mulet le long d'une étroite corniche, au-dessus d'un gouffre de 300 mètres, mais peu impressionné par le site, il écrivit : « Nous avons été le premier et sans aucun doute le dernier groupe de Blancs à visiter ce lieu sans intérêt. La Nature semble avoir prévu que le Colorado, sur la plus grande partie de son cours solitaire et majestueux, ne sera jamais dérangé par les visiteurs. »

Ives et ses hommes n'étaient ni les premiers Blancs à contempler la majesté du Grand Canyon — ni certainement les derniers. En 1540, un jeune conquistador espagnol, Francisco de Coronado, avait conduit une troupe de 300 hommes armés à l'intérieur du territoire du Grand Canyon, en quête d'or et autre butin. Ayant entendu parler d'un grand fleuve coulant à l'ouest, Coronado envoya l'un de ses capitaines, Garcia de Cardenas, en reconnaissance. La patrouille passa trois jours sur la « berge » — ce qui est aujourd'hui le bord sud du canyon —, cherchant un « passage pour descendre jusqu'à la rivière que l'on aurait dit, d'en haut, n'avoir que six pieds de large, alors que, selon les Indiens, elle faisait une demi-lieue ». Au point le plus profond, appelé la gorge de Granite, le canyon fait 1,6 km d'un bord à l'autre ; dans sa plus grande largeur, il s'étale sur 29 km.

LE GRAND CANYON couvre environ 5 200 km² — à peu près la surface du département des Bouches-du-Rhône —, le long du Colorado, dans le nord-ouest de l'Arizona. C'est l'une des régions les plus isolées des États-Unis, à 480 km à l'est de Las Vegas et 112 km de Flagstaff. Creusé dans un plateau par un torrent, le canyon révèle des couches géologiques qui remontent à l'ère précambrienne, il y a 2 000 millions d'années.

LA FORMATION DU CANYON

Le Grand Canyon est la plus grande gorge du monde : il s'étend sur 444 km, le long du Colorado. Les parois rayées de l'immense gouffre, créé presque entièrement par l'action des eaux du fleuve, sont comme un couloir à travers le temps géologique : couche après couche, la roche a été soumise à la puissance érosive du fleuve, si bien qu'au fur et à mesure que le canyon s'approfondissait, c'est la plus ancienne histoire de la Terre qui était mise à nu.

Sur les quatre ères de la préhistoire de la Terre, seules les deux premières — Précambrien et Primaire (ou Paléozoïque) — sont représentées sur les parois du Grand Canyon ; les couches des deux ères les plus récentes — Secondaire (ou Mésozoïque) et Tertiaire (ou Cénozoïque) — ont été emportées par l'érosion. Les roches schisteuses que l'on voit au pied de la gorge de Granite ont 2 000 millions d'années : elles se sont formées au moment où le noyau fondu de la Terre perçait la surface.

Les couches supérieures du canyon datent du Primaire, qui a commencé il y a 600 millions d'années. Composées de roches différentes — grès, schistes et calcaires —, elles proviennent de sédiments qui se sont déposés au fond d'un océan. La couche la plus récente a 250 millions d'années. Il y a 10 millions d'années, l'océan s'est asséché pour laisser place à une plaine où courait un large fleuve qu'on appelle aujourd'hui Colorado. Des mouvements de la croûte terrestre soulevèrent les roches du nord de l'Arizona et du sud de l'Utah en un immense dôme.

Il y a 2 millions d'années, le Colorado se rétrécit, et ses eaux devinrent de ce fait plus puissantes. Avec une force toujours plus grande, le fleuve battit le fond de sa vallée, creusant aussi vite que les roches alentour se soulevaient. En conséquence, le cours du fleuve est resté à un niveau à peu près inchangé, tandis que s'élevaient de plus en plus les parois rocheuses à travers lesquelles il passait.

LES EXPÉDITIONS D'UN EXPLORATEUR MANCHOT

En 1869, la zone centrale du Colorado était représentée sur les cartes comme un espace vide de 260 000 km². Pour combler cette lacune, un géologue de l'Illinois, le major John Wesley Powell, décida d'explorer ces régions non cartographiées. Bien qu'il eût perdu un bras lors de la Guerre de Sécession, Wesley était devenu un explorateur chevronné dans les montagnes Rocheuses.

Le 24 mai 1869, neuf hommes et quatre embarcations de bois quittèrent Green River Station, dans le Wyoming, et descendirent le cours supérieur du Colorado. Ils mirent trois mois pour atteindre le Grand Canyon, dressant soigneusement la carte du fleuve et des contrées environnantes. Mais en cours de route, ils perdirent un bateau ainsi qu'un stock important d'instruments scientifiques et se retrouvèrent avec des vivres pour un mois seulement. Pendant plusieurs jours, ils furent emportés par les courants rapides.

Quand ils firent halte sur une large plage tout au fond du canyon, trois hommes abandonnèrent l'expédition. Mais lorsqu'ils eurent escaladé les parois jusqu'à la « berge », ils furent abattus par un groupe d'Indiens hostiles. Le 29 août, les six survivants affamés apparurent avec deux bateaux dans les eaux déjà connues de l'extrémité ouest du canyon. Deux ans plus tard, une expédition mieux équipée permit à Powell de faire la carte du Grand Canyon et de dessiner le profil du fleuve le plus accidenté du monde.

■   ■

CES COLOSSAUX « POTEAUX DE TOTEM » TAILLÉS PAR LA NATURE dans le roc érodé constituent des belvédères fréquentés sur la rive supérieure du canyon.

A cet endroit, des garde-fous sont installés, mais sur la plus grande partie du périmètre vertigineux des gorges, une chute à pic attend l'imprudent.

LA DESCENTE DANS LE CANYON SUR UN MULET se fait par un sentier en montagnes russes qui coupe à travers les couches successives d'une histoire géologique longue de 2 000 millions d'années. Les quelques sentiers existants étaient autrefois utilisés par les moutons des Rocheuses et les cerfs locaux, dont l'instinct pour trouver un chemin praticable a été exploité par les Indiens et les prospecteurs. Les sentiers modernes, eux ne font jamais moins de 1,5 m de large, et paraissent spacieux.

EN AMONT, AU NORD-EST DU GRAND CANYON, le Colorado coule entre les hautes parois de granite du canyon Glen. Le barrage du même nom, à l'est, interfère avec la crue et la décrue annuelles du fleuve, ce qui lui a permis de reconstruire ses rivages usés. Avant l'achèvement du barrage, le fleuve apportait une moyenne quotidienne de 500 000 tonnes de roches, cailloux et sables dans le Grand Canyon ; en pleine crue, ce chiffre était multiplié par plus de 50 fois.

METEOR CRATER

L'empreinte géante
d'un missile cosmique

AMÉRIQUE · ÉTATS-UNIS

Vu de la plaine plate et unie qui l'entoure, Meteor Crater n'est guère qu'une petite colline quelconque. Mais si l'on gravit sa légère pente, on tombe sur un spectacle inattendu : en effet, sur la crête de la colline s'ouvre un amphithéâtre aux parois abruptes, en forme de soucoupe, aux proportions énormes : 1 265 m de diamètre et 175 m de profondeur maximale.

C'est en 1871 que l'on entendit parler pour la première fois de ce trou béant dans le désert, près du Canyon Diablo de l'Arizona. On l'a d'abord pris pour un cratère volcanique, car il y en avait d'autres dans la région, à commencer par le toujours actif Sunset Crater. Dans les années 1890, les grands géologues américains commencèrent à étudier le phénomène, après que des minéralogistes eurent découvert des fragments de fer et même de diamants, ce qui suggérait qu'une météorite était entrée en collision avec la Terre.

Daniel Barringer (1860-1929), un ingénieur des mines de Philadelphie, explora le site en 1903 ; convaincu que la météorite était enterrée sous le cratère, il acheta le terrain et, en 1906, commença à creuser. Bien que le sous-sol le déçût, Barringer découvrit suffisamment de fragments de fer et de ferronickel pour persuader le monde scientifique que le cratère avait probablement été creusé par une météorite.

La taille du projectile extra-terrestre qui frappa le désert de l'Arizona reste un sujet de spéculation. Dans les années trente, les scientifiques estimaient son poids à 14 millions de tonnes et son diamètre à 120 m. Selon les estimations actuelles, la météorite était beaucoup plus petite, avec un poids de 70 000 tonnes et un diamètre de 25 m.

Mais la collision fut cataclysmique. Pour créer un cratère aussi immense, la météorite doit avoir voyagé à la vitesse de 48 000 km/h, engendrant un souffle équivalent à 500 000 ton-

*METEOR CRATER se trouve à 30 km à l'ouest de Winslow, dans les plaines qui entourent le canyon Diablo de l'Arizona. Le bord presque circulaire du cratère, créé par une énorme météorite, s'élève à plus de 45 m au-dessus du sol. Des sédiments relevés à des profondeurs de plus de 30 m ont conduit les géologues à conclure que, il y a 12 000 ans, le cratère a été un lac.
Le climat plus sec des époques récentes a fait évaporer l'eau du lac et transformé la région en un aride paysage lunaire.*

nes de TNT ; par comparaison, la bombe atomique qui détruisit Hiroshima en 1945 avait une force équivalant à 20 000 tonnes de TNT. Sa chute doit avoir dévasté une zone d'un rayon de plus de 160 km autour du point d'impact. La collision eut probablement lieu il y a 22 000 ans — mais certains pensent que le cratère fut creusé à l'époque du Christ, tandis que d'autres lui donnent 50 000 ans.

LA MÉTÉORITE PROUVÉE

« C'est l'endroit le plus intéressant du monde », déclara l'éminent chimiste suédois Svente Arrhenius (1859-1927) après avoir visité le cratère au tournant du XXᵉ siècle. Il cherchait — mais n'en trouva point — des preuves pour soutenir sa théorie que la vie s'était propagée dans l'univers grâce à des spores microscopiques transportées par des météorites.

Au cours des années trente, 400 000 dollars furent dépensés pour faire des sondages dans le sol du cratère. Des fragments de ferronickel, provenant sans doute de la météorite, furent recueillis jusqu'à 250 m de profondeur ; au-dessous, le sol était intact. Toutes les tentatives pour trouver le noyau sous le cratère ont été abandonnées : les savants pensent maintenant que la météorite a explosé sous le choc et qu'une grande partie de sa matière s'est volatilisée.

Les millions de grains de ferronickel découverts sur le site résultent, pense-t-on, de la condensation d'un nuage métallique formé par l'explosion. En outre, des fragments isolés de ferronickel pesant jusqu'à 650 kg ont été trouvés dispersés sur une surface de 260 km². Tous les doutes sur l'origine du cratère ont été levés en 1960 par la découverte de coésite et d'atishovite, deux formes rares de silice qui ne peuvent se créer qu'à des températures et des pressions élevées — conditions réalisées lorsqu'une météorite entre en collision avec un désert de grès.

MÉTÉORITES DE PAR LE MONDE

On considérait autrefois avec scepticisme les gens qui disaient avoir observé des météorites tombant du ciel ou trouvé des traces sur le sol. Le président des États-Unis Thomas Jefferson (1743-1826) affirmait en 1801 qu'il « croirait que deux professeurs yankees ont menti, plutôt que de croire que des pierres sont tombées du ciel ». Au cours des deux années suivantes, des savants découvrirent la similitude de la composition chimique de fragments provenant du monde entier, établissant une fois pour toutes l'existence des météorites.

L'espace est, de fait, rempli de météorites qui tournent par groupes autour du Soleil. Beaucoup ne sont pas plus grandes qu'une pièce de monnaie, tandis que d'autres pèsent des millions de tonnes. Des centaines de milliers d'entre elles bombardent chaque jour l'atmosphère de la Terre, mais elles sont souvent si petites qu'elles passent inaperçues, ou bien elles s'enflamment et apparaissent sous forme d'étoiles filantes. Les pluies de météorites les plus connues sont les Léonides : elles arrivent en novembre et semblent provenir de la constellation du Lion. Les plus grosses météorites conservent suffisamment de leur noyau central pour frapper la Terre avec une force terrible.

Le lac Chubb, au nord du Nouveau-Québec, est le plus grand cratère météorique du monde. Creusé dans du granite massif, il a plus de 3 km de diamètre et contient un lac profond de 244 m. La plus grosse météorite découverte sur la surface de la Terre se trouve près de Grootfontein, en Namibie. Composée de fer massif, elle mesure 2,7 m sur 2,4 m et pèse 60 tonnes. ∎

L'ACCÈS AU FOND DU CRATÈRE se fait par une pente abrupte, que l'on peut descendre en une heure. Le sol de grès est riche en sels minéraux, résultant des hautes températures et des hautes pressions créées par le choc de la météorite. Jusqu'en 1967, date à laquelle le cratère fut déclaré site national protégé, la seule exploitation commerciale était celle de la silice, qui est parmi les plus pures du monde.

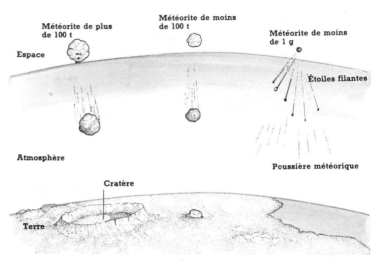

L'ESPACE EST PLEIN DE MÉTÉORITES, ou particules interplanétaires, qui pénètrent dans l'atmosphère terrestre. Des météorites pesant plus de 100 tonnes franchissent de temps en temps la barrière de l'atmosphère : elles explosent sous le choc et forment un cratère.

Des météorites pesant moins de 100 tonnes, mais plus de 1 gramme peuvent frapper la Terre sans exploser. Les météorites pesant moins de 1 gramme se consument formant des étoiles filantes avant de tomber sur la terre en poussière météorique.

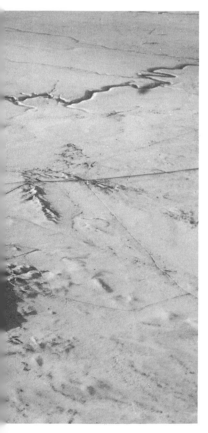

LE CRATÈRE DU DÉSERT DE L'ARIZONA est l'un des quelque 30 structures semblables existant à la surface de la Terre. Ils sont beaucoup plus nombreux sur la Lune, qui n'a pas d'atmosphère pour se protéger du bombardement constant des météorites. Des données récoltées par divers engins spatiaux indiquent que la Lune est criblée d'au moins trois milliards de cratères.

UNE ÉNORME MÉTÉORITE baptisée Peko II a été découverte récemment dans la province orientale chinoise de Shandong. Les autorités chinoises ont estimé que la météorite était tombée il y a 1 400 ans et affirmé que son poids de 4 tonnes en faisait la plus grosse météorite jamais trouvée sur terre. En fait, la météorite découverte en 1920 près de Grootfontein, en Namibie, est 15 fois plus lourde.

RAINBOW BRIDGE

Une arche naturelle monumentale

C'est un Indien Paiute nommé Nasjah Begay qui amena les premiers hommes blancs à Nonnezoshi, « le trou dans le roc », une grande arche de pierre se dressant non loin du mont Navajo, une montagne en forme de baleine ; point de repère très visible dans toutes les directions, elle est située dans l'une des régions les plus inaccessibles d'Amérique du Nord. Le 14 août 1909, le docteur Byron Cummings, de l'université de l'Utah, le contrôleur du gouvernement W.B. Douglas, et John Wetherill, propriétaire du comptoir d'Oljeto, à l'extrémité nord de Monument Valley, découvrirent le Rainbow Bridge, le « Pont de l'Arc-en-ciel ». Selon divers comptes rendus, Cummings fut le premier à le voir, Douglas le premier à l'atteindre et Wetherill le premier à passer dessous. Le président des États-Unis Théodore Roosevelt (1858-1919) devait déclarer plus tard que c'était la plus grande merveille naturelle du monde. Mais à l'époque déjà, le président William Taft avait déclaré monument national les 65 hectares de terrain entourant le pont (30 mai 1910), afin de le conserver pour la postérité.

Le grès rose du Rainbow Bridge s'incurve gracieusement au-dessus d'un canyon, à une hauteur de 94 m : c'est l'arche naturelle la plus haute du monde, elle pourrait envelopper le Capitole de Washington. Au sommet, l'arche a 13 m d'épaisseur et 10 m de large, assez pour faire passer une route à deux voies. Au-dessus du canyon, la portée est de 85 m.

Les Indiens Paiutes et Navajos vivant dans la région pensent que l'arche est un arc-en-ciel pétrifié, non seulement parce que sa forme ressemble à celle du plus parfait des arcs, mais aussi à cause des délicates nuances du grès dont il est constitué. Sous le ciel éclatant du désert, la pierre est d'une couleur lavande foncée, tandis que sous le soleil couchant, c'est toute

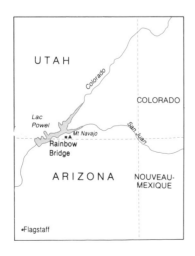

LE RAINBOW BRIDGE est situé sur le territoire de la réserve des Indiens Navajos, au sud de l'Utah, près de la frontière avec l'Arizona, et à 240 km au nord de Flagstaff. Ressemblant à un arc-en-ciel, l'arche de grès rose enjambe le Bridge Creek ; ce cours d'eau, qui naît au mont Navajo, à 8 km au sud-est de l'arche, coule dans le canyon Forbidding, avant de se jeter dans le Colorado.

une variété de rouges et de bruns qui éclabousse le grès.

Il y a 80 millions d'années, de nombreux cours d'eau partaient des pentes nord du mont Navajo, un sommet de 3 166 m, pour tracer leur chemin à travers le plateau gréseux. Lorsque, 15 millions d'années plus tard, toute la région fut progressivement exhaussée et forma un dôme, les rivières se creusèrent des lits de plus en plus profonds. Dans le cas du Bridge Creek, le « ruisseau du Pont », un grand contrefort de rocher faisait saillie sur le flanc du canyon, obligeant les eaux à le contourner.

Les très fortes amplitudes thermiques entre le jour et la nuit écaillèrent les faces du rocher, l'amincissant en une étroite fenêtre. Les débris rocheux charriés par la rivière frappaient la base du contrefort et l'affaiblissaient. Finalement, la force irrésistible de l'eau du fleuve se fit un passage en élargissant la fenêtre ; en même temps, la rivière continuait à creuser le canyon par-dessous, rendant l'arche de plus en plus haute.

Le groupe qui découvrit Rainbow Bridge en 1909 dut voyager à travers l'un des territoires les plus inhospitaliers des États-Unis. Mais en 1963, les ingénieurs achevèrent le barrage du Canyon Glen, créant le lac Powell et repoussant l'eau du Colorado dans les quelque 90 canyons affluents. Lorsque le lac Powell — dont le périmètre, long de 320 km, est faite de roches rouges — atteint sa pleine capacité, une étroite langue d'eau se fraie un chemin en remontant le ruisseau jusque sous l'arche géante. Et c'est ainsi que les visiteurs peuvent aujourd'hui passer en bateau à portée de voix du monument.

LA RÉGION DES ARCHES DE L'UTAH

Le Rainbow Bridge n'est qu'une arche parmi les centaines d'autres, en grès, que compte l'Utah. À 300 km au nord-est, près de Moab, se trouve le Parc national des Arches. Là, dans un paysage fantastique, se dressent 83 arches, de diverses formes et tailles. Contrairement au Rainbow Bridge, les fenêtres de ces arches n'ont pas été creusées par un cours d'eau, mais par la pluie, le vent et le sable.

Le grès d'Entrada, dont sont constituées ces arches, s'est déposé il y a 40 millions d'années. Plus tendre que le grès navajo commun du sud de l'Utah et du nord de l'Arizona, cette roche recueille l'eau de pluie dans ses crevasses et ses fissures. Lorsque l'eau gèle, puis fond, les crevasses s'élargissent et de gros fragments de roches se détachent ; des inondations éclair augmentent encore la puissance du processus d'élargissement ; des ouvertures apparaissent dans les arêtes et les affleurements ; le vent et le sable donnent la touche finale au doux poli des arches.

Landscape Arch a une portée de 89 m, soit 4 m de plus que celle du Rainbow Bridge, ce qui fait d'elle la plus longue arche naturelle du monde. Aussi fragile qu'une clavicule, l'aileron de l'arche s'avance depuis des affleurements escarpés du rocher à une hauteur moyenne de 30 m au-dessus du fond du canyon. En termes géologiques, l'arche ne devrait plus durer longtemps, car l'une des sections de la roche n'a que 1,8 m d'épaisseur et est à peine capable de supporter la force impitoyable de l'érosion.

Une autre structure fantastique du parc est Delicate Arch, un demi-cercle de grès saumon, qui ressemble à l'os de l'étrier de l'oreille moyenne. Les fermiers et les cowboys de l'endroit l'ont surnommée « la culotte de vieille fille ». De sa position isolée au bord d'un amphithéâtre rocheux désert, cette arche encadre nettement les monts La Sal, couverts de neige, à 32 km au sud-est.

LE RAINBOW BRIDGE fut d'abord un contrefort massif de grès s'avançant dans le canyon creusé par le cours d'eau appelé aujourd'hui Bridge Creek. La base du contrefort a été usée par l'eau chargée de limon jusqu'à ce qu'une ouverture se creuse dans la pierre tendre. L'eau s'est mise à couler à travers le raccourci, élargissant peu à peu l'ouverture, en action avec les autres forces érosives. Le ruisseau a ensuite creusé un petit canyon au-dessous de l'arche, ce qui accentue sa hauteur et sa symétrie.

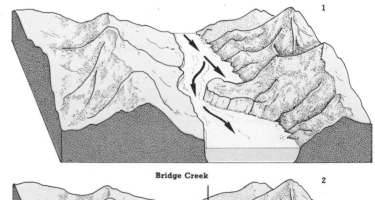

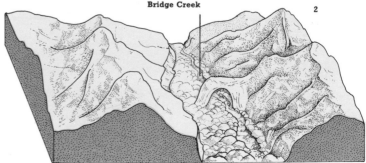

Bridge Creek

LANDSCAPE ARCH, dans le Parc national des Arches de l'Utah, est la plus longue arche naturelle du monde. Elle fut créée non pas par l'action d'un cours d'eau, mais par la désagrégation et l'érosion, provoquée par le sable, d'une couche originelle de grès d'Entrada épaisse de 90 m. Celle-ci se trouve au-dessus d'une autre variété de grès, rouge sombre, appelée Carmel, qui repose elle-même sur du grès navajo, plus dur.

DELICATE ARCH, qui se trouve aussi dans le Parc national des Arches, doit son nom à la fois à son apparence et à sa structure. La caractéristique la plus remarquable de ce fragile cercle de grès, qui se dresse à 26 m de hauteur avec une portée de 20 m, est que l'une de ses « jambes » n'est épaisse que de 1,8 m. Cela, combiné avec la relative fragilité de la roche dont il est formé, signifie que, géologiquement, ses jours sont comptés.

MONUMENT VALLEY

Un décor de roches rouges dans l'Ouest sauvage

AMÉRIQUE - ÉTATS-UNIS

Les amateurs de l'œuvre du metteur en scène américain John Ford reconnaissent d'emblée Monument Valley comme étant le cadre de quelques-unes de ses célèbres épopées : *la Chevauchée fantastique* (1939), *la Poursuite infernale* (1946) et *la Charge héroïque* (1949). Au total, plus de 25 films ont été tournés sur cette plaine stérile, où des massifs de grès rouge se dressent en silence comme des monuments en ruines.

Il y a plus de 200 millions d'années, la zone occupée actuellement par Monument Valley, sur la frontière entre l'Utah et l'Arizona, était un désert de sable rouge balayé par le vent. Quand la région fut inondée par la mer, de lourds dépôts de limon tombèrent sur le fond et comprimèrent le sable, qui devint du grès rouge, tandis que le limon lui-même se transformait en schiste. Lorsque, il y a 65 millions d'années, la zone se souleva, le lit de la mer devint un énorme plateau de grès couvert d'une fine couche de schiste et de conglomérat, une sorte de gravier sédimentaire dur.

Les forces d'érosion commencèrent aussitôt à travailler. Là où les mouvements de la Terre avaient ouvert des crevasses et des fissures dans le schiste, l'eau et le vent creusèrent leur chemin jusqu'au grès sous-jacent. Les fissures furent approfondies et élargies, jusqu'à former un labyrinthe de canyons et de ravins. Au bout du compte, les terrasses de grès furent réduites à des *mesas* rocheuses qui, à leur tour, devinrent des « monuments ».

Les géologues utilisent ce terme pour désigner les vestiges laissés par l'érosion qui, étant plus hauts que larges, ressemblent souvent à des bâtiments ou à des objets faits de main d'homme : piliers, clochers, cheminées, gratte-ciel, châteaux, temples. Beaucoup d'entre eux atteignent des hauteurs de près de 300 m ; ils sont composés d'une tour verticale de grès

MONUMENT VALLEY est à cheval sur la frontière entre l'Utah et l'Arizona, à 45 km au nord de Kayenta et à 90 km au sud-ouest de Bluff. La vallée est parsemée d'énormes buttes et massifs de grès ; beaucoup ont des bases coniques, ce qui indique que l'érosion agit toujours. Quelques monuments se détachant sur le ciel ressemblent à des images familières, comme les deux « Mitaines » (au centre et à gauche). La butte Merrick (à droite) commémore l'assassinat d'un chercheur d'argent par les Indiens dans les années 1880.

rouge, coiffée d'une tête de roche plus résistante qui a protégé les couches inférieures de l'érosion. Les « monuments » sont souvent entourés d'un large cône de débris de grès qui indique que l'érosion continue toujours. Ces derniers restes d'un immense plateau gréseux seront eux-mêmes arasés par l'érosion dans quelques milliers d'années.

Les formes des divers « monuments » ont inspiré des foules de noms. L'impressionnant massif du « Château » est couronné de crénelures que l'on peut prendre pour de vrais créneaux. La « Poule dans le Nid » présente une fantastique similitude avec un volatile accroupi. Le plus curieux et peut-être le mieux nommé est les « Mitaines » : deux grandes formations proches l'une de l'autre, chacune avec une étroite colonne de roc — le « pouce » —, à côté d'un grand massif — les « doigts ».

AU PAYS DES NAVAJOS

Il y a mille ans, les terres chevauchant la frontière actuelle entre l'Arizona et l'Utah étaient habitées par des tribus indiennes vivant en *pueblos,* des villages composés de maisons de torchis. Ces Indiens, appelés les Anasazi, c'est-à-dire les « Anciens », travaillaient dur, à l'aide de systèmes complexes d'irrigation, pour cultiver le désert aride. Mais lorsque le climat devint encore plus sec, au milieu du XIIᵉ siècle, les Anasazi durent abandonner leurs maisons et émigrer vers le sud. On peut encore voir leurs habitations en ruine dans Monument Valley ; l'une de celles-ci, appelée « la Maison des Nombreuses Mains », porte des centaines d'empreintes de paumes faites par des mains trempées dans de la peinture blanche.

Au XVIᵉ siècle, les terres habitées antérieurement par les Indiens Anasazi furent occupées essentiellement par les Navajos, le plus nombreux de tous les groupes d'Indiens américains. Ils y développèrent une vie pastorale d'éleveurs de chèvres et de moutons. Beaucoup de leur culture provient des Anasazi : leur joaillerie de turquoise et les dessins géométriques de leurs couvertures, aussi bien que leurs badigeons de sable utilisés pour soigner les maladies.

Quand, en 1859, quelques fougueux Navajos attaquèrent un établissement blanc, on lança contre eux toute la puissance de la cavalerie américaine. En 1868, après une longue guerre au cours de laquelle le broussard Kit Carson combattit aux côtés de la cavalerie, les Navajos se rendirent et furent déportés à Fort Summer au Nouveau-Mexique. En 1874, le chef Manuelito conduisit une délégation à Washington et persuada le gouvernement américain de rendre aux Navajos la plus grande partie des terres confisquées, y compris la vallée.

Durant la Seconde Guerre mondiale, des gisements de vanadium, utilisable pour l'armement, furent découverts dans les roches coiffant plusieurs des buttes de pierre, comme les « Pattes de l'Éléphant » près de Tonalea, à l'entrée sud-ouest de la vallée. Depuis la guerre, des dépôts d'uranium ont également été repérés dans la zone qui est toujours la propriété des Navajos, lesquels en tirent des revenus considérables.

Aujourd'hui, les Navajos continuent à conduire leurs troupeaux de moutons et de chèvres dans la vallée, qui est pour eux « l'endroit au milieu des roches rouges ». Ils travaillent aussi l'argent et la turquoise extraits de leur territoire et tissent des couvertures portant leurs dessins géométriques traditionnels avec la laine de leurs animaux. On dit que tous les tisseurs Navajos placent délibérément un défaut dans chaque couverture, parce que les Indiens croient que la perfection marque la fin de la vie d'un tisseur.

■   ■

DES FLÈCHES ROCHEUSES
miroitant dans la chaleur
du désert sont tout ce qui reste
d'un immense plateau de grès.
Le « Totem » (à droite), qui
s'élève à 165 m, est presque
aussi haut que le Monument
de Washington ; au coucher
du soleil, il lance une ombre de
plus de 50 km de long à travers
la vallée. Le bouquet de flèches
(à gauche) est appelé Yei Bichei.

LE PIC SOLITAIRE de la
« Cheminée de Fée » ressemble
à un doigt pointé vers le ciel.
Comme les groupes de
« monuments » voisins, l'aiguille
est coiffée d'un roc dur, sous
lequel se trouve une fine
colonne de grès tendre.
Les débris rocheux résultant
de millénaires de décomposition
forment un amoncellement
conique autour de sa base,
comme pour annoncer ce qui
attend bientôt la « Cheminée »
elle-même.

LE CACTUS SAGURO (Cereus
giganteus), symbole de l'Ouest
sauvage, croît jusqu'à 15 m
de hauteur et peut vivre plus
de 150 ans. Avec sa forme
de candélabre, ce cactus est
propre au sud-ouest des États-
Unis et au nord-est du Mexique.
Sa fleur blanche, qui s'ouvre la
nuit, est l'emblème floral officiel
de l'Arizona ; son fruit pourpre
est pour les Indiens une source
vitale de nourriture.

LA FORÊT PÉTRIFIÉE

Des arbres de pierre de l'époque des dinosaures

L'aube se lève sur le Painted Desert, au nord-est de l'Arizona. Lorsque la lumière du soleil apporte une plus grande clarté, on peut distinguer sur les collines des bandes colorées, comme si leurs différentes strates avaient été peintes méticuleusement en teintes légères et brillantes. Dans ce monde étrange et féerique, des troncs de conifères gisent sur le sol desséché comme d'énormes bouchons, la plupart d'entre eux étant brisés en grosses bûches. Mais si l'on essaye d'y graver son nom, on a un choc — car l'écorce, la sève et la matière ligneuse ont été transformées en pierre compacte. En outre, la couleur scintille sur ces vieux fragments : des cristaux de quartz hexagonaux ont transformé leurs moules de bois en écrins sertis d'orange, de bleu, de jaune et de rose.

La Forêt pétrifiée, mentionnée pour la première fois en 1851 par le lieutenant Lorenzo Sitgraves, est le plus vaste ensemble d'arbres fossilisés existant au monde. Une autre forêt pétrifiée, à Sigri, sur l'île grecque de Lesbos, n'a rien de comparable pour la taille, le nombre ou l'étrangeté avec les arbres de pierre de l'Arizona. Pour les Indiens Navajos, les troncs étaient les os d'un géant légendaire, Yietso, tandis que les Paiutes croyaient que c'étaient les flèches tombées du carquois de leur dieu du tonnerre, Shinauv.

L'histoire de ces bûches dures comme du fer a commencé il y a 200 millions d'années, alors que le désert était encore une large plaine marécageuse. Des dinosaures erraient parmi les conifères géants peuplant les pentes des collines et des montagnes volcaniques. 90 % des arbres s'élevaient jusqu'à 30 m de hauteur, avec un diamètre de 2 m. Parents des pins poussant aujourd'hui sur l'île de Norfolk *(Araucaria heterophylla)* et ayant la forme de champignons, ces arbres disparus ont reçu le nom scientifique de *Araucarioxylon arizonicum*.

LA FORÊT PÉTRIFIÉE couvre une superficie de plus de 390 km², à 72 km à l'est de Winslow, dans le sud-ouest du Painted Desert de l'Arizona. Dispersés autour des collines colorées et ridées de Blue Mesa, les grands conifères d'autrefois sont aujourd'hui une collection de troncs lisses, de bûches et d'éclats de bois pétrifiés. Pénétrés de silice et autres minéraux, ces vestiges de la forêt ont été transformés en un kaléidoscope scintillant de quartz cristallin.

MÉTAMORPHOSE D'ARBRES EN PIERRE

Avec le temps, les arbres moururent et leur gigantesque tronc rugueux furent balayés périodiquement par des eaux d'inondation. Charriés dans des rivières torrentueuses, ils furent pris dans d'étroits ravins ou bloqués les uns contre les autres dans de massifs embâcles. Ils furent alors recouverts d'épais dépôts de boue et de sable, ainsi que de cendres rejetées par des volcans voisins.

Privés d'oxygène par leur enveloppe marécageuse, les arbres commencèrent leur étrange métamorphose. La nappe d'eau souterraine absorba la silice de la cendre volcanique, ainsi que d'autres minéraux provenant de sédiments. Cette eau pleine de sels minéraux pénétra dans les tissus des troncs d'arbres emprisonnés, remplissant les parois des cellules de molécules de silice. Celle-ci se transforma en quartz ou bien, lorsqu'elle était mêlée à d'autres minéraux, se cristallisa en gemmes quartzeuses semi-précieuses telles qu'agate, jaspe, onyx, cornaline ou améthyste.

Tandis que les arbres devenaient des pierres, les minéraux prenaient la forme des cellules du bois et se multipliaient en fidèles copies en pierre. Pendant des millions d'années, de nouveaux sédiments se déposèrent sur la couverture de boue, de cendre et de limon des bûches, la transformant en couches dures de schiste et de grès. Avec le temps, les bûches furent enterrées jusqu'à une profondeur de 300 m.

EXHUMATION DE LA FORÊT

Il y a 65 millions d'années, une lente mais puissante élévation dans la croûte terrestre fit naître les montagnes Rocheuses, tout en exhaussant l'ancien cimetière des arbres minéralisés d'au moins 1 500 m. Exposés aux intempéries, les sédiments les plus récents, moins résistants, furent enlevés par l'érosion. À la fin, les couches de schiste et de grès entourant les bûches pétrifiées disparurent à leur tour, et les anciens conifères reprirent leur place sous le chaud soleil de l'Arizona.

Des fossiles de dinosaures furent mis à jour, et on en trouve encore sur le sol du désert, preuve que ces créatures sillonnaient le pays lorsque les conifères étaient vivants. Les rois de l'eau étaient alors les phytosaures, énormes reptiles ressemblant à des crocodiles ; ils capturaient les métoposaures, amphibies vivant dans les marécages et pouvant atteindre 3 m de long, avec d'énormes têtes et des jambes trapues et puissantes ; ces mangeurs de poisson pesaient plus d'une demi-tonne et, comme les hippopotames modernes, s'ébattaient dans une eau peu profonde.

À peu près de même taille étaient les aétosaures, animaux à la lourde carapace, ressemblant à des tatous, mais avec des caractéristiques de reptiles ; ils attaquaient le *Placerias,* une sorte de rhinocéros à trois yeux avec de grandes défenses. Les dents fossiles de cet animal révèlent un régime végétarien ; pesant plus de 2 tonnes et mesurant jusqu'à 3,5 m de long, le lent et grégaire *Placerias* déterrait racines et plantes avec ses défenses.

L'exhumation des arbres et des autres fossiles continue au fur et à mesure que l'érosion emporte le sol. Le désert ne reçoit que 22,5 cm de pluie par an, mais l'essentiel arrive en de brefs et violents orages, qui rongent chaque année jusqu'à 2,5 cm de sol. Comme dans les Badlands du Dakota du Sud, la pluie emporte le grès tendre et transforme l'argile brûlée par le soleil du désert en un marécage temporaire.

(1) LES PUISSANTS CONIFÈRES qui sont devenus la Forêt pétrifiée s'étendaient primitivement sur une vaste plaine d'inondation, avec des volcans actifs, il y a de cela 200 millions d'années.

(2) QUAND LES ARBRES moururent ils furent emportés par les eaux de crue de la rivière formant des embâcles de bûches sur les rives.

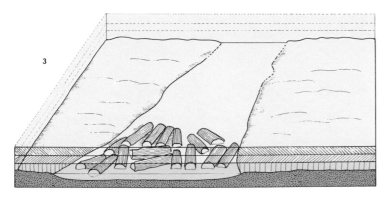

(3) LES EMBÂCLES furent bientôt recouverts de couches de boue, de sable et de cendres volcaniques. La silice en solution provenant de la cendre s'infiltra dans le bois et se cristallisa.

(4) DES SÉDIMENTS POSTÉRIEURS s'entassèrent sur les bûches ensevelies, formant des couches de schiste et de grès, mais l'érosion et le surélèvement ont remis au jour le bois pétrifié.

UNE BÛCHE PÉTRIFIÉE, vue en section, conserve parfaitement toutes les caractéristiques du bois originel. Les anneaux annuels, changés en quartz, racontent l'histoire de l'arbre, une biographie vieille de plusieurs millions d'années.

TELLES DES BÛCHES À FEU DURES COMME DES PIERRES PRÉCIEUSES, les fragments de bois pétrifiés sont dispersés dans le désert. Ces tronçons deviendront peu à peu des copeaux, puis des grains de quartz. Le tribut payé à la nature a été aggravé par les chasseurs de souvenirs qui ont emporté des milliers de tonnes de pierre, avant que la Forêt pétrifiée ne fût protégée par la loi.

WHITE
SANDS

Des dunes
dans un désert de porcelaine

Dans la chaleur de midi au Nouveau-Mexique, les White Sands miroitent comme un mirage. Tendres et froides au toucher, ces dunes enchanteresses encadrés de mornes montagnes de grès brun ne sont pas formées de silice, le principal constituant du sable « ordinaire », mais de gypse. Avec leurs 712 km², les « Sables blancs » sont le plus grand dépôt de surface de ce minéral.

Le gypse — chimiquement du sulfate de calcium — est l'un des minéraux les plus communs de la Terre. Les Égyptiens en enduisaient les voûtes de leurs pyramides ; les Grecs faisaient des fenêtres avec des cristaux de gypse transparent appelé sélénite. Au XXᵉ siècle, ce minéral est utilisé pour faire du plâtre, des cloisons et, en tant que plâtre de Paris, des moules et des plâtres pour membres cassés.

Le gypse à usage commercial provient exclusivement de grands dépôts proches d'aires urbaines, ce qui explique l'absence de concession aux White Sands. Au contraire, ce site unique a été préservé par le gouvernement fédéral, depuis que le président Herbert Hoover a déclaré, en 1933, que 570 km² du désert de gypse allaient devenir un site national.

Il y a 100 millions d'années, les mers peu profondes qui couvraient une grande partie du sud-ouest des États-Unis commencèrent à se retirer, laissant derrière elles des lacs d'eau salée qui, peu à peu, se sont évaporés sous le soleil. Comme le sel ordinaire, le gypse précipita et forma d'épaisses couches sur l'ancien fond de la mer. Lorsque, il y a 65 millions d'années, les monts San Andres et Sacramento furent créés par des soulèvements de la croûte terrestre, les bancs de gypse furent livrés au pouvoir des éléments.

Pluie et eau de fonte descendant des montagnes firent fon-

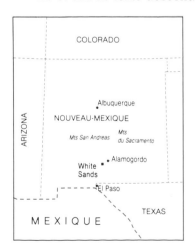

LES WHITE SANDS se trouvent dans le bassin de Tularosa, dans le sud-ouest du Nouveau-Mexique, entre les monts de San Andres à l'ouest et du Sacramento à l'est. Parmi les plantes assez robustes pour résister au climat et aux déplacements des dunes de gypse, la plus remarquable est le yucca ; ce membre insolite de la famille des lis a des feuilles dures, qui limitent la perte d'eau, et des racines qui développent de nouvelles ramifications chaque fois que la plante est déplacée par les dunes.

dre le gypse et emportèrent une solution concentrée jusqu'à un lac sans débouché. Ce lac, appelé lac Lucero, qui s'étend au pied des monts San Andres, est à l'origine des White Sands. L'eau qui arrive dans le lac est prise au piège et s'évapore sous les effets conjugués de températures chaudes et de vents réguliers. Il en résulte en surface une croûte de cristaux vitreux de sélénite.

Les vents dominants du sud-ouest transforment les fines couches de sélénite en minuscules grains de gypse et les déposent plus loin, sur le bassin de Tularosa, au nord-ouest du lac. Ces grains mobiles, qui se transforment en poudre quand on les frotte entre les doigts, s'entassent en dunes qui peuvent atteindre 15 m de hauteur. Mais les vents ne les laissent pas en repos : ils les déplacent autour du bassin jusqu'à un maximum de 10 m par an.

FLORE ET FAUNE DES DUNES

Bien que les White Sands soient constamment en mouvement, quelques plantes arrivent à se trouver un point d'appui : une étude des années cinquante relevait plus de 100 espèces différentes. Ces plantes, comme le yucca, le sumac, le peuplier, sont capables de survivre dans des sables instables et alcalins, malgré une sécheresse presque constante. À cause du mouvement des dunes, les racines de plusieurs de ces plantes, notamment celles du peuplier, peuvent atteindre plus de 30 m de long.

Se distinguant parmi ces plantes robustes, voici la « chandelle du Seigneur » *(Yucca elata)*, ainsi appelée par les colons espagnols qui comparaient son épi de fleurs cireuses en forme de cloches à des cierges allumés. La fibre de ses feuilles coriaces était autrefois utilisée par les Indiens pour faire des cordes et des paniers ; ils mangeaient aussi les pousses, broyaient les graines et faisaient du savon avec les racines. Les éleveurs d'aujourd'hui utilisent souvent le yucca à la place du fourrage, lorsque la sécheresse rend l'herbe rare.

Le yucca a une remarquable liaison « personnelle » avec une mite : il ne peut être fécondé que par la « mite du yucca » *(Tegiticula yuccasella)*, qui pond ses œufs exclusivement dans ses fleurs. Quand les fleurs s'ouvrent, la mite blanche recueille le pollen et le roule en boule avec ses pattes ; elle cherche alors une autre fleur, place la boule de pollen sur le stigmate, fertilisant ainsi la fleur, puis dépose entre un et quatre œufs à la base de la fleur.

Les œufs de la mite et la semence du yucca se développent ensemble. Lorsque la larve éclot, elle mange à peu près la moitié des graines mûres. Quelques jours plus tard, elle se fraye à coups de mâchoires un chemin hors du yucca, tombe sur le sol et s'enfonce dans le gypse friable où elle va se métamorphoser en chrysalide. Une année plus tard, la mite adulte apparaît.

Les animaux qui habitent en permanence les White Sands sont rares. Le lézard blanc sans oreilles *(Holbrookia maculata ruthveni)* et la petite souris blanche apache *(Perognathus apache)*, qui est nocturne et difficile à voir, ne se trouvent nulle part ailleurs dans le monde. Les lézards à corne *(Phrynosoma supp.)* ont la faculté de modifier leur couleur pour s'harmoniser avec leur environnement : dans les déserts du Nouveau-Mexique, habituellement bruns, ils ont des dessins avec des teintes brunes ; sur les coulées de lave de basalte qui parsèment la région, on ne trouve que des lézards à corne noirs ; et sur les surfaces éblouissantes de gypse des White Sands, les lézards sont parfaitement blancs.

■   ■

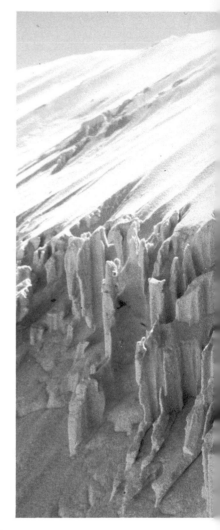

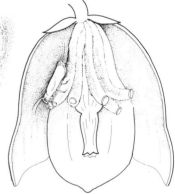

LA MITE DU YUCCA (Tegiticula yuccasella) *a développé une relation particulière avec cette plante* (Yucca elata). *La mite blanche a besoin des graines du yucca pour nourrir ses larves et le yucca a besoin de l'insecte pour féconder ses fleurs. Cette relation mutuellement bénéfique est un bon exemple symbiose. Une mite femelle, munie de tentacules spéciaux sous la tête, recueille du pollen de l'une des* longues étamines et en fait une boule. Après avoir déposé un œuf dans l'ovaire de la fleur, la mite laisse la boule de pollen sur le stigmate, assurant ainsi à la fleur sa pollination et le développement de ses graines.

*LES TENDRES CRISTAUX BLANCS
DE GYPSE s'écrasent facilement
en poudre lorsqu'on les frotte
entre les doigts. Les vents
dominants du sud-ouest
les pulvérisent aussi ;
en balayant le désert,
ils façonnent régulièrement
de fantastiques sculptures
sur les faces exposées
des dunes de gypse.*

LE LÉZARD BLANC SANS OREILLES
(Holbrookia maculata ruthveni)
*ne se rencontre que dans les
dunes des White Sands.
Habituellement, les lézards sans
oreilles du bassin de Tularosa,
au Nouveau-Mexique, sont
bruns, mais, dans le désert de
gypse, la sélection naturelle
a favorisé les membres les plus
pâles du groupe et seuls ceux-ci
survivent. Curieux, amical et
capable de courir vite, le lézard
sans oreilles abandonnera
sa queue si elle est prise et
une autre repoussera.*

163

LES
BADLANDS

Un spectacle de désolation sur une terre en décrépitude

Les Badlands du Dakota du Sud pourraient servir de décor à un film de science-fiction : crêtes abruptes coupées de profonds ravins, avec des bandes horizontales de couleurs entaillées par des douzaines de chenaux verticaux ; étroites collines au sommet plat s'élevant dans les airs, parfois coiffées d'un enchevêtrement de rochers. Les Sioux du pays appelaient ce paysage *mako sicca*, ce qui signifie « mauvaise terre ». Au XVIIIe siècle, des trappeurs français venus du Canada les surnommèrent « les mauvaises terres à traverser ». Plus tard, des éleveurs anglophones adoptèrent le nom aujourd'hui familier de Badlands.

À l'origine, les Badlands étaient les terres autour de la Rivière blanche, dans le Dakota du Sud dont un huitième reçut, en 1978, le statut de parc national pour préserver les Badlands devenues Site national. Cependant, un paysage semblable du Dakota du Nord porte aussi ce nom ; ces Badlands, qui constituent aujourd'hui le Parc national Théodore-Roosevelt, occupent 285 km² autour du Petit Missouri.

Il y a 80 millions d'années, la région occupée par les Badlands du Dakota du Sud était une mer peu profonde, au lit plein de sédiments variés. Le soulèvement de la croûte terrestre qui forma les montagnes Rocheuses, il y a 65 millions d'années, froissa aussi le fond de la mer et le poussa vers le haut. Immense plaine marécageuse au début, la région se transforma en une prairie ondulée, couverte d'une épaisse herbe verte et, par endroits, de forêts de conifères.

Les fossiles pris dans les roches sédimentaires révèlent la richesse de la faune qui habita la région, de l'époque de la mer à celle des plaines fertiles. Les carapaces de tortues de mer sont l'un des fossiles les plus communs des Badlands — la plus grande mesurait 3,7 m de long. Également importants

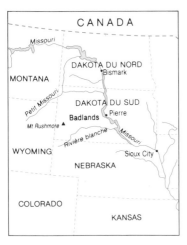

LES BADLANDS DU DAKOTA DU SUD occupent une superficie de 15 550 km² — près de deux fois la Corse — entre le mont Rushmore et le Missouri. Les pluies torrentielles de printemps continuent l'érosion qui a commencé il y a plusieurs milliers d'années. Des couches de roches sédimentaires, qui constituaient autrefois une plaine lisse, ont été emportées vers la Rivière blanche, laissant un paysage trompeur, vision d'un autre monde.

sont les fossiles d'oréodontes, mammifères ressemblant à des cochons, avec de grandes dents de ruminants. L'animal le plus grand était probablement le *Brontotherium* : ce volumineux herbivore mesurait plus de 2,5 m au garrot et se déplaçait sur des pattes épaisses comme des piliers ; sur son mufle se dressait une longue corne fine d'os, fendue au sommet en deux branches. Plus petit de moitié était le *Mesohippus*, un petit ancêtre à trois doigts du cheval moderne.

ÉROSION PAR LES PLUIES TORRENTIELLES

Le vent, les températures glacées et l'eau courante sont les puissantes forces mises en œuvre pour faire d'un riche pâturage un paysage en décrépitude. Privés de végétation, les roches des collines se désagrègent au plus léger contact. Chaque pas ou presque détache des fragments de pierre qui dégringolent dans les ravins. Certaines cimes rocheuses, comme le pic du Vampire, perdent jusqu'à 15 cm de hauteur chaque année.

Les Badlands semi-arides sont à la fois façonnées et rapidement érodées par les pluies torrentielles du printemps et du début de l'été ; il ne tombe chaque année que 38 cm de pluie en moyenne, mais la plus grande partie arrive en déluge d'une terrifiante violence. Les Badlands deviennent alors un réseau de torrents bouillonnants et d'impétueuses rivières. Comme les anciennes couches sédimentaires n'ont jamais été comprimées par des roches plus dures, leur substance tendre et colorée est facilement balayée. Toute cette eau arrive à la Rivière blanche, puis au Missouri, emportant avec elle une énorme quantité d'argile, de pierres et de gravier.

La Rivière blanche doit son nom aux sédiments crayeux des Badlands, qui ne se déposent pas mais restent constamment en suspension. Cette craie provient essentiellement du Mur, une série de falaises et de contreforts d'environ 60 m de haut. Les seules créatures qui survivent dans ce lieu sinistre sont des reptiles, comme les crotales et les serpents-taureaux, des chauves-souris et des rongeurs comme le tamias des Badlands.

Par ailleurs, dans ce paysage sauvage, les êtres vivants ont également bien du mal à se trouver un territoire permanent ; un endroit qui a procuré un abri pendant une génération peut disparaître en une nuit. Il existe cependant des poches protégées, surtout sur les franges des Badlands, où le sol est plus stable. Là peuvent vivre des plantes comme l'herbe à buffle et le pois d'or de la prairie, et des animaux comme le chien de prairie.

Les chiens de prairie *(Cynomys ludovicianus)* sont des rongeurs fouisseurs ressemblant à des écureuils, qui habitent des colonies ou « villes » souterraines. Formées d'un réseau très ordonné de tunnels et de pièces, ces « villes » ont des zones assignées respectivement au sommeil, aux excréments et au stockage de la nourriture. Un des ennemis du chien de prairie est le furet aux pattes noires *(Putorius nigripes)*, un parent éloigné du vrai furet, que la science ignora jusqu'en 1851.

L'histoire des Badlands n'est pas seulement celle d'une décrépitude et d'une lutte pour la survie. En 1963, 53 bisons ont été réintroduits ; au début des années quatre-vingt, le troupeau comprenait plus de 300 têtes. En 1964, on y amena le mouton des Rocheuses. Lorsque l'agriculture a été interdite dans les Badlands, en 1978, une grande variété d'herbes de la prairie ont commencé à coloniser ce sol incertain ; et dans leur sillage est arrivé le dicranocère *(Antilocapra americana)*, un animal presque disparu, proche de l'Antilope et qui passe pour le mammifère le plus rapide d'Amérique. ■

LES VIEILLES COUCHES SÉDIMENTAIRES des Badlands, plus tendres que de la vraie pierre, sont facilement érodées par les forces de la nature : l'eau, le vent et le gel. Les bandes aux subtils contrastes de couleurs qui apparaissent au bas des flancs érodés des collines attestent des millénaires de dépôts variés, y compris du limon provenant de crues de rivières et des cendres d'éruptions volcaniques.

LE DICRANOCÈRE (Antilocapra americana) *semble avoir échappé à l'extinction qui le menaçait et vit dans des zones écartées des Badlands, où des herbages convenables se sont reconstitués. Cette antilope vole presque à travers son habitat ouvert : elle est capable de franchir jusqu'à 8 m en une seule longue enjambée. Sur de courts démarrages, elle peut atteindre une vitesse maximale de 90 km/h, mais elle peut aussi maintenir une vitesse de 70 km/h sur plus de 6 km.*

LE PARC NATIONAL DES BADLANDS était destiné à l'origine à protéger les extraordinaires formations rocheuses et fossiles que cette zone contient. Mais aucune intervention humaine ne peut freiner la désintégration naturelle de ces fragiles aiguilles d'argile.

LE MARAIS D'OKEFENOKEE

Une réserve naturelle au sol flottant en Georgie

AMÉRIQUE - ÉTATS-UNIS

L'Okefenokee est un territoire trompeur. Ce qui apparaît comme de la terre ferme est, en fait, immergé ; des bosquets de grands arbres semblent croître sur un sol dur, alors qu'ils ont leurs racines sous l'eau ; de larges bandes d'herbes longues, qui ploient comme des blés sous le souffle du vent, sont en fait des roseaux et des joncs. Cependant, malgré l'apparente fragilité de sa situation, le cadre unique d'Okefenokee abrite un remarquable ensemble de faune et de flore.

Lorsque l'océan Atlantique se retira du sud-ouest de la Georgie et de la Floride, il laissa un lac d'eau salée dans une dépression peu profonde. Des couches d'argile et de limon s'accumulèrent sur le fond de calcaire, tandis qu'au-dessus la végétation en décomposition se transformait en tourbe. Aujourd'hui, l'eau a la couleur du thé, colorée par l'acide tannique qui provient des cyprès et de la tourbe. Mais elle n'est pas stagnante ; de l'eau provenant de plusieurs sources se déplace lentement entre deux fleuves, le St. Mary, qui coule vers l'Atlantique, et le Suwannee, qui se jette dans le golfe du Mexique.

Bien qu'apparemment sans fond, l'eau brune de l'Okefenokee dépasse rarement 1 m de profondeur. Cela signifie que beaucoup de végétaux, comme les nénuphars et les cœurs flottants, peuvent s'enraciner dans la boue et pousser leurs tiges vers l'air et la lumière du soleil.

Le cyprès des marais (*Taxodium distichum*) est le plus spectaculaire. La base de son tronc s'élargit pour former de nombreux arcs-boutants qui ont pour effet de répartir le poids de l'arbre sur une large surface de boue. Les racines, incapables de prendre de l'oxygène dans le sol imbibé d'eau, lancent des nodules ou « genoux » à travers l'eau vers l'air. Ces cyprès peuvent vivre jusqu'à un millier d'années, mais il

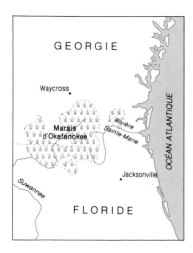

LE MARAIS D'OKEFENOKEE occupe 1 760 km², essentiellement dans le Sud-Est de la Georgie, mais il s'étend jusqu'à l'extrémité nord de la Floride. Dans les eaux couleur de thé, des bosquets de hauts cyprès ancrent des îles flottantes sur le fond tourbeux ; au printemps et en été, de grands nénuphars aux feuilles en forme de cœur transfigurent la surface de l'eau sous une multitude de fleurs blanches et jaunes.

arrive qu'un spécimen adulte grandisse trop pour la boue qui le supporte et tombe lorsque les vents soufflent fort. Mais il vit, aussi longtemps que son système de racines reste intact. Des branches se développent sur le tronc, prolongeant ainsi pendant de nombreuses années la vie du géant écroulé.

À travers l'Okefenokee, d'étranges îles flottent dans les forêts et les marais découverts des « prairies ». Composées de tourbe ou de branches d'arbre, de mousses et d'herbes enchevêtrées, ces îles flottantes sont à l'origine du nom du marais. En effet, les Indiens Séminoles de la région les appellent *owaquaphenoga*, ce qui signifie « sol tremblant » ; les colons blancs ont transcrit le mot en Okefenokee.

UN REFUGE HUMIDE BIEN PROTÉGÉ

La communauté animale qui vit dans l'environnement aquatique du marais est d'une extrême variété — depuis les serpents, lézards et tortues de mer jusqu'à une multitude de grenouilles et de crapauds ; depuis les orfraies, les hérons et les grues des dunes — une espèce menacée — jusqu'à une surabondance de piverts, fauvettes et étourneaux aux ailes rouges. Le roi du marais est l'alligator *(Alligator mississipiensis)* ; les petits n'ont que 10 cm de long lorsqu'ils sortent de leur œuf, mais ils se mettent aussitôt en chasse, se jetant voracement sur tous les poissons, grenouilles et insectes qu'ils peuvent attraper. Les alligators adultes peuvent atteindre 4 m de long et peser 225 kg.

L'eau qui s'infiltre partout crée des conditions de vie idéales pour les amphibies. 22 espèces de grenouilles et de crapauds vivent dans le marais. La grenouille-léopard du Sud *(Rana pipiens)* vit dans les zones basses de l'abondante végétation, où elle est une proie très recherchée. La grenouille-écureuil *(Hyla squirella)* est, en revanche, insaisissable : n'ayant que 2,5 cm de long, elle peut changer de couleur pour s'adapter à son environnement ; en outre, ses orteils plats sont spécialement adaptés à l'escalade sur les cyprès.

Le pivert au ventre jaune *(Sphyrapicus varius)* est probablement l'hôte le plus bruyant du marais ; il fore des rangées de trous dans le tronc des arbres, pour boire la sève et manger les insectes qui s'y trouvent. Trois espèces d'aigrettes prospèrent à nouveau dans la réserve d'Okefenokee, après avoir été victimes d'une grande demande de leur plumage pour les chapeaux au début du XXe siècle. On peut voir communément six espèces de hérons se promenant dans l'eau peu profonde et inclinant leur long cou pour capturer des poissons dans leur bec étroit.

Le destin de toute la vie naturelle du marais fut mis en danger lorsque les Indiens Séminoles furent chassés par l'armée américaine, en 1838, et exilés en Floride. De nombreux colons essayèrent alors de convertir le marais en terrains agricoles, avec quelque succès. Dans les années 1890, le capitaine Harry Jackson, d'Atlanta, tenta de drainer le marais et de créer le Suwanee Canal, qui aurait relié l'océan Atlantique au golfe du Mexique. Le projet avorta à mi-chemin et reste connu comme « la folie de Jackson ».

Une société d'exploitation du bois décima la population de cyprès du marais entre 1908 et 1926. Lorsque le gouvernement fédéral acheta le terrain dans les années trente, il en fit une réserve naturelle. Depuis, l'Okefenokee s'est soigné et guéri de lui-même. Aujourd'hui, les touristes sont charmés par les merveilles de sa flore et de sa faune, les pêcheurs viennent y chercher perches, ouïes-bleues et brochetons, tandis que les campeurs s'y promènent en canoë et jouissent d'une sérénité digne des premiers âges. ■

L'ÉNORME ALLIGATOR AMÉRICAIN (Alligator mississippiensis), par sa taille et sa puissance, est le plus grand prédateur du marais. Sa réputation de ruse est bien fondée : malgré leur apparence primitive, les alligators et leurs proches parents les crocodiles ont les cerveaux les plus développés de tous les reptiles vivants.

UN CHENAL NAVIGABLE à travers la prairie de nénuphars ne permet pas d'évaluer la profondeur de l'Okefenokee. L'eau, teintée de brun par la tourbe, dissimule le fond de ce qui est, en fait, une dépression relativement peu profonde. Alors que la surface peut paraître calme, il y a des courants à peine perceptibles qui drainent cette masse d'eau dans des directions opposées, jusqu'à des débouchés éloignés de 240 km. Le marais est trop loin de la mer pour être subtropical : en hiver, il n'est pas à l'abri du gel.

LA GRENOUILLE LÉOPARD (Rana pipiens), *au corps élancé portant sur le dos des nervures proéminentes et des taches caractéristiques, est un habitant commun des marais. Elle prospère en se nourissant de presque toute la chair animale que fournit l'Okefenokee — insectes et crustacés de préférence —, mais elle est elle même chassée par beaucoup d'autres prédateurs.*

LA GRANDE AIGRETTE (Casmerodius albus) *est un échassier aux yeux perçants, mais, contrairement à ses proches parents les hérons et les aigrettes, elle ne reste pas immobile pour chasser : elle marche lentement au bord de l'eau, guettant le poisson qu'elle transpercera de son formidable bec noir.*

LES
CHUTES
DU NIAGARA

Une grandiose cascade condamnée à disparaître

Les casse-cou ne plongent plus par-dessus les chutes du Niagara dans des tonneaux. Les énormes blocs qui se sont détachés du bord du précipice avant la Seconde Guerre mondiale ont rendu suicidaire un tel exploit. Mais l'effondrement de la roche a aussi fourni un aperçu sur la manière dont les chutes se sont formées et dont elles seront détruites. À chaque effondrement, la ligne des chutes recule en amont ; elles finiront un jour par cesser d'exister.

Les chutes du Niagara ont probablement atteint leur emplacement actuel il y a 700 ans, quand l'île de la Chèvre les divisa en deux cascades distinctes. À l'est de cette île boisée, du côté des États-Unis, se trouvent les chutes américaines : hautes de 56 m et larges de 323 m ; ces chutes charrient moins de dix pour cent de l'eau de la rivière. Le reste passe par-dessus les chutes du Fer-à-cheval, du côté canadien : hautes de 54 m, ces chutes ont 675 m de large et sont, bien sûr, en forme de fer à cheval. Comme la rivière est plus profonde sur le côté canadien, l'érosion y est plus rapide. En conséquence, on estime que les chutes du Fer-à-cheval ont reculé de 300 m en trois cents ans.

Jusqu'à il y a 15 000 ans, les énormes glaciers couvrant une grande partie de l'Amérique du Nord forcèrent les eaux des Grands Lacs à couler vers le sud, vers le Mississippi. C'est lorsque les glaciers ont commencé à fondre, à la fin de l'âge glaciaire, que se forma le Niagara. Il drainait les eaux des lacs Supérieur, Huron et Michigan, *via* le lac Érié, à travers un petit plateau et par-dessus un escarpement abrupt, dans le bassin du lac Ontario.

Le plateau du Niagara est composé de plusieurs couches horizontales de différentes roches. Au fond, il y a un épais lit de schiste recouvert de grès ; ces deux sortes de roches sont

LES CHUTES DU NIAGARA sont situées sur la frontière américano-canadienne, entre les lacs Erié et Ontario. Les eaux du lac Erié, qui recueille des rivières provenant des lacs Huron, Supérieur et Michigan, s'écoulent dans le Niagara à une moyenne de 5,7 millions de litres par seconde. Quand elle arrive aux chutes, la rivière se divise entre les chutes américaines et les chutes canadiennes, dites du Fer-à-Cheval, plus importantes, qui produisent de spectaculaires arcs-en-ciel dans des embruns d'un blanc immaculé.

relativement tendres et par conséquent facilement sujettes à l'érosion. Au-dessus se trouve de la dolomite, un type de calcaire extrêmement dur et résistant aux intempéries. Les tourbillons qui se créent au pied des chutes érodent rapidement le schiste et le grès, laissant la dolomite en suspens.

Le résultat de cette érosion est un aplomb par-dessus lequel plonge le Niagara. Lorsque le poids de la dolomite en surplomb est trop important, celle-ci s'effondre et tombe en énormes blocs au pied de l'escarpement. Cet affouillement constant a commencé lorsque le Niagara s'est formé : aujourd'hui, les puissantes chutes sont à 11 km en amont de leur position primitive.

Le lac Ontario se trouve à 98 m au-dessous du niveau du lac Érié. Le Niagara, qui les relie, charrie, à plein débit, 514 millions de litres par minute. Mais comme les ingénieurs peuvent maintenant contrôler cet énorme volume, la moitié seulement passe par les chutes ; le reste est canalisé dans la rivière artificielle Welland et dans des complexes hydroélectriques. Ce détournement d'eau réduit considérablement l'érosion et les géologues estiment que les chutes vont mettre plus longtemps que prévu par la nature pour reculer dans les 48 km du plateau du Niagara. Au total, on estime que l'Érié et l'Ontario se rencontreront et que les chutes du Niagara disparaîtront dans 25 000 ans.

Tandis que les chutes s'érodent en amont, elles creusent en aval une gorge profonde de 90 m de large. La rivière s'y précipite à 40 km/h. À 4,8 km des chutes, elle fait un brusque crochet à droite, créant un tourbillon à travers lequel aucun bateau ne peut passer en toute sécurité. Le 24 juillet 1883, le capitaine Matthew Webb, le premier homme à avoir traversé la Manche à la nage, tenta de parcourir de même toute la longueur de la gorge, mais il fut entraîné sous le tourbillon et se noya.

LES ENCHANTEMENTS DU NIAGARA

Une centaine de chutes d'eau dans le monde sont plus hautes que celles du Niagara, et deux au moins charrient plus d'eau. Mais peu sont aussi enchanteresses. Comme l'eau du Niagara est exempte de sédiments et de sable, elle crée un nuage permanent d'embrun et de pure écume blanche au-dessus du précipice. Pour citer un voyageur du XIXe siècle, l'eau « est verte comme une émeraude et pure comme un cristal ».

La renommée des chutes du Niagara chez les descendeurs en tonneau et autres cascadeurs attira l'acrobate français Charles Blondin (1824-1897). Ayant décidé de surpasser les précédents exploits, Blondin franchit les chutes en quatre minutes en marchant sur une corde raide tendue en travers, devant des milliers de spectateurs. Quelques jours plus tard, il fit le trajet les yeux bandés puis revint en arrière pour porter son imprésario sur son dos ; enfin, l'année suivante, il traversa sur des échasses.

Les chutes du Niagara n'attirent pas seulement des écrivains ; leur spectaculaire beauté séduit aussi les romantiques et les jeunes couples en lune de miel. Le premier d'entre eux fut Jérôme Bonaparte, le jeune frère de Napoléon, et son épouse Elizabeth Patterson, en 1803. De nombreux couples ont suivi leurs traces, établissant une coutume qui a inspiré au dramaturge irlandais Oscar Wilde (1854-1900) cette réflexion acerbe : « Les chutes du Niagara sont la seconde grande déception d'une jeune mariée américaine. »

UNE VUE AÉRIENNE du plateau du Niagara montre le cours de la rivière depuis le lac Erié. La position originale des chutes était sur l'escarpement, à 11 km en aval. L'inclinaison du plateau en direction du lac Erié tend à accélérer l'érosion de la falaise.

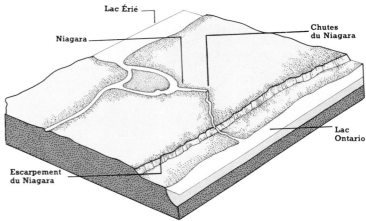

L'EMPLACEMENT DES CHUTES DU NIAGARA recule peu à peu, en remontant le courant, de l'Ontario à l'Erié. En 300 ans, les chutes canadiennes sont passées d'une légère concavité à une forme de fer à cheval complet ; au cours du dernier siècle, la moyenne de recul a été de 1,2 m par an.

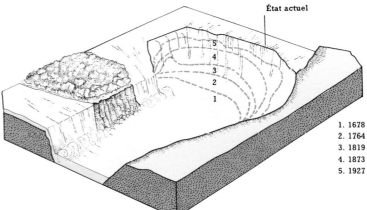

État actuel

1. 1678
2. 1764
3. 1819
4. 1873
5. 1927

LA VIOLENCE DE L'EAU tombant de la falaise attaque celle-ci à la base. Ce grignotage permanent use les schistes et les grès tendres, laissant le rocher de dolomite en suspens au sommet. Finalement cette roche dure se brise et s'écrase en bas.

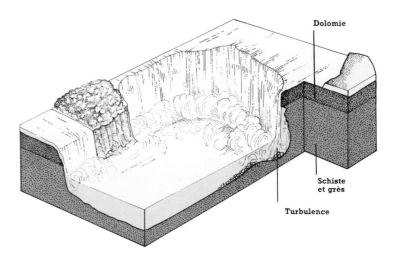

Dolomie

Schiste et grès

Turbulence

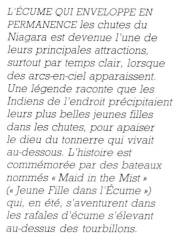

L'ÉCUME QUI ENVELOPPE EN PERMANENCE les chutes du Niagara est devenue l'une de leurs principales attractions, surtout par temps clair, lorsque des arcs-en-ciel apparaissent. Une légende raconte que les Indiens de l'endroit précipitaient leurs plus belles jeunes filles dans les chutes, pour apaiser le dieu du tonnerre qui vivait au-dessous. L'histoire est commémorée par des bateaux nommés « Maid in the Mist » (« Jeune Fille dans l'Écume ») qui, en été, s'aventurent dans les rafales d'écume s'élevant au-dessus des tourbillons.

UN ÉNORME BARRAGE, construit à mi-route en travers du Niagara du côté canadien, empêche l'eau de couler par les chutes du Fer-à-Cheval et la détourne vers les chutes américaines. Le barrage est un élément d'un système qui canalise l'eau dans l'un des plus grands complexes hydroélectriques de l'hémisphère occidental. Aux termes d'un traité conclu en 1950, le Canada et les États-Unis partagent à égalité le débit. La nuit et durant l'hiver, les trois quarts de l'eau sont détournés pour la production électrique. Durant le jour, en été, c'est la moitié du volume total de la rivière qui est détournée.

L'AMAZONE

Le fleuve le plus puissant de la Terre

En 1542, soixante Espagnols, conduits par Francisco de Orellana, furent les premiers Européens à descendre le cours de l'Amazone depuis le cœur de la jungle péruvienne. Ayant suivi le Rio Napo depuis l'Équateur à la recherche de nourriture, ils se virent entraînés par un fleuve qui les remplit de terreur. Un moine, Gaspar de Carvajal, a rapporté ainsi leurs impressions : « Cela arriva sur nous avec une telle furie et avec un si grand élan que ce fut suffisant pour remplir chacun de nous de la plus grande peur... et c'était si large d'une rive à l'autre que nous avions l'impression de naviguer sur une vaste mer. »

Sur les traces des Espagnols vinrent les Portugais, puis des savants européens affrontèrent l'« Enfer vert », pour rapporter des informations sur le fleuve géant. Le mathématicien et géodésiste français Charles-Marie de la Condamine fit la carte de l'Amazone en 1743 et mesura sa profondeur, sa pente et sa vitesse. En 1800, le naturaliste allemand Alexandre de Humboldt fit la carte du cours d'eau reliant l'Amazone à l'Orénoque.

Les naturalistes britanniques de l'ère victorienne furent particulièrement attirés par la riche variété de plantes et d'animaux. Entre 1848 et 1859, Henry Bates recueillit 15 000 spécimens d'animaux, dont la moitié étaient des espèces nouvelles. À la même époque, le botaniste Richard Spruce récoltait 7 000 nouvelles espèces de plantes.

Selon les géographes, l'Amazone naît soit dans les sources de l'Apusinac et parcourt alors 7 025 km jusqu'à l'Atlantique, soit prend sa source dans le lac Lauricocha et traverse seulement 6 440 km. Il est le premier fleuve du monde par son débit.

L'AMAZONE naît du lac Lauricocha, dans les Andes neigeuses du Pérou, à 192 km seulement de l'océan Pacifique. Avec ses 1 100 affluents et sous-affluents, elle draine un bassin plat qui couvre 6,5 millions de km², une superficie presque égale à celle de l'Australie. Les eaux pâles de l'un de ses affluents, une branche du Rio Ucayali, serpentent à travers la forêt vierge originelle dans l'Est du Pérou.

Cependant, l'Amazone n'est pas un fleuve isolé, mais un vaste système intégré de cours d'eau, de végétation et de climat. Sur 4 800 km, des contreforts des Andes à l'Atlantique, le bassin couvert de forêts ne s'élève jamais à plus de 198 m au-dessus du niveau de la mer ; il est si plat que la pente du fleuve est rarement supérieure à 1,5 cm par kilomètre et que les eaux doivent s'y frayer un chemin en zigzags.

Plus de 1 100 affluents, dont 17 sont plus longs que le Rhin, alimentent le cours principal de l'Amazone avec l'eau des orages et celle de la fonte des neiges des montagnes alentour. Tout au long de l'année, l'Amazone et ses affluents représentent les deux tiers de l'eau des rivières du Globe. En un seul jour, l'Amazone déverse dans l'océan autant d'eau que la Tamise en un an. Ce volume est tel qu'il repousse l'eau salée de l'Atlantique sur plus de 160 km, créant un énorme lac d'eau douce.

Les eaux du principal affluent de l'Amazone, le Rio Negro, sont noires comme le suggère son nom. Il tient cette couleur d'un acide provenant de la végétation en décomposition dans les marais de Colombie qui drainent une bonne partie de ses eaux. À Manaus, où il se joint aux eaux blanches du Rio Solimões pour former l'Amazone proprement dite, le Rio Negro a 18 km de large ; et la vitesse des deux rivières est telle que leurs eaux ne se mélangent qu'au bout de 6 km. À Manaus, l'Amazone n'en est encore qu'aux deux tiers de sa course. Lorsqu'elle atteint la côte atlantique, elle se divise en bras — le plus large a 50 km de large — qui créent une multitude d'îles ; Marajó, la plus grande d'entre elles, a à peu près la taille de la Suisse.

DES EAUX GROUILLANTES DE VIE

On connaît plus de 1 500 espèces de poissons vivant dans les eaux de l'Amazone. Ce chiffre est dix fois supérieur à celui de tous les fleuves d'Europe réunis et trois fois à celui du Congo. L'un de ces poissons, le pirarucu *(Arapaima gigas)* passe pour être le plus gros poisson d'eau douce du monde. Pesant en moyenne 200 kg et mesurant jusqu'à 5 m, ce poisson à la langue osseuse vit dans les eaux marécageuses peu oxygénées du fleuve.

Le piranha rouge *(Serrasalmus nattereri)* est le poisson amazonien le plus connu. Il ne fait que 30 cm au maximum, mais il chasse en groupe et avec ses dents aiguisées comme des rasoirs il a la réputation de réduire à de simples squelettes, en quelques secondes, de grands animaux blessés. En fait, ce comportement alimentaire est exceptionnel : le régime habituel du piranha est fait d'autres poissons, de graines et de fruits.

Le plus grand prédateur du bassin amazonien est le caïman noir *(Melanosuchus niger),* une espèce très menacée, qui peut atteindre 4,5 m de long et passe pour attaquer les êtres humains. Son régime habituel est fait de mammifères aquatiques, comme le lamentin, et d'animaux de la forêt, comme le capybara ou le tapir, lorsqu'ils s'aventurent jusqu'au bord de l'eau pour boire.

Des espèces entières d'animaux et de plantes sont en danger à cause de la destruction de la forêt vierge. L'énorme diversité de la faune et de la flore de la jungle amazonienne en fait la plus grande réserve naturelle du monde : en un demi-hectare de forêt vierge, il y a 60 espèces différentes d'arbres, 15 fois le chiffre des forêts des pays tempérés. Et pourtant, au nom du progrès, 130 000 km² — l'équivalent de la surface de la Grèce — ont été détruits en une seule décennie, de 1975 à 1985. ■

LES CANOËS sont indispensables à la survie des tribus d'Indiens amazoniens, à la fois comme moyen de transport et comme outil de pêche. Outre le manioc *et la cassave, riche en amidon et propre à l'Amazonie, les Indiens se nourrissent essentiellement de poisson.*

LA POPULATION INDIENNE de l'Amazonie a fortement décliné, passant d'un million en 1500 à moins de 100 000 aujourd'hui. Il reste au moins 150 tribus *linguistiquement distinctes ; beaucoup d'entre elles, comme les Indiens Krahó du Nord-Est du Brésil, sont protégées par la Fondation nationale des Indiens.*

LES EAUX NOIRES du Rio Negro rencontrent les eaux blanches du Rio Solimões à Manaus et forment alors l'Amazone proprement dite. Les deux rivières coulent si vite à leur confluent que leurs eaux ne commencent à se mélanger que 6 km plus loin, en aval. Finalement, au bout de 80 km, les eaux blanches l'emportent. La couleur noire du Rio Negro provient de la végétation en décomposition dans les hautes terres guyannaises où il prend sa source. La couleur du Rio Solimões est due à l'énorme masse de limon blanc que ses affluents apportent des Andes ; ce volume de limon est si important que l'Amazone en charrie la majeure partie jusqu'à l'Atlantique, où il teint en gris l'eau de mer.

LE

GROENLAND

Une usine à icebergs au bout du monde

Quand l'explorateur islandais Érik le Rouge débarqua sur cette île couverte de neige en 982 apr. J.-C., il la baptisa paradoxalement Groenland, le « Pays vert », pour inciter ses compatriotes à s'y établir. Quatre ans plus tard, nombreux furent ceux qui répondirent à son appel ; ils s'installèrent sur la côte Sud-Ouest, où les courants chauds de l'Atlantique engendrent un climat assez doux et pluvieux.

Les deux tiers du Groenland, la plus grande île du monde, sont couverts d'une calotte glaciaire qui contient environ 10 % de toute la glace de la Terre. Si cette calotte venait à fondre, le niveau des océans s'élèverait de 6 m. L'épaisseur moyenne de la glace est de 1 500 m, mais peut atteindre 5 km.

Quelques-unes des roches les plus anciennes du globe se trouvent sous le désert glacé du Groenland. Des échantillons de roches métamorphiques provenant de Godthaab, la capitale du territoire, ont été datées du début du Précambrien, soit 3 700 millions d'années. Des montagnes déchiquetées s'élèvent à plus de 2 600 m au-dessus d'une ligne côtière entaillée par des fjords profonds, tandis que, vers l'intérieur, le sol descend doucement pour former une vaste dépression.

La neige tombe sur la calotte glaciaire tout au long de l'année, mais la température est trop basse pour qu'elle puisse fondre. En s'accumulant, elle écrase les couches précédentes. Des savants du Snow, Ice and Permafrost Research Establishment (SIPRE) de l'armée américaine ont découvert que la glace se trouvant à 50 m de profondeur provenait de la neige tombée au temps de la guerre de Sécession.

Les énormes pressions à l'intérieur de la calotte compriment les couches inférieures, qui forment des glaciers à travers des cols, dans l'anneau montagneux côtier. La plupart

LE GROENLAND s'étend à l'intérieur du cercle polaire arctique couvrant une superficie de 2 175 600 km², soit presque le double de la superficie de la Norvège, de la Suède et de la Finlande réunies. Cette zone côtière, est habitable, et à peu près égale à celle de la Norvège. La plus grande partie de la population du Groenland — qui compte environ 55 000 âmes — vit le long de la côte Ouest, où le climat est relativement doux. Quelques-uns bravent les rigueurs de l'Arctique dans des villes de la côte Est, comme Angmagssalik.

descendent avec une lenteur imperceptible, mais le glacier de Jakobhavn progresse vers la baie de Disko, à 500 km au nord de Godthaab, à la moyenne de 1,2 m/h.

Quand un glacier touche la mer, il commence à fondre et à former des crevasses de plus en plus profondes ; peu à peu des icebergs se détachent et s'en vont flotter au gré des marées et des courants. Chaque printemps et chaque été, des milliers d'icebergs sont ainsi entraînés vers le sud depuis la côte du Groenland et se dirigent vers les couloirs de navigation de l'Atlantique Nord. Deux ans après le naufrage du *Titanic*, coulé par un iceberg le 15 avril 1912, les garde-côtes américains ont mis sur pied la Patrouille internationale de la Glace. Chaque jour pendant la saison des icebergs, des bateaux et des avions passent au peigne fin l'Atlantique Nord, repérant les icebergs les plus dangereux et alertant tous les bateaux dans les zones affectées.

LA FAUNE ET LA FLORE DE L'ARCTIQUE

Une grande partie du Groenland se trouve à l'intérieur du cercle polaire. La toundra du Nord est le plus souvent ensevelie sous la neige, mais fleurit avec vigueur pendant le bref été. Durant quelques semaines, chaque année, des mousses, des lichens et des herbes tapissent le sol, procurant une nourriture adéquate à de nombreux animaux, à commencer par le renne *(Rangifer tarandus groenlandicus)*. Mais, en hiver, les troupeaux de rennes doivent creuser la neige pour trouver leur nourriture et, parfois, faire de longs voyages à la recherche de nouveaux pâturages.

Le bœuf musqué *(Ovibos moschatus)*, rare et protégé, mène la même vie que le renne. Haut de 1,5 m, ce cousin à poil long du mouton, vivant en troupeau, est extrêmement résistant. Pendant les semaines d'été, il mange continuellement pour constituer des réserves de graisse qui, avec son poil imperméable, lui permettent de survivre aux rigueurs de l'hiver.

Des douzaines d'espèces d'oiseaux se rassemblent dans les régions côtières du Groenland pour se nourrir de l'abondante végétation de l'été. C'est le sterne arctique *(Sterna paradisea)* qui accomplit le voyage le plus spectaculaire. Durant l'hiver groenlandais, ces oiseaux font la moitié du tour de la Terre pour profiter de l'été austral dans l'Antarctique, puis reviennent au nord pour se reproduire. En revanche, le phalarope gris *(Phalaropus fulicarius)* ne va pas plus loin que le Canada pour chercher un climat hivernal plus doux.

Les eaux du Groenland foisonnent de crevettes et de plancton, ces plantes et animaux microscopiques qui sont le point de départ de la chaîne alimentaire de la faune marine. La baie de Disko, par exemple, contient quelques-uns des plus grands bancs de crevettes du monde. La rare baleine franche *(Balaena mysticetus)*, probablement la plus grosse des baleines à se nourrir de plancton, est une visiteuse assidue des côtes du Groenland. Elle peut mesurer plus de 15 m, le crâne représentant à lui seul le tiers de sa longueur.

D'énormes quantités de poissons, comme la morue, le flétan, le saumon, se nourrissent aussi de plancton. Ces poissons sont, eux, victimes des phoques : vivent dans la mer froide aussi bien le phoque commun *(Phoca vitulina)* que le phoque du Groenland *(Phoca groenlandica)* ; ils peuvent se rassembler par milliers lorsqu'ils se déplacent vers de nouveaux terrains de chasse ou à la saison des amours. De grands groupes de morses *(Odobenus rosmarus)* se rassemblent également sur les rivages du Groenland, où ils se nourrissent, eux, de coquillages et de crabes.

■   ■

LES CHIENS DE TRAÎNEAU jouent toujours un rôle important au Groenland, malgré l'apparition du transport motorisé à travers le désert blanc. Les distances entre les villages sont conventionnellement évaluées en temps mis par un traîneau pour effectuer le voyage. Les fjords, utilisés en été par les bateaux, deviennent en hiver des routes pour les traîneaux. Les passagers ont l'habitude de sauter périodiquement à terre et de courir à côté des traîneaux, à la fois pour se réchauffer et pour réduire la charge des attelages. Au repos — comme on le voit ici à l'extérieur de la ville d'Angmagssalik, sur la côte Est, là où le froid est le plus rude — une meute de chiens de traîneau s'effondre dans un enchevêtrement de harnais. Mais un attelage mené par un conducteur expérimenté est un miracle de coordination et de grâce.

DES MONTAGNES ABRUPTES s'élèvent au-dessus des eaux paisibles du fjord Tasermiut, à l'extrémité Sud de l'île, à l'Ouest du Cap Farewell. Par un jour de juillet particulièrement doux, la température peut monter jusqu'à 10 ° C, mais ce bras de mer glacé qui pénètre à l'intérieur des terres ne se réchauffe jamais assez pour inciter à la baignade — sauf les robustes espèces marines.

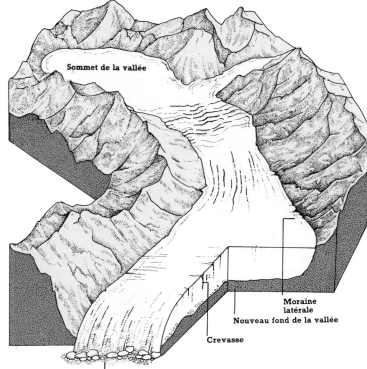

LES GLACIERS SE FORMENT DANS LES ZONES DE MONTAGNE, là où la neige s'accumule en formant une glace granuleuse. Avec la pression, se produit un lent mouvement de la masse glacée vers le bas. Ses parties supérieure et moyenne se déplacent plus vite, que la base ralentie par le frottement contre les parois de la vallée, que le glacier élargit et approfondit par son passage.

Les débris rocheux, ou moraines, que le glacier accumule sur son chemin, effectuent un formidable décapage, qui transforme la vallée en V en vallée en U. Des crevasses apparaissent lorsque la glace passe sur des irrégularités de terrain. Si le glacier arrive jusqu'à la mer, son extrémité se brise en icebergs, qui s'en vont en flottant.

LE

LAC

TITICACA

Un grand lac niché dans les hauteurs des Andes

Selon la légende, le lac Titicaca est le berceau de la civilisation inca. Le dieu-soleil enjoignit à ses enfants, Manco Capac et sa sœur-épouse Mama Ocllo, de voyager jusqu'à ce qu'ils trouvent un endroit où une verge d'or plongeait dans la terre. Ayant découvert un tel lieu sur une île du lac Titicaca, ils donnèrent naissance à la race inca, les « Enfants du Soleil ». L'île, appelée l'île du Soleil, reste l'un des lieux les plus sacrés du lac et les Indiens célèbrent toujours cette « naissance » par une fête, le 5 novembre de chaque année.

Les profondes eaux bleues du lac Titicaca resplendissent sur le spectaculaire *altiplano,* entre les chaînes parallèles des Andes couvertes de neige. À une altitude de 3 800 m, c'est le lac navigable le plus élevé du monde et, par sa longueur de 117 km, c'est aussi l'un des plus longs.

Le premier bateau à vapeur à naviguer sur le lac fut le *Yaravi,* de 200 tonneaux. Construit en Angleterre en 1862, il fut démonté sur la côte du Pérou et ses pièces furent hissées sur les Andes à dos de mulets et de lamas ; remonté à Puno, sur le côté péruvien du lac, il transporta passagers et marchandises pendant un siècle. Pour le remplacer, on mit en service en 1966 un hydrofoil appelé *Inca Arrow* (« Flèche Inca »). On compte aujourd'hui cinq navires de ce type qui sillonnent les eaux du lac entre la Bolivie et le Pérou.

La majeure partie du lac Titicaca forme un bassin aux parois abruptes, d'une profondeur moyenne de 107 m, atteignant un maximum de 281 m. Après le dernier âge glaciaire, il y a 10 000 ans, le rivage du lac était à 45 m au-dessus du rivage actuel. Dans le courant d'une année, le niveau de l'eau varie de 50 cm à 1 m.

Un peu plus de la moitié de l'apport annuel d'eau est due à la pluie ; le reste est amené par de nombreux cours d'eau pro-

LE LAC TITICACA chevauche la frontière entre la Bolivie et le Pérou, sur environ 4 km, dans les Andes. Couvrant une superficie de 8 290 km² — presque autant que la Corse — le lac est la plus grande masse d'eau douce de l'Amérique du Sud. Les roseaux totora qui croissent dans ses eaux marécageuses et peu profondes sont utilisés par les Indiens, depuis des siècles, pour fabriquer leurs bateaux caractéristiques.

venant du plateau environnant, un bassin de drainage d'une superficie plus de sept fois supérieure à celle du lac. 90 % de l'eau du lac s'évaporent à cause de l'altitude, de la force du soleil et de la fréquence des vents, abandonnant sels et minéraux qui lui donnent un goût légèrement saumâtre. Le seul déversoir du lac, le Rio Desaguadero, draine moins de 10 % de son eau, non pas vers le Pacifique, mais vers le sud, dans le lac Poopo, qui, lui, n'a aucun débouché ; seule l'évaporation stabilise son niveau, ce qui explique que ses eaux sont vingt fois plus salées que celles du lac Titicaca.

Si la température moyenne de l'air autour du lac Titicaca est de 11 °C ; les écarts de température au cours d'une même journée sont considérables. Cependant la température de l'eau du lac reste constante à 11 °C. Cette température relativement basse pour un lac si proche de l'équateur s'explique par son altitude.

L'isolement du Titicaca, sa salinité et sa température constante n'ont pas donné naissance à une flore et à une faune particulières. Des truites arc-en-ciel et des truites de lac ont été introduites en 1940. Les truites arc-en-ciel ont procuré de bonnes prises aux pêcheurs pendant plusieurs années, mais un parasite, qu'elles avaient apporté avec elles, s'est multiplié et a causé la mort de plusieurs espèces autochtones de poissons.

Les amphibiens sont les animaux les plus extraordinaires du lac. En 1968, une équipe conduite par l'explorateur sous-marin français Jacques-Yves Cousteau explora les eaux du Titicaca. Au-dessus d'une épaisse couche de boue et de limon posée sur le fond, ils trouvèrent une multitude de grenouilles, dont certaines atteignaient jusqu'à 60 cm de long. Dotées d'une peau qui leur permet de respirer, elles ne remontent par conséquent que rarement à la surface pour chercher de l'air. L'équipe de Cousteau a estimé que la population de grenouilles du Titicaca était de l'ordre de mille millions.

LES BATEAUX DE ROSEAU DU LAC TITICACA

Les Indiens Urus, Quechuas et Aymaras de la région ont un mode de vie presque inchangé depuis l'invasion espagnole du XVIe siècle. Ils récoltent les roseaux tatora (*Scirpus tatora*) qui poussent à profusion dans les marais du lac, particulièrement dans la baie de Puno. Les bateaux de roseau en forme de canoë, souvent propulsés par des voiles faites de roseau ou de toile, sont caractéristiques du lac Titicaca — avec une frappante similitude avec ceux de l'ancienne Égypte.

Cette ressemblance était suffisante pour convaincre l'explorateur norvégien Thor Heyerdahl que les Égyptiens avaient apporté la civilisation en Amérique du Sud. Avec l'aide de deux artisans de Suriqui, l'une des 36 îles du Titicaca, il construisit au Maroc un bateau en roseau selon les dessins égyptiens. Dans ce bateau qu'il baptisa *Ra II,* Heyerdahl réussit à traverser l'Atlantique jusqu'à la Barbade, en 1969, démontrant ainsi que les Égyptiens, qui disposaient des mêmes matériaux, auraient pu faire ce voyage.

Depuis des siècles, les Indiens Urus vivent près de Puno sur des îles construites également en roseau. Ancrées dans les eaux peu profondes du Titicaca, ces îles flottantes « Uros » supportent des églises et des écoles aussi bien que des maisons. Les Urus vont même jusqu'à y répandre de la terre pour y faire des cultures. En recouvrant le sol de couches fraîches de roseaux nattés pour remplacer le fond qui pourrit dans l'eau, ils assurent à chaque île une longévité de plusieurs années.

■   ■

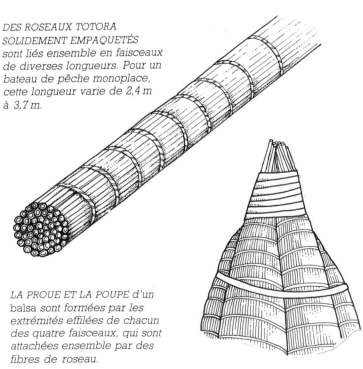

DES ROSEAUX TOTORA SOLIDEMENT EMPAQUETÉS sont liés ensemble en faisceaux de diverses longueurs. Pour un bateau de pêche monoplace, cette longueur varie de 2,4 m à 3,7 m.

LA PROUE ET LA POUPE d'un balsa sont formées par les extrémités effilées de chacun des quatre faisceaux, qui sont attachées ensemble par des fibres de roseau.

LES INDIENS URUS ET AYMARAS récoltent l'abondante production de roseaux totora sur les hauts fonds du lac Titicaca, surtout dans la baie de Puno, sur la côte Ouest. Les Indiens étendent les longues tiges tubulaires pour les faire sécher au soleil, comme le font, ailleurs, les paysans pour leur foin. Lorsqu'ils sont secs, les roseaux deviennent cassants et fragiles, mais après une imprégnation d'eau, ils acquièrent la flexibilité et la résistance d'un câble. Des tests menés en 1956 ont montré qu'après plus d'une année d'immersion constante dans l'eau, un bateau fait de roseaux totora est complètement imperméable et à l'abri de toute attaque de la faune et de la flore aquatiques.

DES ÎLES FLOTTANTES fabriquées avec des roseaux totora procurent un logis à quelques Indiens Urus et Aymaras. Ils construisent des bateaux et des maisons, cuisent leur nourriture sur la surface spongieuse de ces îles flottantes. Chaque île est formée de faisceaux de roseaux hermétiquement liés, et fait environ 2 m d'épaisseur. Les Indiens mangent aussi la pulpe de totora, après avoir tiré les roseaux par les racines et pelé les tiges.

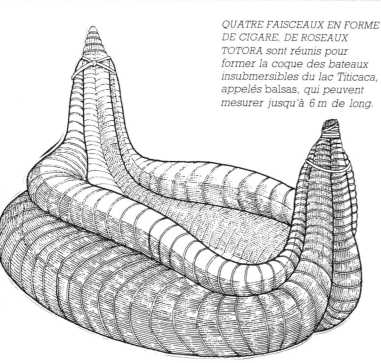

QUATRE FAISCEAUX EN FORME DE CIGARE, DE ROSEAUX TOTORA sont réunis pour former la coque des bateaux insubmersibles du lac Titicaca, appelés balsas, *qui peuvent mesurer jusqu'à 6 m de long.*

LES CHUTES DE L'IGUAÇU

Une myriade de cascades dans les profondeurs de la jungle

La bordure brisée de l'énorme plateau du Paraná, au Brésil, constitue le cadre naturel de nombreuses chutes d'eau. Celles de l'Iguaçu sont unanimement reconnues comme les plus spectaculaires. Près de 275 cascades individuelles, séparées l'une de l'autre par des îles rocheuses couvertes d'arbres, forment les puissantes chutes de l'Iguaçu. Quelques-unes tombent directement du rebord, qui mesure près de 4 km de long, dans la gorge qui s'ouvre à 82 m au-dessous ; beaucoup d'autres descendent en une série de cascades, les eaux rebondissant d'une saillie à l'autre. Aucune autre chute d'eau d'une taille comparable n'est divisée en autant de canaux différents. Cette division est due, pense-t-on, à la géologie du plateau qui est formé de lave solidifiée et de roches volcaniques dures, comme le basalte. Ces roches ne s'usant pas facilement, elles forcent donc l'eau à circuler autour d'îles et dans des canaux.

Le niveau des eaux du Rio Iguaçu dépend presque uniquement des pluies saisonnières qui tombent sur son bassin de drainage. À la saison des pluies, de novembre à mars, la rivière se gonfle en un flot impressionnant qui débite jusqu'à 12 768 750 litres à la seconde : ce chiffre dépasse le volume de six piscines olympiques, ou celui du dôme du Capitole de Washington.

« Quand on a vu les chutes de l'Iguaçu », remarqua Eleanor Roosevelt (1884-1962), l'épouse du président américain Franklin D. Roosevelt, « nos chutes du Niagara ont l'air d'un robinet de cuisine ». Comparées aux chutes du Niagara, celles de l'Iguaçu sont en effet quatre fois plus larges, une fois et demie plus hautes et débitent sept fois plus d'eau lorsqu'elles sont à plein régime.

LES CHUTES DE L'IGUAÇU se trouvent sur la frontière entre le Brésil et l'Argentine, à 19 km de la frontière du Paraguay. Le Rio Iguaçu naît près de la ville brésilienne de Curitaba, dans la Serra do Mar, et est alimenté par 30 affluents tout au long des 1 300 km qu'il parcourt jusqu'aux chutes. Lorsqu'elles s'en approchent, les eaux de la rivière s'étalent sur une large surface, avant de plonger dans le précipice en une multitude de cascades.

Pendant la saison sèche, entre avril et octobre, l'eau tombant des chutes de l'Iguaçu diminue considérablement, car le fleuve rétrécit jusqu'à n'être plus qu'une simple rivière. En 1978, l'Iguaçu s'assécha complètement. Les chutes devinrent une ligne de falaises rocheuses et restèrent ainsi pendant quatre semaines avant qu'un filet d'eau revienne. Cependant, de telles périodes sèches ne se produisent en moyenne que tous les 40 ans.

Les eaux du Rio Ignaçu se précipitent dans une gorge étroite appelée la Garganta del Diablo, « la Gorge du Diable », puis continuent leur chemin pour rejoindre le Rio Paranà, à 22 km au sud. Après l'Amazone et l'Orénoque, celui-ci est le troisième fleuve d'Amérique latine ; il naît loin au nord et se jette dans l'océan Atlantique par le Rio de la Platà.

En 1541, l'explorateur espagnol Alvar Nunez de Vaca fut le premier Européen à découvrir les chutes de l'Iguaçu. Conformément au pieux usage de l'époque, Vaca les nomma Salto de Santa Maria. Mais ce nom ne resta pas ; les chutes reprirent rapidement leur nom en langue local guaranie, Iguaçu, qui signifie « la grande eau ».

Au cours des deux siècles suivants, des jésuites espagnols explorèrent les chutes et le réseau des rivières environnantes. Ils établirent des missions pour améliorer la vie des Indiens Guaranis et les initier aux idées de démocratie, commerce et droits civils. Les jésuites protégèrent les Indiens contre les propriétaires espagnols et portugais qui avaient besoin d'esclaves pour travailler dans leurs plantations près de la côte. Après plusieurs années de querelles religieuses et juridiques avec l'Espagne et de conflits armés dans la jungle même, les propriétaires laïcs triomphèrent des jésuites et les firent expulser d'Amérique du Sud en 1767.

FLORE ET FAUNE

Des parcs nationaux que le Brésil et l'Argentine ont établi au début du XXe siècle de part et d'autre des chutes protègent les riches flore et faune tropicales et subtropicales. Des oiseaux, comme les tinamous et les perroquets, hantent les arbres, tandis que des martinets nichent dans les contreforts rocailleux des chutes et descendent sur la rivière pour se nourrir des grands essaims d'insectes. Des ocelots et des jaguars errent dans la forêt, ainsi que des tapirs, trois espèces de cerfs et deux espèces de pécaris.

Sur les îles rocheuses qui divisent l'eau de la rivière en canaux pousse une grande variété d'arbres, comme le cèdre (Cedrella fissilis), la vigne trompette et deux espèces de lapachos (Tecoma ipe et T. ochracea). Un grand nombre d'herbes aquatiques rares, de la famille des podostémacées, vit sur les rebords des chutes ; ce sont des plantes à fleurs, bien qu'elles ressemblent à des lichens ou à des mousses d'eau. Tous les membres de cette famille croissent dans l'eau courante : quelques-uns préfèrent s'établir dans l'écume des chutes, d'autres se cachent sous un rebord ou encore bravent la pleine puissance du courant.

Toutes ces plantes, qui dépassent rarement 10 cm de haut, se fixent elles-mêmes fermement au rocher par le moyen de ventouses. Lorsque le niveau de l'eau baisse, à la saison sèche, elles fleurissent et libèrent immédiatement du pollen qui fécondent les ovaires des plantes voisines. Les fruits mûrissent en quelques jours, tombent sur le rocher voisin et se fixent aussitôt. Lorsque le niveau de l'eau remonte, les graines germent et produisent de nouvelles plantes.

HÔTE DES FORÊTS, LE TAPIR BRÉSILIEN (Tapirus terrestris) hante les eaux de l'Iguaçu dans les parages des chutes. Bon nageur et bon plongeur, cet animal trapu, de couleur brun foncé, est aussi à l'aise sur la terre. La nuit le tapir broute des feuilles, des bourgeons, des fruits et des plantes aquatiques.

LE JAGUAR SOLITAIRE (Panthera onca) est le plus grand félin d'Amérique du Sud. Avec ses pattes épaisses et puissantes, il grimpe aux arbres et traverse les rivières à la nage. Le jaguar chasse pécaris et cabiais, qui viennent boire au bord de l'eau, mais il mange aussi des poissons, des caïmans et des oiseaux vivant au sol.

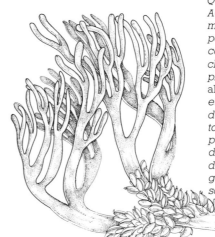

QUELQUES HERBES AQUATIQUES, ressemblant à des mousses et à des lichens, ne poussent que dans les eaux au cours rapide comme celles des chutes. Les fleurs de ces plantes, comme la Dicracia algiformis, n'ont pas de pétales et fleurissent à la fin de la saison des pluies. Elles appartiennent toutes à la famille des podostémacées. Leurs graines, dispersées au cours de la saison sèche qui suit, ne germent pas tant qu'elles ne sont pas recouvertes par l'eau.

DES MYRIADES D'ÎLES brisent le flot de l'Iguaçu avant qu'il ne plonge par-dessus le bord du plateau du Paraná. Une grande partie de l'eau tombe aux chutes de l'Union et aux chutes Saint-Martin, qui sont aux deux extrémités du précipice. Entre ces deux chutes géantes, une multitude de petites cataractes, comme « les Trois Mousquetaires » et le « Belgrano », culbutent par-dessus les rebords et les terrasses tapissées d'une dense végétation. Des oiseaux, comme les martinets, construisent leurs nids sur les contreforts rocheux situés entre les chutes et descendent au ras de la rivière pour chasser les essaims d'insectes dont ils se nourrissent.

SURTSEY

Une île née sous la mer

Juste avant l'aube du 14 novembre 1963, un bateau de pêche, l'*Isleifur II,* se déplaçait lentement à l'ouest de Geirfuglasker en Islande ; le petit matin était tranquille et paisible. Soudain, une grosse vague frappa le bateau, le faisant plonger vers l'avant. Lorsqu'ils retrouvèrent leur équilibre, les pêcheurs virent une haute colonne de fumée au sud-ouest.

Le capitaine de l'*Isleifur II* pensa qu'il s'agissait d'un bateau en feu : il communiqua l'information par radio aux garde-côtes et se dirigea vers la fumée pour porter secours. Mais, lorsque les pêcheurs s'approchèrent, ils comprirent : ce n'était pas un bateau en feu, mais une éruption volcanique qui jaillissait des flots. Des nuages de vapeur s'élevaient de la mer ; des explosions projetaient des roches très haut dans les airs. Trois heures après la première éruption, une colonne de fumée et de cendre se dressait à plus de 3 600 m.

Le volcan sous-marin avait éventré le fond de la mer, qui ne se trouvait qu'à 130 m de profondeur. Le frottement dans l'air des particules de poussière produisait un fantastique spectacle d'éclairs ; l'explosion faisait bouillonner frénétiquement la mer. La soudaine conversion de masses d'eau en vapeur déclencha de nouvelles explosions sous-marines ; celles-ci furent si violentes que le magma du noyau de la terre, chauffé au rouge, se transforma en une gigantesque projection de fines particules. Journalistes et savants, rassemblés pour observer le phénomène insolite, furent bombardés par un mélange de scories, de pierre ponce et de cendre fine, appelé téphrite. La colonne d'éruption, qui s'éleva par moments jusqu'à 15 000 m, fut visible de Reykjavík, la capitale de l'Islande, à 120 km au nord-ouest.

Deux jours plus tard, on put discerner une forme

L'ÎLE DE SURTSEY se trouve à environ 20 km au Sud-Ouest d'Heimaey, dans l'archipel des îles Westman, et à environ 35 km des côtes de l'Islande. Lorsqu'on la regarde d'en haut, l'île ressemble à un crâne de rongeur ; le « museau » conique de l'île pointe vers le nord en direction de l'Islande. Deux cratères arrondis, au centre de l'île, sont les restes des volcans qui ont remonté de la téphrite, puis de la lave, du fond de la mer.

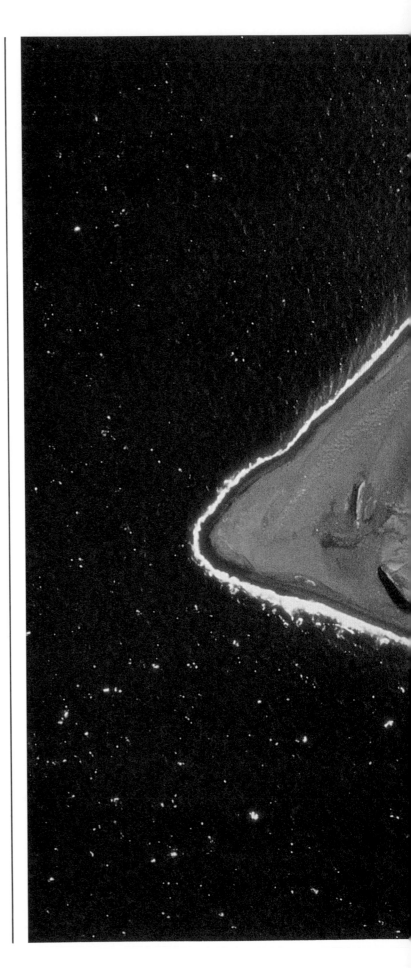

au cœur de l'épais nuage ondoyant : peu à peu une île, haute de 40 m et longue de 550 m, apparut. Quatre semaines s'écoulèrent avant que ce volcan semblât s'être apaisé ; mais, lorsqu'un petit groupe de journalistes de *Paris-Match* débarqua précautionneusement, il fut bombardé à nouveau par de la cendre et de la pierre ponce et forcé de se retirer.

Le comité de toponymie du gouvernement islandais appela le volcan Surtur, du nom d'un géant du feu de la mythologie scandinave. Selon la légende, la fin du monde, *Ragnarok* ou le « Crépuscule des Dieux », devrait être annoncée par plusieurs événements terrifiants l'un d'eux devrait être l'arrivée de Surtur, qui chevaucherait à travers le monde en frappant partout avec son épée de feu.

LA FORMATION DE L'ÎLE

À la fin de janvier 1964, l'île en croissance, appelée désormais Surtsey, s'élevait à 150 m au-dessus du niveau de la mer et couvrait environ 2,6 km², à peu près la moitié de Central Park à New York. On pensait que l'île ne subsisterait que pendant une courte période car la pierre ponce et la cendre de téphrite, ses principaux constituants, ne résisteraient pas aux assauts des vagues et du vent.

Or, en février 1964, la face nord-ouest de Surtsey fit éruption, et un second volcan cracha de grands flots de lave. Se répandant à l'extérieur du cône de ce second volcan, nommé Surtur Junior, la lave coula sur la téphrite et se solidifa en un dur bouclier sur le versant nord de l'île. Pour finir, de la lave coula hors de Surtur lui-même et se mêla à la téphrite pour former une substance capable de résister aux plus fortes tempêtes. Il était alors évident que Surtsey était là pour longtemps.

Surtur est l'un des nombreux volcans qui font éruption sur la dorsale de l'Atlantique. Cette chaîne de montagnes, en majeure partie immergée, court sur plus de 1 600 km au milieu de l'Atlantique, de l'île Jan Mayen au nord, à l'île Bouvet au sud ; l'Islande est la plus grande des îles émergées sur la dorsale, et toutes ses îles satellites sont, comme Surtsey, sorties du fond de l'océan.

Les éruptions sur Surtsey ont cessé complètement en 1967. La crête déchiquetée de ce cratère, qui mesure environ 1,6 km de diamètre, s'élève à 171 m au-dessus du niveau de la mer. Un cratère plus petit dresse son pourtour craquelé à l'intérieur du grand. Des masses de lave solidifiée gisent, éparpillées en amoncellements confus, tandis que des dépôts de sable forment des plages le long des côtes.

La formation de l'île toute neuve de Surtsey a fourni l'occasion unique d'étudier la colonisation d'un territoire stérile par les plantes et les animaux. Les visiteurs furent interdits, de peur qu'ils n'introduisent des graines ou des spores sur leurs vêtements ou sur leurs chaussures. Seules des équipes de savants, portant des vêtements stériles, eurent le droit de débarquer sur l'île, pour l'étudier.

Les rivages de l'île furent d'abord colonisés par des bactéries, des moisissures, du goémon et des algues vertes. Trois ans plus tard, des mousses s'implantèrent sur la lave, suivies cinq années plus tard par des lichens. Des graines, apportées par les vents ou les oiseaux de mer, étaient arrivées en nombre suffisant pour parsemer l'île d'herbes et de laiches. En 1970, des fulmars (*Fulmaris glacialis*) et des guillemots noirs (*Cepphus grylle*) commencèrent à nicher dans les falaises du côté ouest de l'île. En l'absence de mammifères mangeurs d'œufs, tels les rats, ces oiseaux purent se reproduire en toute sécurité.

UN VOLCAN SOUS-MARIN explose violemment sur la crête de la dorsale nord-atlantique et entame le processus qui va créer l'île de Surtsey. Des nuages de scories, de cendre et de pierre ponce obscurcissent le ciel au large de la côte Sud Ouest de l'Islande. À ce moment, des observateurs sont criblés de « bombes » de lave, des projectiles mortels de roche liquéfiée catapultés haut dans le ciel pendant l'éruption. Lorsque chacun d'eux retombe, sa surface se refroidit en une croûte craquelée, qui enveloppe une boule de lave chauffée au rouge.

LA MAROUTE (Matricaria maritima) est l'une des premières plantes à fleurs qui apparut sur l'île de Surtsey, bien qu'elle ne pût s'y enraciner avec succès qu'en 1972. Plante très répandue en Islande, la maroute a poussé à partir de graines apportées par les oiseaux dans la lave recouverte de sable qui se trouve à l'extrémité sud de l'île.

LE FULMAR (Fulmaris glacialis) fut, avec le guillemot, la première espèce d'oiseau à coloniser Surtsey. En 1970, un fulmar construisit un nid sur un rebord à 10 m au-dessus du niveau de la mer, sur les falaises occidentales de l'île. L'année suivante, il y avait 10 nids de fulmars, et aujourd'hui c'est toute une colonie qui y est installée.

L'ÎLE DU PETIT SURTSEY, ou Syrtlingur, est née en 1964, à 600 m au large du rivage Est de Surtsey. Des éruptions sous-marines lançant des jets d'eau et de pierre ponce furent suivies par des explosions violentes, qui propulsèrent au-dessus des vagues une île minuscule constituée de téphrite. Après quelques mois, le Petit Surtsey mesurait 70 m de haut et couvrait 14 hectares. Mais, sans croûte de lave protectrice, l'île fut rapidement balayée par les flots et elle ne subsiste plus aujourd'hui que sous la forme d'un banc à fleur d'eau.

STROKKUR

Une source au pays de la glace et du feu

En 860 apr. J.-C., un drakkar viking, commandé par le pirate norvégien Naddod, partit vers les îles Féroé en mer du Nord ; mais il fut dévié de sa route par une effroyable tempête. Naddod, forcé de débarquer sur une île encore inconnue, put réparer son navire et regagner la Norvège. Les récits qu'il fit de son aventure incitèrent son camarade Floki Vildegarson à explorer la nouvelle île. En voyant les énormes icebergs qui flottaient dans les fjords, il baptisa le pays Islande, le « pays de la glace ». Plus tard, les Vikings crurent que l'île était l'entrée des Enfers, le contraste entre les volcans et les glaciers, le feu et la glace, correspondant exactement aux descriptions de la mythologie nordique.

L'Islande, la deuxième île d'Europe par la superficie après la Grande-Bretagne, fut formée par des éruptions sous-marines dans la dorsale atlantique. L'île reste un pays où s'opposent la glace et le feu : elle revendique le plus grand glacier entre l'Arctique et l'Antarctique, le Vatnajökull, et a subi au cours des deux derniers millénaires plus de 125 éruptions provenant de 30 volcans différents.

Le premier visiteur connu de l'Islande fut le moine irlandais Brendan le Voyageur qui, près de trois siècles avant Naddod, partit avec plusieurs frères vers des îles lointaines. Vers 575, ils arrivèrent en vue de l'Islande. Un texte médiéval en latin, intitulé *Navigatio Sancti Brendani*, rapporte ce qu'ils virent : « Alors ils distinguèrent au milieu de l'océan une grande montagne couverte de brume... avec des nuages de brume par-dessus et une grande fumée sortant du sommet... Puis ils virent la cime de la montagne, sans nuage et crachant dans le ciel des flammes qu'elle réaspirait ensuite, comme si la montagne était un bûcher funéraire en train de brûler... »

GROENLAND

Détroit du Danemark

ISLANDE

Reykjavik • · Thingvellir
· Strokkur
· Mt Hekla
· Vik

OCÉAN ATLANTIQUE

LE STROKKUR est situé dans la région géothermale voisine du fleuve Evitá, à mi-chemin entre le mont Hekla et Thingvellir, dans le Sud-Est de l'Islande. La capitale du pays, Reykjavik, est à environ 80 km à l'Ouest. Bassin calme et couvert de vapeur, le Strokkur se gonfle soudainement et momentanément en un spectaculaire dôme d'eau bouillante. Lors de l'éruption, le panache du jet d'eau du Strokkur atteint 30 m de hauteur, et son nuage de vapeur est visible à l'œil nu d'une distance de plus de 5 km.

Brendan et ses compagnons furent probablement les témoins d'une éruption du mont Hekla, un volcan haut de 1 491 m, situé dans le sud-ouest de l'île. Au nord-ouest de cette montagne s'étend la vallée de la Hvítá et ses nombreux bassins d'eau brûlante et de boues bouillonnantes, dont la plus fameuse de toutes les sources d'eau chaude, le Stori Geysir, qui signifie « le grand jaillissement » a donné le nom de « geyser » à tous les jets d'eau géothermiques du même type.

Aujourd'hui, le Stori Geysir n'est guère plus qu'un bassin d'eau tranquille et bleue, de 10 m de diamètre, entouré d'un mur de silice et de travertin élevé au cours des siècles. Le Stori Geysir était autrefois le plus grand d'un groupe d'une centaine de geysers, déjà célèbres au XIIᵉ siècle, et il atteignait alors une hauteur de 70 m. En 1810, il faisait éruption toutes les trente heures ; en 1815, il se manifestait toutes les six heures pendant un quart d'heure, lançant plusieurs jets d'eau à la fois. En 1916, le grand geyser s'arrêta soudain, sans raison précise. Puis, il se réveilla de nouveau en 1935, lançant avec force ses jets d'eau. On peut « encourager » son jaillissement en déposant une grande quantité de savon dans son eau ; cela réduit la tension superficielle de l'eau et facilite son écoulement hors des chambres souterraines. Un autre procédé consiste à bloquer le « tube » par lequel l'eau remonte, ce qui stoppe toute perte de chaleur et permet donc à l'eau de bouillir plus vite.

L'HÉRITAGE DU GRAND GEYSER

Le Strokkur a recueilli l'héritage du plus grand geyser d'Islande. À première vue, il apparaît comme un bassin d'eau claire, calme et peu profonde ; seule la vapeur qui s'en dégage est un signe du secret du Strokkur. À l'approche d'une éruption, l'eau se soulève à une vitesse incroyable, tout en poussant une sorte de soupir. Et soudain, du cœur du bassin, jaillit un étonnant dôme d'eau claire comme du cristal.

Ce dôme n'existe qu'un instant, avant que le bassin n'entre en éruption. Sa surface lisse éclate et une gigantesque flèche de vapeur et d'eau bouillante jaillit jusqu'à 30 m de hauteur. La colonne brûlante reste dans l'air quelques instants, puis le vent la disperse dans la vallée. L'eau propulsée en hauteur par l'éruption retombe en bouillonnant dans le bassin. Finalement, la surface redevient calme, avec seulement une émanation de vapeur. Mais le Strokkur — dont le nom signifie « baratte » en islandais — ne reste pas tranquille longtemps : l'éruption se répète en moyenne sept fois par heure, jour et nuit.

Les Islandais ont compris dès le début du XXᵉ siècle que la chaleur provenant de l'intérieur de la terre pouvait être utilisée. En 1928, quelques maisons de Reykjávík étaient déjà chauffées à l'eau chaude naturelle. En 1942, on a achevé un vaste réseau de conduites et de stations de pompage, qui apportait l'eau chaude naturelle dans de grands réservoirs autour des collines de Reykjávík. Les sources furent soigneusement choisies pour ne pas perturber l'activité du Strokkur et des autres geysers. Aujourd'hui, presque toutes les maisons de la capitale sont raccordées au réseau géothermique.

Cette énergie ne sert pas seulement à l'industrie et au chauffage domestique. Dans la vallée de la Hvítá qui s'ouvre sur une plaine, se trouve la ville de Hveragerdi, le « Jardin des sources chaudes » : à 250 km seulement du Cercle Arctique, dans des serres chauffées par géothermie, on y cultive des plantes tropicales d'appartement, ainsi que des fruits et des légumes, tels que bananes, concombres et cornichons.

■   ■

DES PHÉNOMÈNES GÉOTHERMIQUES, comme les rochers fumants près du Kleifarvatan, un lac au Sud de Reykjavik, se rencontrent un peu partout en Islande. Géologiquement, l'île est encore relativement jeune, et du magma fondu court encore près de la surface de la terre. Quand il porte à ébullition l'eau souterraine, la vapeur qui en résulte sort avec force par les crevasses du sol.

LES PUITS À VAPEUR FORÉS À KRAFLA, dans le Nord-Est de l'Islande, symbolisent l'exploitation croissante par le pays de ses extraordinaires ressources en énergie géothermique. En 1984, elle chauffait 80 % des foyers islandais et fournissait 37 % des besoins énergétiques de l'île. Et pourtant 5 % seulement du potentiel économiquement exploitable était utilisé.

LE GEYSER DU STROKKUR est réglé comme un métronome. Il fait éruption toute la journée à des intervalles de huit à neuf minutes. La fréquence de ses jaillissements est à peu près constante dans le cours d'une journée, mais elle varie d'une semaine à l'autre, de quelques minutes à vingt minutes et plus. L'eau chaude jaillit à travers une ouverture de 2 m de diamètre, à l'intérieur du bassin qui a lui-même 10 m de diamètre.

LAS MARISMAS

Carrefour d'oiseaux et havre marécageux

Il y a vingt-cinq siècles, les galères phéniciennes qui atteignaient ou quittaient le port de Gadès, la moderne Cadix, traversaient une large baie à l'embouchure du Guadalquivir, au sud-ouest de l'Espagne. Vingt siècles plus tard, la baie s'était transformée en un lac salé. Au XXᵉ siècle, le lac est devenu un marécage impénétrable qui, au prochain millénaire, s'asséchera définitivement.

C'est la masse de limon transportée par le Guadalquivir, associée à la puissance des courants marins, qui a transformé le paysage. Le sable, entraîné d'ouest en est, a formé peu à peu un banc en travers de la baie, emprisonnant une mer peu profonde. La boue et le limon amenés par le fleuve depuis la Sierra Morena et d'autres montagnes de l'intérieur du pays ont chassé progressivement l'eau salée, créant une lagune.

Aujourd'hui, cette barrière — appelée Arenas Gordas, ce qui signifie « sables gras » — court sur 70 km. Las Marismas — « les marais » en espagnol — couvrent une superficie de 1 150 km² et offrent un refuge à une multitude d'oiseaux, résidents ou migrateurs, ainsi qu'à plusieurs espèces de mammifères.

En 1294, le roi Sanche IV donna cette terre à Alonzo Perez de Guzman, en récompense de son rôle dans la défense contre les Maures de la ville de Tarifa, près de Gibraltar. En même temps, le roi lui accorda le titre de duc de Medina-Sindonia. Au début du XVIIᵉ siècle, le septième duc construisit au milieu des marécages un pavillon pour son épouse Doña Ana.

L'absence de tout aménagement dans le marais signifie que son écologie unique a été très largement préservée. Cependant, de grandes stations balnéaires, installées depuis les

LAS MARISMAS sont situés à 24 km au sud-ouest de Séville ; elles forment une partie du delta du Guadalquivir, qui se jette dans le golfe de Cadix. Autrefois chasse royale, la plaine de Las Marismas abrite aujourd'hui le plus riche ensemble de faune et de flore sauvages d'Europe. Quelques secteurs sont inondés périodiquement, tandis que d'autres sont constamment sous l'eau. Les lisières offrent une grande variété d'habitats : îles à pinèdes, bruyères sur dunes, pâturages, bois de chênes-lièges.

années cinquante, font peser une menace sur l'équilibre de Las Marismas. Seule l'intervention d'éminents biologistes européens, conduits par le docteur José Valverde, et soutenus par le World Wildlife Fund récemment créé, a permis la sauvegarde du lieu. En 1964, 6 500 hectares furent isolés pour constituer la réserve naturelle du Coto Donana ; en 1969, ils furent réunis à la réserve voisine de Guadiamar et l'ensemble, couvrant 35 000 hectares, reçut le statut de parc national.

UN HAVRE INCOMPARABLE POUR LA FAUNE ET LA FLORE SAUVAGES

Le parc national du Coto Doñana est devenu le refuge de plusieurs espèces menacées d'oiseaux, comme le vautour noir, et de mammifères, comme le lynx espagnol. Mais la principale espèce protégée est l'aigle impérial espagnol *(Aquila heliaca)* ; se distinguant par la blancheur de ses épaules et du bord de ses ailes, ce majestueux oiseau de proie chasse de petits mammifères, y compris lapins et lièvres ; en 1977, on estimait qu'il y en avait 60 couples.

Las Marismas connaissent des changements saisonniers radicaux. Les fortes pluies qui balayent le sud de l'Espagne à la fin de l'automne inondent les pentes occidentales de la Sierra Nevada et la plaine d'Andalousie. L'eau chargée de limon se déverse dans le Guadalquivir qui, à son tour, inonde Las Marismas, sous une épaisseur atteignant souvent 60 cm. Le marécage offre alors une escale bienvenue à une multitude d'oiseaux aquatiques en migration vers le sud pour l'hiver, et aussi un domicile hivernal à de nombreux canards et oies revenant de leurs terrains de reproduction estivale en Europe du Nord. Pendant quelques semaines, Las Marismas sont transformées en un carrefour animé par un million d'oiseaux migrateurs.

Au printemps, lorsque fondent les neiges des montagnes, l'eau descend dans le marécage, tandis que la hausse des températures stimule la croissance des plantes. Le monde aquatique endormi se réveille. D'épaisses couches d'herbes, des roseaux et des joncs jaillissent sur des îles élevées — appelées *vetas* — et servent d'abris de nidification à une multitude d'oiseaux. Au début de mai, des essaims de moucherons, de moustiques et de libellules apparaissent.

Un rassemblement bruyant de 173 espèces différentes d'oiseaux, dont beaucoup ne se reproduisent nulle part ailleurs en Europe, se forme pour les accouplements : la plupart des 9 espèces de hérons d'Europe, des flamants, des tournepierres, des pluviers. La communauté comprend aussi des oiseaux rares, comme le tadorne rouge, la foulque noire à crête et la sarcelle marbrée. Des milans et des vautours tournent au-dessus de Las Marismas en quête de lézards et de petits mammifères. Des aigrettes et des spatules forment d'importantes colonies qui nichent dans les vieux chênes-lièges, tandis que le lynx d'Espagne fait sa tanière dans les denses halliers de ronces et de cistes.

Après quelques semaines, le Guadalquivir cesse de recouvrir les marécages ; la chaleur du soleil augmente et fait évaporer l'eau. Dans les canaux où le niveau baisse, des joncs et des herbes poussent en bouquets toujours plus épais. De gros mammifères apparaissent en nombre croissant : en juin, des troupeaux de cerfs et de daims barbotent dans l'eau pour atteindre les herbages ; des sangliers errent sur les sols plus secs. Au début du mois d'août, le soleil implacable brûle Las Marismas qui prennent l'aspect d'une mosaïque craquelée de boue compacte.

■   ■

LES ORNITHOLOGUES PASSIONNÉS ont découvert que c'est par une méthode traditionnelle qu'on peut le mieux approcher l'incomparable population d'oiseaux de Las Marismas : des bateaux à fond plat, tirés par de patients chevaux andalous à l'aide de câbles de remorquage attachés à leur queue ; au printemps, les chevaux s'enfoncent dans l'eau jusqu'aux genoux. Jusqu'à la fin des années 1960, il n'y avait pas d'autre moyen d'accès au parc national du Coto Doñana ; aujourd'hui, une route asphaltée fait le tour du marais et aboutit au Palacio de Doñana, un pavillon de chasse du XVIIe siècle, qui a été transformé en station de recherche biologique.

DES ROSEAUX se fraient un passage à travers une masse visqueuse d'algues figée à la surface des eaux saumâtres de Las Marismas — un milieu presque originel, dans lequel prospèrent d'innombrables formes de vie.

Au printemps, les marécages sont encore couverts de l'eau de fonte des neiges descendue de la Sierra Morena, mais à partir du mois de mai, l'inexorable assèchement du marais recommence.

L'AIGLE IMPÉRIAL D'ESPAGNE (Aquila helica adalberti) se distingue des autres races d'aigles impériaux par l'extension plus grande de son plumage blanc.

LE MILAN ROUGE (Milvus milvus), avec ses 61 à 66 cm de longueur, est l'un des plus grands falconidés existants. Prédateur coloré, il niche dans les chênes-lièges de Las Marismas.

SKYE

Une île sculptée par des volcans

De quelque côté que l'on regarde l'île de Skye, en Écosse, la crête accidentée des Black Cuillin Hills domine le paysage. Le journaliste anglais H.V. Morton (1892-1979) a décrit amplement le site dans son livre *In Search of Scotland :* « Imaginez la *Chevauchée des Walkyries* de Wagner, pétrifiée et suspendue comme un écran colossal devant le ciel. On dirait que la nature, lorsqu'elle édifia les Cuillins, s'est dit : « Je vais faire des montagnes qui seront la quintessence de ce qu'il peut y avoir de plus affreux dans des montagnes. »

Le mince détroit du Loch Alsh sépare l'île de Skye de la terre écossaise. Des dizaines de péninsules accidentées hérissent le rivage de l'île qui, avec ses découpes, mesure 160 km de long. Par endroits, la côte a un aspect engageant, comme à Portree, la principale ville de l'île, où des maisons de pêcheurs blanchies à la chaux se dressent à côté d'un port du XIXᵉ siècle ; mais la plus grande partie de l'île est ceinte de collines abruptes et de promontoires isolés. À Dunvegan Head, au nord-ouest, une falaise escarpée s'élève à 313 m au-dessus des vagues, jusqu'à un sommet arrondi, couvert d'herbe.

Selon la légende, l'île était autrefois un terrain plat et marécageux, habité par Cailleach Bhur, la déesse de l'hiver. Celle-ci avait réduit en esclavage une belle jeune fille, la bien-aimée du printemps, qui implora l'aide du soleil. Ce dernier, courroucé, lança son épée brûlante sur Cailleach Bhur alors qu'elle traversait Skye ; mais il manqua son but et frappa le sol qui se boursoufla et se souleva en une rangée de collines, les Cuillins. Les habitants de Skye évoquent souvent cette histoire pour expliquer le fait curieux que ces collines sont rarement couvertes de neige, même en hiver.

Les Black Cuillins comprennent 20 sommets, dont 15 dépas-

L'ÎLE DE SKYE est située au large de la côte nord-ouest de l'Écosse, à 184 km de Glasgow. Profondément découpée, elle mesure 77 km de long sur 38 km de large. C'est la plus grande île de l'archipel des Hébrides intérieures ; elle couvre 1 740 km², ce qui représente à peu près la moitié de la superficie de l'île de Majorque aux Baléares. Le paysage de l'île de Skye est dominé par les spectaculaires Black Cuillin Hills, que l'on peut bien observer depuis des belvédères comme Tarskavaig, dans le sud-est de l'île.

sent 900 m. Le plus élevé, Sgur Alasdair, atteint 1 009 m d'altitude. Ces collines sont apparues il y a cinquante millions d'années, lorsque d'énormes masses de lave jaillirent hors de la croûte terrestre ; elles sont formées de gabbro, une roche dure provenant de matières volcaniques refroidies lentement sous terre. L'activité souterraine les a poussées vers le haut, puis leur substance fragile a été façonnée par la puissance des glaciers.

Les Red Cuillin Hills, à 16 km à l'est, sont formées de granite qui proviennent de la même matière volcanique que le gabbro mais qui est plus tendre, parce qu'il s'est refroidi rapidement à l'air libre. Ces collines ont des formes plus arrondies que les Black Cuillins, aux allures de tessons de faïence. Les pentes de granite sont teintes en rose et, au coucher du soleil, par beau temps, on croirait voir des rivières de sang pâle couler sur les flancs des montagnes.

Au nord de l'île se dressent les extraordinaires falaises et ravins du Quirang. À 19 km au sud, un pic rocheux, haut de 50 m et appelé « le Vieil Homme de Storr », pointe vers le ciel. L'origine de ces deux formations remonte à 10 000 ans, lorsque les glaciers de l'époque glaciaire se retirèrent, laissant derrière eux des blocs durs de basalte perchés sur des pentes d'argile tendre. Lorsque l'argile s'effondra ou se déplaça, les roches basaltiques glissèrent ou restèrent en de curieuses positions.

Les nombreux lochs, sur le pourtour de l'île, sont un autre héritage de l'âge glaciaire. Des vallées creusées par les glaciers furent remplies d'eau de mer lorsque les champs de glace se retirèrent. Un grand nombre de ces lochs, comme le Loch Coriusk au pied des Black Cuillins, sont ouverts sur la mer comme des fjords.

LA FLORE ET LA FAUNE DE L'ÎLE

Une petite partie seulement de la terre de Skye est cultivable et donne l'orge, l'avoine et les autres céréales qui poussent ailleurs en Écosse. Les zones de fertilité — et donc d'établissements humains — n'apparaissent que là où la roche volcanique est couverte de grès, de calcaire ou d'argile. En général, de grands troupeaux de moutons — race à tête noire d'Écosse ou cheviots — parcourent les marécages et les pâturages.

En dépit de l'inégale fertilité du sol, l'île de Skye a une flore riche : des études ont révélé 589 espèces de plantes à fleurs et de fougères, 370 mousses, 181 trinitaires et 154 lichens. Parmi les espèces rares de plantes à fleurs, on trouve l'orobanche rouge (Orobanche alba) et le pourpier d'Islande (Koenigia islandica). Dans des landes de bruyères soigneusement entretenues, on chasse le tétras.

Des milliers d'oiseaux de mer, y compris le sterne arctique et le grand stercoraire, nichent sur les côtes et les rivages découpés de l'île. Le macareux (Fratercula arctica), qui vit dans les falaises abruptes, peut attraper des petits poissons en nombre prodigieux : il n'est pas rare qu'il retourne dans son nid avec 14 sprats dans son bec. Cependant la population de macareux est sur le déclin, surtout à cause des attaques de petites mouettes au dos noir qui dévorent leurs proies avant qu'elles aient pu atteindre leur nid pour nourrir leurs petits.

Le plus spectaculaire de tous les oiseaux est peut-être l'aigle royal (Aquila chrysaetos), qui hante les lieux inaccessibles des falaises et des sommets de l'île, spécialement les Black Cuillin Hills. Long de 80 cm, ce magnifique oiseau de proie possède de formidables serres recourbées, qu'il utilise pour attraper lapins, lièvres et, à l'occasion, tétras.

■   ■

LE QUIRANG, sur la péninsule de Trotternisch, dans le nord de l'île de Skye, est une configuration en forme de coupe, faite de pics de basalte volcanique. Ces pics ont survécu au retrait des glaciers de l'âge glaciaire, qui, en fondant, ont emporté les argiles tendres qui les soutenaient à l'origine. Dans cette étonnante ceinture de rocs, des formations particulières portent des noms comme « la Table », « la Prison » ou « l'Aiguille », qui s'élève à 36 m de haut.

LE LOCH CORIUSK se niche au cœur des Black Cuillin Hills, à 22 km au sud de Portree. La contrée qui entoure le loch est toujours l'habitat privilégié des cerfs de Skye, les plus grands mammifères sauvages de Grande-Bretagne. Le fond du loch Coriusk — dont le nom signifie, en gaélique, « chaudron d'eau » — a été creusé par un glacier et se trouve à 30 m au-dessous du niveau de la mer.

LES FERMIERS SE RASSEMBLENT POUR LA RÉCOLTE DU FOURRAGE, sur les surfaces relativement petites de terre arable. L'agriculture surtout tournée vers l'élevage — essentiellement moutons d'Écosse à tête noire et quelques troupeaux de bœufs. Mais il est nécessaire de cultiver du fourrage pour l'hiver, et les parcelles utilisables de sol fertiles — notamment à Trotternisch, Broadford et à l'ouest de Slapin — sont exploitées au maximum.

LA CHAUSSÉE DES GÉANTS

Un gué légendaire en Irlande

Selon la légende, l'acariâtre géant irlandais Finn MacCool construisit une route à travers les flots pour parvenir jusqu'à son ennemi Finn Gall, qui vivait sur l'île écossaise de Staffa. MacCool rassembla pour cela une multitude de longs pieux de pierre et les enfonça côte à côte dans le lit de la mer. Mais, avant de défier Finn Gall en duel, le géant retourna chez lui se reposer. Pendant ce temps, Finn Gall traversa la mer jusqu'en Irlande et crut que le géant endormi était le jeune fils de Mac-Cool. Terrifié à l'idée de la taille que pouvait avoir le père, Finn Gall s'enfuit à toutes jambes à Staffa, détruisant la chaussée sur son passage.

Les colonnes de pierre de cette « Chaussée des Géants » sont entassées sur le rivage du comté d'Antrim, en Irlande du Nord. Bien que peu de gens ajoutent foi au conte merveilleux des deux géants, la régularité des colonnes donne l'illusion qu'elles ont été faites de main d'homme. L'alignement spectaculaire des colonnes s'étend sur 275 m de côte et avance de 150 m dans la mer. Un observateur anonyme des années trente évalua leur nombre à 40 000 ; ce chiffre n'a jamais été sérieusement contesté.

La plupart des colonnes ne dépassent pas 6 m de haut, mais certaines, comme celles de l'« Orgue du Géant », atteignent 12 m. Chaque colonne, en forme de polygone régulier, mesure entre 38 cm et 50 cm de diamètre. La plupart ont six faces, mais certaines en ont quatre, cinq ou plus, jusqu'à dix. Vue d'en haut, la Chaussée ressemble à une route régulièrement pavée de pierres ; les colonnes s'emboîtent si exactement les unes dans les autres qu'il est difficile d'y insérer une lame de couteau.

Des dessins et des croquis exécutés au XVIIIe siècle par la Dublin Society et la Britain's Royal Society ont alerté le monde

LA CHAUSSÉE DES GÉANTS se trouve sur la côte nord du comté d'Antrim, en Irlande du Nord, à 80 km au nord-ouest de Belfast. La perle de ce rivage impressionnant, le groupe des colonnes de basalte, couvre une superficie d'environ deux hectares. Beaucoup de ces vieilles colonnes hexagonales gisent renversées et brisées sur la plage, tandis que d'autres ont été recouvertes par la mer ou enterrées dans le sol.

scientifique sur ce remarquable phénomène. Des peintures, commandées par l'archevêque de Derry, Frederick Hervey, à la fin du XVIIIᵉ siècle, ont attiré l'attention du public. Pour les tenants du mouvement romantique, florissant au début du XIXᵉ siècle, la Chaussée des Géants était la preuve « vivante » de tout ce en quoi ils croyaient.

LA FORMATION DES COLONNES

Durant la première moitié du XIXᵉ siècle, la Chaussée des Géants fut le centre d'un débat géologique très animé. Les « Vulcanistes », croyaient que les volcans étaient aussi vieux que la Terre et que les colonnes de basalte avaient été formées par de la lave volcanique solidifiée. Les « Neptunistes », conduits par l'Irlandais Richard Kirwan, affirmaient que les volcans étaient des phénomènes géologiquement récents et que les roches de basalte, anciennes, devaient avoir été formées par la précipitation de minéraux au fond de la mer.

Les Vulcanistes l'emportèrent, et aujourd'hui les meilleurs géologues considèrent que la Chaussée des Géants est d'origine volcanique. Il y a 50 millions d'années, une grande partie de l'Irlande du Nord et de l'Écosse occidentale devint volcaniquement active. Des orifices dans la croûte terrestre, comme ceux du mont Slemish, s'ouvrirent à plusieurs reprises, déversant sur le sol une épaisseur de lave de près de 160 m. En se refroidissant rapidement, elle s'est solidifiée pour former du basalte, une roche dure, résistant à l'érosion ; au Slemish, le basalte est empilé sur une hauteur de 441 m au-dessus du niveau de la mer.

À la Chaussée des Géants, au contraire, la lave s'est refroidie lentement et régulièrement. Comme les niveaux supérieurs furent les premiers à perdre leur chaleur, ils se contractèrent et se craquelèrent en formes régulières, comme de la boue séchée. Les fissures de surface s'étendirent progressivement vers le bas, découpant la masse de basalte en un alignement de colonnes de pierre dressées. Les roches alentour, plus tendres, furent usées du côté de la mer, exposant les colonnes à l'air. On pense que la formation s'étend vers l'intérieur du pays, derrière la spectaculaire ligne de falaises que l'on appelle la « Manchette du Géant » et sous le sol du comté d'Antrim.

L'île de Staffa, au sommet plat, à 120 km au nord de la Chaussée des Géants, est également renommée pour ses colonnes hexagonales. Presque entièrement formée de basalte, l'île est entourée par des falaises de colonnes verticales cannelées et coiffée par une masse de roches spongieuses. Sir Joseph Banks (1743-1820), le naturaliste anglais qui accompagna le capitaine Cook dans son voyage d'exploration des mers du Sud en 1768, attira l'attention du public sur l'île en 1772 : « Comparé à cela, s'exclama-t-il, que sont les cathédrales ou les palais construits par l'homme ?... de simples maquettes ou des jouets. »

Une énorme grotte gothique, qui s'enfonce sur 60 m dans l'île, a été appelée « Grotte de Fingal » par Sir Joseph Banks, d'après le nom du géant de la légende, Finn Gall. À marée haute, ou quand la mer est agitée par les tempêtes de l'Atlantique, l'entrée en force de l'eau dans la grotte comprime l'air, provoquant un « chant » rythmique. Le jeune compositeur allemand Félix Mendelssohn (1809-1847), qui visita l'île de Staffa en 1829, en fut si impressionné qu'il composa l'année suivante, son ouverture *la Grotte de Fingal*.

DES MILLIERS DE COLONNES DE BASALTE, formées de lave volcanique solidifiée, s'entassent sur le rivage, au nord-est de Coleraine, en Irlande du Nord. Ces colonnes sont réparties en trois plates-formes naturelles, appelées respectivement Petite Chaussée, Moyenne Chaussée, Grande Chaussée. Des groupes de colonnes ont reçu des noms de fantaisie, comme « le Siège des Vœux », « les Hauts de Cheminées » ou « l'Orgue du Géant ».

LA GÉOMÉTRIE REMARQUABLE des colonnes de la Chaussée des Géants résulte de la lenteur régulière avec laquelle la lave volcanique s'est refroidie pour devenir du basalte. Au fur et à mesure que la température baissait, le basalte prenait des formes régulières, polygonales, surtout dans la Moyenne Chaussée, où beaucoup de colonnes ont une section hexagonale.

L'ÎLE DE STAFFA, comme beaucoup d'autres petites îles de l'archipel des Hébrides intérieures, en Écosse, est née il y a 50 millions d'années, lorsque de la lave a recouvert le secteur après une activité volcanique prolongée à l'intérieur de la croûte terrestre. Quand la lave s'est refroidie, Staffa est restée avec des falaises et des grottes ornées de colonnes hexagonales serrées les unes contre les autres et semblables à celles de la Chaussée des Géants. Staffa est renommée pour la plus vaste et la plus spectaculaire de ses grottes ouvertes sur la mer, la grotte de Fingal. La voûte, les parois et le fond sous-marin de cette grotte sont presque entièrement garnis de colonnes de basalte gris foncé. A marée haute, ou par mer agitée, la grotte de Fingal résonne d'un son rythmique et plaintif.

LES GORGES DE CHEDDAR

Un fossé à travers la campagne anglaise

EUROPE - GRANDE-BRETAGNE

Alors que, en 1794, les poètes anglais Samuel Taylor Coleridge et Robert Southey visitaient les gorges de Cheddar, ils furent enfermés quelques temps dans une mansarde, car on les soupçonnait d'être des bandits de grand chemin. Le placide Southey affirma plus tard : « Les falaises nous ont amplement dédommagés. »

Les gorges de Cheddar entaillent profondément l'escarpement sud des Mendip Hills, qui s'étendent sur 50 km dans le nord du comté de Somerset, dans le sud-ouest de l'Angleterre. Au point le plus haut, ces collines de calcaire atteignent 315 m. Les falaises escarpées des gorges s'élèvent à plus de 120 m au-dessus de la route qui serpente à leur pied. Du sommet, les gorges déroulent leur cours sinueux sur environ 3 km, avant d'atteindre la ville de Cheddar à leur extrémité.

Au début du XIXe siècle, des savants affirmèrent que les gorges avaient été créées par un gigantesque tremblement de terre. Cependant, vers la fin du siècle, deux autres explications furent avancées. Selon la première théorie, les pluies continuelles, infiltrées à travers le calcaire ont formé une rivière souterraine qui a creusé des myriades de grottes et de passages. Sous l'action de l'eau, le plafond rocheux a fini par s'effondrer, comme dans les gorges du Verdon au sud-ouest de la France.

L'autre théorie, qui est plus généralement acceptée aujourd'hui, soutient que la gorge ressemble à une vallée de rivière asséchée. Au cours des périodes glaciaires, quand presque toute la surface du pays était gelée en permanence, une rivière cascadait par-dessus le calcaire nu, creusant peu à peu son chemin vers la plaine basse ; la rivière fit fondre le calcaire sous-jacent, créant des grottes, des dolines et des passages, avant de s'affaiblir en un cours d'eau souterrain.

LES GORGES DE CHEDDAR serpentent à l'extrémité ouest des Mendip Hills, en Angleterre, à 11 km au nord-ouest de Wells et à 24 km au sud-ouest de Bristol. Les parois rocheuses de cette faille impressionnante s'élèvent à 140 m de hauteur, soit l'équivalent de la flèche de la cathédrale de Strasbourg. Des grottes de calcaire sont situées au bout de la gorge, où émerge l'une des rivières souterraines les plus importantes d'Angleterre, le Cheddar Yeo.

LES GROTTES DE CALCAIRE

Jusqu'en 1837, les gorges spectaculaires étaient la seule attraction de Cheddar. Mais cette année-là, le meunier George Cox, taillant du calcaire près de son moulin, aperçut un énorme trou dans le roc. En y pénétrant, Cox découvrit, stupéfait, une magnifique caverne ornée de stalactites et de stalagmites.

La caverne d'entrée contient des stalagmites colorées soit de rouge par l'oxyde de fer, soit de bleu noir par le manganèse. Dans une autre salle, une stalagmite nommée « le Carillon » émet une note musicale lorsqu'on la frappe légèrement. Au point le plus profond du réseau de grottes, qui s'étend sur 90 m, se trouve un entonnoir d'une profondeur insondable ; l'eau, dans ce trou, monte et descend tout au long de l'année en fonction du niveau d'eau du courant souterrain qui émerge à l'extrémité des gorges.

Le succès de la grotte de Cox donna aux habitants l'idée de chercher d'autres merveilles naturelles cachées. En 1890, Richard Gough pénétra dans les grottes les plus vastes et les plus spectaculaires découvertes à ce jour à Cheddar, un ensemble qui s'enfonce de 1 143 m dans le flanc des collines de Mendip. Dans la salle d'entrée, un squelette d'homme fut découvert au cours de fouilles en 1903 ; surnommé « l'Homme de Cheddar », ce squelette date de 10 000 ans et indique que les grottes étaient habitées durant l'âge du fer ancien.

S'enfonçant encore plus profondément, Gough découvrit de fantastiques formations naturelles, aux allures de chutes d'eau gelées, de rivières de marbre, de halls à colonnes, de voûtes de cathédrales... Un grand nombre de ces formations sont colorées en vert par le carbonate de cuivre, en gris par le plomb ou en rouge par l'oxyde de fer. Gough donna des noms grandiloquents ou poétiques aux formations qu'il faisait découvrir aux visiteurs des grottes : un ensemble délicat de piliers blancs se reflétant dans un bassin d'eau tranquille devint « la caverne d'Aladin » ; une immense salle de 21 m de haut reçut le nom de la cathédrale de Londres, Saint-Paul.

L'HABITAT MENACÉ DES GORGES

Le gorge de Cheddar abrite une communauté unique de plantes sur ses pentes et ses rebords de calcaire. Deux d'entre elles, l'œillet de Cheddar (Dianthus gratianopolitanus) et l'épervière de Cheddar (Hieracium stenolepiforme) ne se trouvent nulle part ailleurs en Grande-Bretagne. L'œillet était particulièrement recherché par les touristes de l'époque victorienne pour ses fleurs au doux parfum ; aujourd'hui, l'espèce est en voie de disparition. Les gorges sont aussi l'un des plus riches habitats de l'alisier blanc (Sorbus aria) et de plusieurs arbres apparentés.

Les conservateurs des forêts ont compris que ce rare ensemble de plantes était en danger. Dans la première moitié du XXe siècle, les gorges nues et rocheuses procuraient un environnement parfait aux plantes ; mais depuis lors, les flancs des collines ont été envahis par de grossières broussailles qui menacent de submerger la végétation originelle. Cette invasion s'est produite après la mort de millions de lapins, victimes de la myxomatose, qui ont donc cessé de manger buissons et jeunes pousses. Les conservateurs espèrent remonter le temps en enlevant la plus grande partie de ces broussailles, pour éviter que les gorges de Cheddar ne se transforment en une banale vallée boisée, de laquelle auraient disparu les plantes rares, comme l'œillet de Cheddar, et les papillons

■

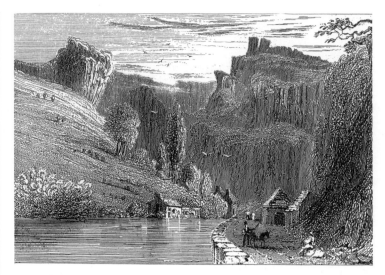

LES ROCHERS ET LES SOMMETS DE CALCAIRE des gorges de Cheddar ont été, depuis le Moyen Âge, la principale attraction de la région.

La découverte de grottes spectaculaires au XIXe siècle, a fait des gorges l'une des merveilles naturelles les plus visitées d'Angleterre.

LA PREMIÈRE FORMATION SOUTERRAINE découverte dans la grotte de Gough est une succession de marches géantes appelées « the Fonts » (« les Bénitiers »). Ces bassins stalagmitiques montent jusqu'à la voûte ; ils ont été formés par un dépôt de carbonate de calcium.

LA « MASSE D'ARMES DU PRÉSIDENT » se trouve au cœur de la grotte de Cox. Son nom vient de sa ressemblance avec le sceptre royal, exposé dans la Chambre des Communes de Londres. Cette stalagmite est insolite, parce qu'elle est plus large au sommet qu'à la base.

GLOSSAIRE

A

ÂGE GLACIAIRE : *période de glaciation intense, au cours de laquelle d'immenses plaques de glace et des glaciers couvrent une grande partie des terres émergées, tandis que baissent à la fois le niveau et la température des océans.*

B

BARKHANE *(m. arabe) :* dune de sable en forme de croissant, dont les « cornes » sont orientées dans la direction du vent. Une barkhane se forme lorsqu'existe un vent dominant constant, qui pousse les grains de sable par-dessus le sommet et sur les bords de la dune.

BASALTE : *roche dure, gris foncé, composée de grains fins et formée par de la lave solidifiée. Les divers types de basalte sont très répandus dans toutes les parties du monde.*

BUTTE TÉMOIN : *hauteur au sommet plat, caractéristique du Sud-Ouest des États-Unis, dans laquelle une couche supérieure de roche dure protège les couches inférieures, plus tendres, des effets de l'érosion.*

C

CALCAIRE : *roche sédimentaire composée principalement de carbonate de calcium.*

CALDEIRA *(m. port.) :* cratère immense qui se forme lorsqu'un volcan explose et s'effondre sur lui-même. Le cratère, qui peut contenir les restes d'un volcan encore actif, est entouré de falaises abruptes et souvent rempli totalement ou partiellement par les eaux d'un lac.

CÉNOZOÏQUE : *autre appellation de l'ère tertiaire, l'avant-dernière des ères géologiques, qui a commencé il y a 65 millions d'années et s'est achevée il y a environ 1,65 million d'années.*

CHEMINÉE : *réseau ramifié de canaux au cœur d'un volcan, par lequel le magma est expulsé hors du manteau de la Terre.*

CÔNE D'ÉBOULIS : *dépôt, en forme de cône, de sédiments non fixés, abandonnés par un torrent ou une rivière au moment de passer d'une gorge ou d'une vallée étroite à une large plaine.*

CONGLOMÉRAT : *roche hétérogène, formée de cailloux arrondis et de sédiments liés ensemble.*

CRATÈRE : *cavité en forme d'entonnoir au sommet du cône d'un volcan. Le mot désigne aussi la cuvette creusée par l'impact d'une grosse météorite.*

CREVASSE : *profonde fissure dans la surface d'un glacier.*

D

DÉRIVE DES CONTINENTS : *mouvement graduel des continents sur la surface de la Terre, s'étendant sur de longues périodes du temps géologique. Un tel mouvement est provoqué par le déplacement des gigantesques « radeaux » ou plaques tectoniques qui constituent la croûte terrestre.*

DOLINE : *dépression formée par l'action d'une eau de pluie légèrement acide sur une roche calcaire, et à travers laquelle l'eau peut pénétrer dans le sol, pour couler ensuite dans des voies souterraines.*

DOLOMITE : *roche dure, appelée aussi calcaire magnésien, formée essentiellement de carbonate de calcium et de carbonate de magnésium.*

F

FELDSPATH *(m. allem.) :* minéral à base de silice, très répandu ; il constitue une grande partie de la croûte terrestre.

FJORD *(m. norv.) :* bras de mer, long, profond et étroit, formé par un glacier ayant creusé le fond d'une vallée fluviale préexistante.

G

GABBRO *(m. ital.) :* roche dure à gros grains, formée de lave solidifiée.

GÉOTHERMIQUE : *relatif à la chaleur engendrée à l'intérieur de la croûte terrestre par les roches fondues sous-jacentes qui constituent le magma.*

GEYSER *(m. isl.) :* source émettant des jets intermittents d'eau chaude et de vapeur, dus à l'échauffement jusqu'au point d'ébullition de la nappe d'eau souterraine par l'énergie géothermique.

GLACIATION : *processus de couverture du sol par un ou plusieurs glaciers. Effet de l'action des glaciers sur un site.*

GLACIER : *masse de glace formée par une énorme épaisseur de neige comprimée, qui descend progressivement dans le creux d'une vallée sous l'effet de la gravité.*

GNEISS *(m. allem.) :* roche métamorphique à gros grains, caractérisée par des bandes de minéraux alternativement claires et foncées.

GRABEN *(m. allem.) :* vallée formée par une fissure, dans laquelle le sol s'enfonce entre deux lignes de failles parallèles.

GRANITE : *roche dure à gros grains, riche en quartz et en feldspath, formée par de la lave qui s'est solidifiée lentement.*

GRÈS : *roche sédimentaire poreuse, composée de grains de sable cimentés ensemble par des substances telles que le quartz ou le carbonate de calcium. Les grès dont le liant est faible s'usent facilement, tandis que ceux où il est solide sont remarquablement résistants.*

K

KARST (m. allem.) : paysage calcaire criblé de grottes, de cours d'eau et de passages souterrains façonnés par une eau de pluie légèrement acide.

L

LAGON : étendue d'eau peu profonde, généralement calme, isolée de la mer par un récif corallien.

LAVE : roche chaude et fondue, ou magma, provenant d'au-dessous de la croûte terrestre et expulsée par les cheminées et les fissures d'un volcan.

LIMON : dépôt de particules à grains fins, qui se forme dans les lacs et les rivières au cours lent.

LOESS (m. allem.) : fine poussière propulsée par des vents d'une région sur une autre. Élément caractéristique des franges des contrées arides d'Asie centrale, le loess forme d'épaisses couches de sol fertile et poreux.

M

MAGMA (m. grec) : roche fondue, riche en silice, normalement enfermée à l'intérieur du manteau, au-dessous de la croûte terrestre, mais pouvant être expulsée sous forme de lave pendant les éruptions volcaniques.

MANGROVE (m. angl.) : formation végétale composée de palétuviers poussant dans les régions tropicales près d'une eau saumâtre, dans la boue des rivages marins ou des rives des fleuves.

MANTEAU : couche constitutive du globe terrestre se trouvant entre la croûte et le noyau. Mélange de matières solides et liquides, le manteau génère des courants de convection qui provoquent le déplacement des plaques tectoniques de la croûte terrestre.

MESA (m. esp.) : colline à sommet plat.

MÉSOZOÏQUE : autre appellation de l'ère secondaire, qui a commencé il y a 225 millions d'années et s'est achevée il y a 65 millions d'années.

MÉTAMORPHIQUE : se dit d'une roche d'origine volcanique ou sédimentaire, dont le caractère et l'apparence ont été transformés par une chaleur et/ou une pression extrême, ou par une autre force. Ainsi, la chaleur peut transformer du calcaire en marbre ; la pression peut transformer du schiste en ardoise.

MÉTÉORITE : fragment de matière interplanétaire, dont la taille peut aller de celle d'un grain de sable à 100 tonnes et plus.

MORAINE : fragments de roches et autres débris entraînés par la force érosive d'un glacier.

P

PALÉOZOÏQUE : autre nom de l'ère primaire, qui a commencé il y a 570 millions d'années et s'est achevée il y a 225 millions d'années.

PIERRE PONCE : roche volcanique, légère et poreuse, qui se forme lorsque de la vapeur d'eau et d'autres gaz s'échappent, en formant des bulles, de la lave en train de se solidifier.

PLAQUE TECTONIQUE : plaque constitutive de la croûte terrestre, dont les mouvements constants causent les tremblements de terre, les éruptions volcaniques et la dérive des continents.

PRÉCAMBRIEN : première ère géologique, ayant duré de − 4 500 millions d'années à − 570 millions d'années.

Q

QUARTZ (m. allem.) : minéral commun, formé essentiellement de silice et apparaissant sous diverses formes. Constituant principal de la plupart des sables, le quartz contient souvent des mélanges d'autres minéraux.

QUARTZITE : roche dure, résistante, non poreuse, dérivée du grès et composée presque entièrement de quartz.

S

SAVANE : pâturage tropical, avec quelques arbres dispersés, connaissant chaque année une saison sèche et une saison humide et nourrissant des herbivores, souvent en grand nombre.

SCHISTE : type de roche métamorphique caractérisée par des bandes distinctes, et dérivant d'une roche soit sédimentaire, soit volcanique exposée à une pression intense.

SÉDIMENTAIRE : se dit d'une roche constituée de couches compactes de débris rocheux, cristaux et/ou matières organiques. Formées souvent par dépôt au fond de l'eau, ces roches contiennent la plupart des minéraux existant au monde, aussi bien que des fossiles.

SILICE : minéral commun, dont le nom scientifique est dioxyde de silicium. C'est le principal constituant du sable.

SISMIQUE : relatif à un tremblement de terre.

STALACTITE : colonne de carbonate de calcium, suspendue, comme une chandelle de glace, à la voûte d'une grotte calcaire.

STALAGMITE : colonne de carbonate de calcium croissant vers le haut à partir du sol d'une grotte calcaire, et formée par l'eau s'égouttant du plafond.

STRATOSPHÈRE : couche de l'atmosphère terrestre située entre 15 et 50 km au-dessus du sol.

T

TÉPHRITE : matière éjectée pendant une éruption volcanique, contenant des cendres et de la pierre ponce.

TOUNDRA : terrain des hautes latitudes de l'hémisphère Nord, sans arbre, au sous-sol perpétuellement gelé.

TOURBE : matière organique et fibreuse, brune ou noire, formée de végétation en décomposition qui, à cause du manque d'oxygène, est protégée d'une altération complète.

TRAVERTIN : dépôt de carbonate de calcium, généralement par les eaux d'une source chaude.

EUROPE

L'évolution géologique a doté chaque continent d'un riche éventail de formations naturelles : volcans, cours d'eau, déserts, cañons, montagnes, lacs. Ce répertoire fournit les principales caractéristiques d'autres merveilles naturelles à travers le monde, en indiquant la localisation et les particularités de chacune. Leur position géographique figure sur la carte des pages 6 et 7.

Les sites retenus sont présentés continent par continent ; dans chaque groupe, ils sont classés d'ouest en est.

BEN BULBIN
Irlande
Longitude 8° 5 O — Latitude 54° 4 N

La masse à sommet plat du Ben Bulbin s'élève à 527 m au-dessus de la plaine côtière qui entoure la baie de Sligo, dans le nord-ouest de l'Irlande. La légende en fait le séjour de Fionn Mao-Cumhaill et de ses guerriers, au IIIᵉ siècle après J.-C. ; ce fut une importante source d'inspiration pour le poète irlandais W. B. Yeats.

Les couches horizontales de roches sédimentaires de la montagne se sont déposées il y a 320 millions d'années. Depuis lors, les glaciers de plusieurs âges glaciaires et la force des tempêtes de l'Atlantique ont usé et façonné le tendre schiste noir qui constitue les parois abruptes et déchiquetées du Ben Bulbin. Mais les couches supérieures dures de la montagne, faites d'un épais calcaire de Dartry reposant sur un mince calcaire de Glencar, sont demeurées presque intactes. Sur le sommet plat du Ben Bulbin se trouve une couche de tourbe, couverte de bruyère et de rocaille ; quelques plantes arctico-alpines, laissées là par la dernière glaciation, subsistent dans des zones abritées.

LE BANC DE CHESIL
Grande-Bretagne
Longitude 2° 6 O — Latitude 50° 5 N

Le banc de Chesil est une épaisse paroi de galets, qui s'étend sur 26 km entre Abbotsbury et l'île de Portland, sur la côte méridionale de l'Angleterre. Récif reposant sur de l'argile bleue et recouvert de cailloux, le banc de Chesil est par endroits haut de 11 m et large de plus de 135 m. Sur la face abritée, du côté de la terre, se trouvent des eaux calmes et saumâtres appelées « The Fleet » (« la crique »), qui sont la villégiature de la colonie de cygnes muets la plus importante de Grande-Bretagne.

De puissants courants venus de l'ouest déposent des galets de diverses tailles le long de la plage ; les plus petits, dont la couleur tend vers le brun jaunâtre, restent à l'extrémité ouest ; le volume des galets croît au fur et à mesure que l'on va vers l'est, jusqu'à Portland où ils peuvent atteindre 6 cm de diamètre et sont de couleur grise.

L'AVEN ARMAND
France
Longitude 3° 4 E — Latitude 44° 2 N

L'aven Armand se trouve au pied des hauteurs calcaires des Cévennes, à 80 km au nord-ouest de Montpellier, dans la région du Languedoc. La grotte fut découverte en 1897 par le spéléologue français Édouard Martel ; après être descendu dans un puits vertical de 75 m de profondeur, il pénétra dans une salle gigantesque, qui a reçu depuis le nom de « Grande Salle » : cette caverne mesure 100 m de long sur 55 m de large.

En travers du sol incliné de l'aven Armand se dresse un remarquable ensemble de quelque 400 stalagmites, qui ressemblent à une petite forêt de jeunes conifères. Les plus grands atteignent 30 m de haut ; ils ont été formés par la percolation lente mais continue d'eau riche en sels minéraux à travers des fissures dans la voûte de la grotte calcaire.

LA CAMARGUE
France
Longitude 4° 2 - 7 E — Latitude 43° 6 - 44° 3 N

La Camargue est une immense région marécageuse qui s'étend sur 96 km le long de la côte méridionale de la France, à l'ouest de Marseille. Elle est formée par une multitude de bras du delta du Rhône et couvre une superficie de 72 875 ha. La Camargue, comme Las Marismas en Espagne et le delta du Danube en Roumanie, constitue un important carrefour pour les oiseaux migrateurs quittant ou regagnant l'Europe. C'est aussi une réserve marécageuse pour des oiseaux résidents, tels que flamants, hérons, ibis, aigrettes, busards des marais et plusieurs espèces de canards.

Le marécage, constitué de multiples lagunes séparées de la mer par des bancs de sable, a été formé par les sédiments et le limon apportés par le Rhône. Une grande partie du nord de la Camargue a été asséchée, tandis qu'une bonne part de la région sud est couverte de roseaux. Des chevaux blancs, introduits par l'homme mais redevenus à demi sauvages, parcourent la Camargue en petits troupeaux, de même que des taureaux noirs, destinés aux courses locales de taureaux.

LE WADDENZEE
Pays-Bas
Longitude 5° 6 E — Latitude 53° 5 - 53° N

Avant que des tempêtes, au XIIIᵉ siècle, ne brisent la barrière naturelle des îles Frisonnes occidentales, sur l'épaulement nord-occidental des Pays-Bas, le Waddenzee était un immense lac d'eau douce. Depuis lors, il est devenu un milieu marécageux, mi-terre, mi-eau, et un abri pour les oiseaux migrateurs. On estime qu'au plus fort de leur migration annuelle, plus de 500 000 oiseaux aquatiques trouvent refuge dans le Waddenzee.

Jusqu'aux années 1930, les eaux du Waddenzee faisaient partie du Zuiderzee, une vaste étendue d'eau salée communiquant avec la mer du Nord. Mais depuis, une gigantesque digue de 32 km de long divise le Zuiderzee entre le Waddenzee et un lac d'eau douce, l'Ijsselmeer. La constitution de plusieurs polders — surfaces de terrain conquises sur l'eau — a réduit la superficie de ce lac et permis de récupérer 2 330 km² de terre arable. Les protestations de ceux qui veulent que le Waddenzee demeure un refuge pour la faune sauvage ont provoqué l'annulation de plans prévoyant son assèchement.

LE LAC MAJEUR
Italie / Suisse
Longitude 8° 5 E — Latitude 46° 2 - 45° 7 N

Le lac Majeur est le second lac d'Italie par la taille, et probablement le plus beau lac des Alpes. Il chevauche la frontière entre l'Italie et la Suisse, à 56 km au nord-ouest de Milan. Il couvre une superficie de 212 km², mesure 65 km de long et a une largeur moyenne de 4 km. Sa profondeur maximale est de 370 m.

Formé par un glacier, qui se retira à la fin du dernier âge glaciaire il y a 10 000 ans, le lac Majeur est alimenté par le Tessin. Les modifications saisonnières du volume des eaux de la rivière, qui proviennent essentiellement de la fonte des neiges des Alpes, expliquent que le niveau du lac varie de plus de 1 m au cours d'une année.

En dehors de sa magnifique situation au cœur des Alpes, le principal intérêt du lac est le groupe des quatre îles Borromées, qui font face à la ville de Stresa.

LA GROTTE D'EISRIESENWELT
Autriche
Longitude **13° 1 E** — *Latitude* **37° 5 N**

L'Eisriesenwelt est la plus grande grotte du monde perpétuellement couverte de glace : son nom signifie « le monde des géants de glace ». Son entrée se trouve à 1 664 m au-dessus du niveau de la mer, dans les Alpes autrichiennes, à 48 km au sud de Salzbourg.

Le réseau de grottes a été découvert en 1878 ; il s'étend sur 42 km dans les profondeurs des Alpes. Il a été creusé dans le calcaire par l'eau faiblement acide, pendant les périodes chaudes séparant les âges glaciaires. Les stalactites, stalagmites, colonnes, draperies et autres « sculptures » féeriques sont formées non pas de travertin, comme dans beaucoup d'autres grottes, mais de glace. La température y reste égale ou inférieure à celle du point de congélation tout au long de l'année, transformant en glace au moment même de sa chute l'eau qui tombe goutte à goutte.

L'ETNA
Italie
Longitude **15° E** — *Latitude* **37° 7 N**

L'Etna est le plus élevé et le plus ancien volcan actif de l'Europe. Son sommet, souvent couvert de neige, s'élève à 3 260 m, au-dessus de la côte orientale de la Sicile, à 152 km à l'est de Palerme. L'Etna a connu sa première éruption, sous-marine, il y a 2,5 millions d'années. Depuis ce temps-là, le centre de son activité a changé à plusieurs reprises, d'où une multitude de petits cônes et de petits cratères sur les pentes de la montagne actuelle.

La première éruption mentionnée dans l'histoire a eu lieu en 475 avant J.-C. Elle fut notée par le poète grec Eschyle. La dernière a eu lieu en 1979, le volcan vomissant de la cendre et de la lave qui descendirent sur les flancs de la montagne. Le fait que l'Etna produise constamment de la lave rend ses pentes fertiles et

propices à la culture de la vigne, entre autres. Cependant, au-dessus de 2 000 m, l'Etna est stérile et noir — sauf lorsqu'il est couvert de neige.

LES LACS DE PLITVICE
Yougoslavie
Longitude **15° 8 E** — *Latitude* **44° 8 N**

Les lacs de Plitvice se trouvent dans les Alpes dinariques, à 120 km au sud-est de Zagreb, dans le nord-ouest de la Yougoslavie. Niché dans des hauteurs couvertes de forêts, au cœur d'un parc national, cet ensemble de seize lacs bleu-vert s'est formé au confluent de deux cours d'eau qui descendent en cascades sur le flanc d'une colline calcaire, jusque dans une gorge profonde. Le lac le plus grand, le Kozjac, couvre une superficie de 85 ha et a une profondeur de 45 m.

L'eau des rivières transporte de grandes quantités de carbonate de calcium, qui est extrait de la solution par les mousses aquatiques pour former un gigantesque escalier de barrages, dans un processus semblable à celui qui est en œuvre dans les lacs Band-i Amir en Afghanistan. Chaque « degré » de l'escalier peut atteindre jusqu'à 60 m de hauteur et il forme un précipice par-dessus lequel les eaux d'un lac tombent en cascade dans un autre. En quittant le dernier lac, l'eau se jette dans le cañon de la Korana.

LA VOLGA
URSS
Longitude **33° - 48° E** — *Latitude* **57° 5 - 45° 5 N**

La Volga, l'un des fleuves les plus longs du monde, coule sur 3 700 km et est navigable sur presque tout son cours. Son bassin de drainage couvre une superficie de 1 360 000 km², ce qui représente à peu près le tiers de toute la Russie d'Europe, et est habité par le quart de la population soviétique.

Depuis sa source dans le plateau de Valdaï au nord-ouest de Moscou, la Volga traverse de nombreux lacs et de vastes steppes ; après Volgograd, elle s'enfonce au-dessous du niveau de la mer et s'élargit en un vaste delta avant de se jeter dans la mer Caspienne. Les deux-tiers de ses eaux proviennent de la fonte des neiges, le reste des pluies et de rivières souterraines.

Principale voie de communication de la Russie, la Volga transporte près de la moitié du fret de l'URSS ; des canaux la relient à la mer Baltique, à Moscou et à la mer Noire ; plusieurs centrales utilisent son courant pour la production d'hydroélectricité.

AFRIQUE

LE HOGGAR
Algérie
Longitude **5° - 7° E** — *Latitude* **24° - 23° 3 N**

Le paysage lunaire des montagnes du Hoggar couvre 550 000 km², ce qui représente un peu plus que la superficie de la France. Elles sont situées à l'extrême sud de l'Algérie, au cœur du désert du Sahara. Limitées au nord, à l'est et au sud par les falaises abruptes qui bordent le plateau du Tassili, ces montagnes escarpées s'élèvent, à Tahat, jusqu'à une altitude de 3 003 m.

Le Hoggar — ou Ahaggar — contient des roches métamorphiques vieilles de 2 millions d'années, qui comptent parmi les plus anciennes roches à l'air libre d'Afrique. Au milieu de ces montagnes, il y a de hauts culots volcaniques ; ces durs noyaux de roche bouchaient autrefois les cheminées volcaniques : c'est tout ce qui reste aujourd'hui de volcans désagrégés par l'érosion. Le plus haut d'entre eux, l'Ilamane, s'élève à 2 739 m, au-dessus d'un paysage aride couvert de pierres brisées et de sable.

LE LAC TCHAD
Tchad / Cameroun / Nigéria / Niger
Longitude **13° - 15° 5 E** — *Latitude* **14° 5 - 12° 5 N**

Le lac Tchad, le quatrième lac de l'Afrique par la taille, est une masse d'eau douce, en contraste avec beaucoup de lacs du désert qui sont saumâtres. Il se trouve sur le bord sud-est du Sahara, à cheval sur les frontières de quatre pays. Divisé en deux bassins, nord et sud, par une arête appelée la Grande Barrière, le lac dépasse rarement 7,5 m de profondeur ; au XIXᵉ siècle, on avait relevé une profondeur de 285 m.

Il y a plus de 2 millions d'années, l'antique lac Tchad s'étendait sur plus de 260 000 km² ; au

XXᵉ siècle, cette superficie s'est réduite de 90 % et ne couvre plus que 26 000 km². Après des pluies abondantes, ce chiffre peut presque doubler, mais par forte sécheresse il peut aussi bien diminuer de moitié.

La réduction de la superficie du lac a été causée en partie par le climat de plus en plus chaud et sec du centre du continent africain. Mais c'est aussi le résultat du soulèvement du terrain vers le sud ; cela a modifié la direction des rivières qui alimentaient autrefois le lac, et a détourné leur cours vers le bassin du Congo.

LES CHUTES VICTORIA
Zimbabwe / Zambie
Longitude **25° 9 E** — *Latitude* **17° 9 S**

Les chutes Victoria sont situées sur le Zambèze, à la frontière entre le Zimbabwe et la Zambie, à 140 km en amont du lac Kariba. Le Zambèze plonge d'une hauteur de 128 m par-dessus une falaise longue de 1 700 m. Les chutes Victoria sont ainsi deux fois plus larges et deux fois plus hautes que celles du Niagara.

Tout au long de l'année, le débit moyen de l'eau sur les chutes et dans la gorge, large à peine de 75 m, est de 935 000 litres par seconde. La tribu locale des Kalolos appelle les chutes *Mosi-oa-tunya*, « la fumée qui tonne » ; ce nom se réfère au plumet d'écume qui s'élève dans les airs jusqu'à 300 m de hauteur et peut être vu d'une distance de 40 km.

LE LAC VICTORIA
Ouganda / Kenya / Tanzanie
Longitude **31° 5 - 34° 5 E** — *Latitude* **0° 5 - 2° 5 S**

Le lac Victoria, ou Victoria Nyanza, est à cheval sur les frontières de trois pays. Sa superficie de 68 600 km² en fait le plus grand lac d'Afrique, et le second lac d'eau douce du monde après le lac Supérieur. Le lac Victoria mesure 336 km de long sur 250 km de large et il a une profondeur de 75 m. C'est le principal réservoir originel du Nil, le fleuve qui est son unique émissaire.

Le lac occupe une dépression du plateau équatorial, à une altitude de 1 135 m, entre les deux branches principales de la grande vallée du Rift. Ses eaux contiennent de nombreuses espèces de poissons. Les populations établies sur ses rives, profondément découpées et couvertes de roseaux, sont fort nombreuses ; elles cultivent le coton, la canne à sucre, le café et des céréales.

LE KILIMANDJARO
Tanzanie
Longitude 37° 4 E — Latitude 3° S

Le sommet couvert de neige du Kilimandjaro est le plus élevé de l'Afrique. Situé près de la frontière avec le Kenya, le Kilimandjaro — dont le nom signifie, en swahili, « la montagne qui brille » — se trouve à 340 km au sud de Nairobi et à 480 km au nord-ouest de Dar-es Salaam. Se dressant au-dessus de plaines riches en faune et en flore, l'énorme massif est une agrégation de trois volcans qui ont fait éruption au cours des deux derniers millions d'années. Parmi eux, le Shira, avec 3 778 m, est le plus ancien et le plus petit ; le Mawenzi, au centre, a 5 334 m d'altitude ; le Kibo, enfin, est le plus jeune et le plus élevé, avec 5 895 m.

Des zones de végétation découpent les versants du Kilimandjaro. Le café et le maïs sont cultivés sur les basses pentes de la montagne ; la forêt vierge monte ensuite jusqu'à 3 000 m ; puis ce sont des pâturages et des marécages qui font place, à partir de 4 000 m, à un désert où ne poussent plus que des lichens ; au-dessus de 4 600 m, enfin, la montagne est constamment couverte de glace.

ASIE
AFRIQUE

LA MER ROUGE
Proche-Orient
Longitude 32° 5 - 43° E — Latitude 30° - 13° N

La mer Rouge est une partie de la grande vallée du Rift, qui court du Mozambique à la Syrie ; elle couvre une superficie de 438 000 km², soit à peu près dix fois celle de la Suisse. Elle est bordée du côté africain par l'Égypte, le Soudan et l'Éthiopie, du côté asiatique par Israël, la Jordanie, l'Arabie Saoudite et le Yémen du Nord. Elle mesure 2 100 km de long et sa largeur maximale est de 304 km ; elle est entourée de déserts et de steppes et ne reçoit d'eau d'aucune rivière.

L'eau salée de la mer Rouge, qui provient uniquement du golfe d'Aden, à travers le détroit de Bab-el Mandeb, atteint une température de 29 °C en été. L'évaporation dépasse 200 cm par an. Le secteur central est le plus profond, avec un maximum de 2 134 m, tandis que de dangereux récifs de corail bordent ses rivages. La mer Rouge doit son nom à des algues de l'espèce *Trichodesmium erythraeum* qui, lorsqu'elles meurent, peuvent faire passer l'eau de mer du bleu-vert à une couleur rougeâtre.

ASIE

LE DÉSERT DU NÉGUEV
Israël
Longitude 34° 5 - 35° 5 E — Latitude 31° 5 - 29° 5 N

Région désolée du sud d'Israël, le Néguev couvre 13 310 km², soit la moitié de la superficie totale du pays. Son nom provient du mot hébreu signifiant « sec ». La forme du désert est celle d'un triangle renversé : la base, au nord, joint la mer Morte aux plaines fertiles qui bordent la Méditerranée ; son sommet est un point large de 10 km seulement, au nord d'Eilat, sur le golfe d'Aqaba. Le long de sa bordure orientale court l'oued al Araba, un lit de rivière asséché de 160 km de longueur ; sur sa bordure occidentale s'étend la péninsule du Sinaï.

Le Néguev est riche en gaz naturel, en phosphate et en cuivre. Jusqu'au VIIᵉ siècle après J.-C., il était une zone fertile en céréales, puis le climat est devenu plus sec. Le centre du Néguev est caractérisé par des dépressions, semblables à des cratères et orientées nord-est/sud-ouest, qui peuvent atteindre 37 km de long, 8 km de large et 300 m de profondeur.

ASIE / EUROPE

LA MER CASPIENNE
URSS / Iran
Longitude 47° - 52° E — Latitude 47° - 37° 3 N

La mer Caspienne est la plus grande étendue d'eau entourée de terre de tous côtés. Elle couvre une superficie de 373 000 km², soit une fois et demie la superficie globale des Grands Lacs d'Amérique du Nord. C'est un immense lac salé, dont la surface est à 28 m au-dessous du niveau de la mer, et dont la profondeur maximale, au sud, est de 1 025 m.

Dans la partie nord de la mer Caspienne, l'eau a une profondeur moyenne de 5 m seulement. Mesurant 1 200 km du nord au sud, avec une largeur moyenne de 320 km, la mer reçoit les trois quarts de son eau de la Volga. Elle est en grande partie entourée de montagnes et se trouve dans une dépression qui se forma il y a au moins 250 millions d'années. À mi-chemin de la côte orientale, le golfe de Kara-Bogaz connaît un tel taux d'évaporation qu'une couche de sels, épaisse de 2 m, en recouvre le fond.

ASIE

LES GHÂTS OCCIDENTAUX
Inde
Longitude 73° - 77° E — Latitude 21° - 8° N

Les Ghâts occidentaux sont une chaîne de montagnes qui longe la côte ouest de l'Inde sur 1 600 km, depuis l'embouchure de la Tapti, au nord de Bombay, jusqu'au cap Comorin à l'extrémité sud de la péninsule. La seule coupure, dans cette paroi montagneuse, est le Palghat Gap, de 32 km de large, dans la partie sud de la chaîne. La bordure occidentale des Ghâts s'élève abruptement jusqu'à des hauteurs comprises entre 900 et 1 500 m ; elle est séparée de la mer d'Oman par une bande côtière étroite et fertile.

Il y a 60 millions d'années, lorsque l'Inde est entrée en collision avec l'Eurasie, une ligne de faille s'est formée en lisière de l'Inde occidentale, et la lave qui en jaillit se transforma en basalte. En même temps, l'Inde fut soulevée à l'ouest et inclinée vers l'est. En conséquence, les rivières, comme la Godavari et le Krishna, qui naissent dans les Ghâts occidentaux, se sont mises à couler vers l'est, à travers des pentes douces couvertes de forêts et des plaines ondulées, jusqu'au golfe du Bengale.

LE GANGE
Inde / Bangladesh
Longitude 77° - 91° E — Latitude 33° - 22° N

Le Gange, le fleuve le plus sacré des hindous, naît dans les montagnes de l'Himalaya, dans l'État indien de l'Uttar Pradesh, et coule sur 2 510 km vers le sud-est, à travers une immense plaine ondulée. Au nord de Calcutta, il éclate en de nombreux bras, tels que l'Hooghly, et se joint au Brahmapoutre, dans le Bangladesh, pour former le plus vaste delta du monde. Celui-ci mesure 400 km du nord au sud et 320 km de l'est à l'ouest.

Le bassin de drainage du Gange couvre une superficie de 975 900 km², à peu près le quart de celle de tout le sous-continent indien. Coulant à travers l'une des zones les plus peuplées du monde, le Gange charrie une masse énorme de sédiments : 2,4 milliards de tonnes en moyenne annuelle, ce qui dépasse le chiffre de tout autre fleuve.

LE MÉKONG
Péninsule indochinoise
Longitude 96° - 107° E — Latitude 33° - 10° N

Le Mékong, l'un des plus longs fleuves du monde, coule sur 4 180 km à travers l'Asie du Sud-Est. Il naît dans les hauteurs du Tibet, à une altitude de 5 000 m et descend tumultueusement des montagnes en empruntant des gorges étroites et accidentées ; puis il forme la frontière entre la Thaïlande et le Laos, décrivant des méandres vers le sud-est à travers des plaines ondulées ; dans le nord du Cambodge, il devient une large voie d'eau chargée de limon ; il traverse enfin le Viêt-nam et se jette dans la mer de Chine méridionale, à travers un immense delta qui est l'une des principales zones de culture du riz de l'Asie.

Les pluies de mousson et la fonte des neiges fournissent au fleuve ses principaux apports en eau : au début du printemps, ce n'est qu'un mince filet ; à la fin de l'été, c'est un torrent furieux.

Beaucoup de l'eau de crue se déverse dans le Tonlé Sap, un immense lac au nord de Phnom Penh, la capitale du Cambodge ; ce lac fonctionne comme un régulateur du fleuve, absorbant l'excès d'eau en été et le restituant en hiver.

LE DÉSERT DE GOBI
Chine / Mongolie
Longitude 96° - 118° E — Latitude 46° - 42° N

Le désert de Gobi, l'un des plus grands du monde, couvre une superficie de 1 295 000 km², ce qui équivaut à deux fois et demie la France. Il s'étend d'est en ouest sur 1 600 km, à travers le sud-est de la Mongolie et le nord de la Chine, des monts Da Hinggan Ling aux monts Tian Shan.

Situé sur un plateau dont l'altitude varie entre 900 et 1 500 m, le désert de Gobi est sablonneux à l'ouest et formé surtout d'étendues calcaires à l'est. Une bonne part de sa surface est couverte de petites pierres appelées *gobi*.

Des vents dominants de nord-ouest ont emporté la plus grande partie de son sol et l'ont déposé dans le centre-nord de la Chine sous forme de loess. Quelques chameaux de Bactriane errent à l'état sauvage, passant l'été dans les monts Altaï, au nord-ouest, et les froids hivers plus bas, dans le désert même.

LE HUANG HÉ
Chine
Longitude 96° - 118° E — Latitude 37° 5 - 33° N

Le Huang Hé, le second fleuve de Chine par la longueur, naît dans les montagnes de Kunlun, dans le nord-ouest de la province de Qinghaï, et coule sur 4 830 km, avant de se jeter dans un golfe de la mer Jaune appelé mer de Bohaï. Au sortir des montagnes, le fleuve coule d'abord vers l'est, puis vers le nord, autour du plateau du désert d'Ordos.

S'orientant ensuite vers le sud, le Huang Hé traverse la région de loess du Shanxi, une contrée fertile caractérisée par le limon jaune qui provient du désert de Gobi, situé au nord et à l'ouest. À partir de là, le fleuve charrie une masse importante de ce limon, d'où son ancien nom de fleuve Jaune. Après avoir franchi la Porte du Dragon, une gorge longue de 20 km et large de 15 m

seulement à son point le plus étroit, le Huang Hé s'élargit spectaculairement et déroule ses méandres vers l'est, à travers la Grande Plaine de Chine. Là, dans ce qui est le cœur agricole de la Chine, le lit du fleuve s'élève par endroits à une vingtaine de mètres au-dessus de la plaine environnante, ce qui prédispose à de désastreuses inondations.

LE LAC TOBA
Indonésie
Longitude 99° E — Latitude 2° 5 S

Le lac Toba, le plus grand d'Indonésie, couvre une superficie de 1 645 km². Ce lac de forme ovale, aux eaux bleu-vert, occupe une dépression au milieu des monts Bataks, dans le nord-ouest de Sumatra, à 160 km au sud de Medan.

Le lac a 90 km de long et 30 km de large ; il est entouré de falaises abruptes et de pentes couvertes de pins. Formé il y a 60 000 ans, lorsqu'un volcan explosa et s'effondra sur lui-même, laissant une *caldeira*, le lac est l'un des plus élevés — 900 m — et l'un des plus profonds — 450 m — du monde. Une bonne partie du lac est occupée par l'île de Samosir, formée par des éruptions volcaniques et réunie à la côte par un isthme.

LE MONT MAYON
Philippines
Longitude 123° 4 E — Latitude 13° 2 N

Le mont Mayon, l'un des dix volcans actifs des Philippines, est formé de couches accumulées de lave et de cendre ; il a un cône symétrique, comme celui de son rival japonais, le mont Fuji. S'élevant jusqu'à 1 421 m au-dessus du golfe d'Albay, le mont Mayon se dresse à l'extrémité sud-est de Luçon, l'île principale des Philippines. Sa base a une circonférence de 130 km ; son cratère a un diamètre de 500 m et une profondeur de 100 m.

Des plantations de chanvre de Manille profitent des fortes pluies et de la fertilité des pentes du nord et de l'ouest ; mais les versants du sud et de l'est, parcourus de ravins, portent peu de végétation.

La première éruption du volcan qui soit mentionnée se produisit en 1616, la plus dévastatrice, en 1814 : elle fit 1 200 morts et la ville

de Cagsawa, à 16 km au sud, fut détruite par une avalanche de lave. Depuis 1616, le volcan a connu 30 éruptions, la dernière ayant eu lieu en 1976.

BEPPU
Japon
Longitude 131° 3 E — Latitude 33° 2 N

Plus de 3 500 sources chaudes, geysers et trous de vapeur sont concentrés à Beppu, dans le nord-est de Kyushu, l'île la plus occidentale du Japon. En 867 après J.-C., une éruption du mont Tsurumi, dans cette région intensément volcanique, libéra le flot des eaux de Beppu, qui s'échappent en bouillonnant à la moyenne de 45,4 millions de litres par jour.

Des bassins d'eau bouillante, appelés *jigokus,* émettent des gaz en même temps que de l'eau chaude chargée de sels minéraux. Le *Chinoike jigoku* crache de l'eau rouge sang, à cause de sa forte teneur en oxyde de fer ; le *Tatsu-maki jigoku* a un geyser qui fait éruption toutes les 17 minutes.

Des personnes atteintes de diverses maladies fréquentent cette station thermale extrêmement populaire ; les arthritiques, par exemple, sont enterrés dans des bains de sable chaud appelés *sunayus*. On est en train, par ailleurs, de capter cette source d'énergie géothermique : les savants estiment qu'il y a là de quoi produire 40 millions de kW d'électricité pendant 1 000 ans.

LA BAIE DE MATSUSHIMA
Japon
Longitude 141° E — Latitude 38° 3 N

Située à 320 km au nord de Tokyo, sur la côte pacifique de Honshu, la baie de Matsushima est constellée de douzaines d'îles et d'îlots couverts de pins. Des éruptions dans la croûte terrestre, il y a 250 000 ans, firent monter des couches de roches volcaniques au-dessus de la surface de la mer.

Érosion et désagrégation ont peu à peu modelé un paysage de collines et de vallées, qui, à la fin du dernier âge glaciaire, voici 10 000 ans, fut inondé par la mer, quand la calotte glaciaire des pôles se mit à fondre. C'est alors que la baie se forma et que les collines devinrent des îles ; par

la suite, la mer façonna des falaises abruptes et des escarpements, ainsi qu'un dédale de grottes et de tunnels. La plupart des îles sont inhabitées, mais elles portent des noms poétiques, comme « Question et Réponse » ou « Entrée du Bouddha au Paradis ».

AMÉRIQUE

LES SOURCES CHAUDES DE RABBITKETTLE
Canada
Longitude 127° O — Latitude 62° N

Les sources chaudes de Rabbitkettle (« la Bouilloire du Lapin ») sont situées près de la rivière Nahami du Sud, à 256 km au nord-ouest de Fort Liard, dans les Territoires du Nord-Ouest du Canada. L'eau sort en bouillonnant à travers un dôme étincelant de travertin riche en calcium.

Ce dôme, le plus grand du Canada, se dresse à une hauteur de 27 m et mesure 69 m de diamètre. Il a été créé au cours des 10 000 dernières années par l'eau, riche en sels minéraux, qui sort à l'air libre après avoir coulé à travers le calcaire sous-jacent et avoir dissous le carbonate de calcium ; comme cette eau, originellement à 21 °C, se refroidit alors, les sels minéraux qu'elle contient précipitent et se durcissent en se transformant en roche, au rythme de 2,5 cm d'épaisseur par an.

LE LAC DU CRATÈRE
États-Unis
Longitude 122° 2 O — Latitude 42° 9 N

Les eaux bleu foncé du lac du Cratère se trouvent à une altitude de 1 879 m, dans les monts Cascade, à 50 km au nord-est de Medford, dans l'État de l'Orégon. Elles sont profondes de 590 m, ce qui fait du lac du Cratère le second lac de l'hémisphère occidental pour la profondeur, après le Grand Lac des Esclaves au Canada. Le lac couvre une superficie de 54 km² et est entouré par des falaises abruptes, qui s'élèvent jusqu'à 600 m d'altitude.

Le lac a été créé il y a 7 000 ans, lorsque le volcan du mont Mazama explosa, laissant une *caldeira* qui se remplit d'eau. L'élément le plus remarquable de ce lac est l'île Wizard, un pic volcanique de 237 m de haut, qui s'est formé dans les temps modernes.

Le lac du Cratère n'a pas d'émissaire ; cependant son niveau ne varie guère : l'eau de pluie tombant sur sa surface compense à peu près exactement le volume perdu par évaporation.

LE DÉSERT MOJAVE
États-Unis
Longitude 118° - 116° O —
Latitude 36° - 34° 5 N

Les terres arides du désert Mojave s'étendent au nord-est de Los Angeles, en Californie, et occupent une superficie de 38 850 km². Elles sont presque entièrement entourées de montagnes, notamment la Sierra Nevada au nord et à l'ouest. Au sud-est, le désert Mojave rejoint le désert du Colorado. Ss collines et ses ravins sont formés de roches sédimentaires contenant des minéraux, qui donnent au désert ses riches couleurs.

La moyenne annuelle des pluies dans le Mojave est de 12,5 cm, l'essentiel tombant en hiver. Pendant la plus grande partie de l'année, c'est un paysage aride, parsemé de cactus ; mais quand les rares pluies tombent, elles font jaillir sur le Mojave une éphémère floraison.

LE GRAND LAC SALÉ
États-Unis
Longitude 113° - 112° O —
Latitude 40° 7 - 41° 7 N

Ce gigantesque lac salé s'étend sur 2 600 km², au nord-ouest de Salt Lake City, la capitale de l'Utah. Il se trouve dans une dépression peu profonde, à 1 270 m au-dessus du niveau de la mer, et bien qu'il soit alimenté par plusieurs cours d'eau importants, il n'a pas d'émissaire.

Ce lac est tout ce qui reste du lac Bonneville, qui se forma après le dernier âge glaciaire, lorsque les glaciers se mirent à fondre. Le lac Bonneville couvrait jadis une surface près de 20 fois plus étendue que celle du Grand Lac Salé actuel, avec une profondeur maximale de 300 m.

La perte constante d'eau par évaporation a concentré les sels minéraux apportés par les rivières, de sorte que l'eau du lac est 6 fois plus salée que celle de la mer. Dans la région, les pluies

varient d'une année à l'autre : la profondeur moyenne du lac est de 4 m, mais dans les années pluvieuses elle s'accroît considérablement ; les nombreuses îles et les parties basses des rivages sont alors inondés, au grand dam des bisons et des mouettes qui y demeurent.

BRYCE CAÑON
États-Unis
Longitude 112° 3 O — Latitude 37° 4 N

Au cœur d'un parc national, dans le sud de l'Utah, ce réseau de cañons forme un paysage féerique, avec des sommets rocheux aux diverses nuances de rouge, flanqués de colonnes cannelées et de parois abruptes.

Le cañon s'étend sur 32 km de long, à l'extrémité orientale du plateau de Paunsaugunt, qui est constitué de couches de grès, de calcaire et de schiste. Lorsque ces roches se formèrent, sur le lit d'une mer aujourd'hui disparue, elles se sont mélangées avec une grande quantité de minéraux colorés. Parmi ceux-ci, les composés ferreux produisent les rouges, ceux de cuivre donnent les verts et ceux de manganèse les pourpres sombres. Le cañon a reçu le nom d'un fermier local, Ebenezer Bryce, qui le décrivit comme « un endroit infernal pour perdre une vache ».

LA TOUR DU DIABLE
États-Unis
Longitude 104° 7 O — Latitude 44° 6 N

La colossale Tour du Diable se dresse dans une région isolée du Wyoming, à 112 km à l'ouest de Deadwood. L'énorme monolithe, qui s'élève à 265 m au-dessus de la forêt environnante, est visible de plus de 150 km. La tour cannelée, au sommet plat, mesure 305 m de large à sa base et s'amincit progressivement jusqu'à son sommet, qui ne fait plus que 76 m.

L'ensemble des colonnes rocheuses de la région date de 50 millions d'années. À cette époque, des éruptions volcaniques expulsèrent une grande masse de roche fondue à travers le fond d'un océan. En se refroidissant, la roche prit l'aspect de colonnes semblables à celles de la Chaussée des Géants en Irlande. Lorsque le fond de l'océan fut poussé vers le haut

par des mouvements de la croûte terrestre, les sédiments tendres dont il était formé furent emportés, laissant subsister les colonnes de roche volcanique, qui résistèrent à la désagrégation.

LES GROTTES DE CACAHUAMILPA
Mexique
Longitude 99° 6 O — Latitude 18° 6 N

L'entrée de ces grottes, les plus vastes du Mexique, est située dans une étroite vallée, près de Taxco, à 150 km au sud-ouest de Mexico. Des rivières et des cours d'eau souterrains, en dissolvant le carbonate de calcium des collines calcaires environnantes, ont façonné des salles d'une taille remarquable et d'une grande beauté.

La grotte la plus vaste de Cacahuamilpa — nom aztèque signifiant « l'endroit où pousse la coca » — est longue de 1 380 m et haute de 70 m. Des stalagmites atteignant 40 m de haut et 20 m de large s'élèvent comme de vrais monuments sur le sol de la grotte ; plusieurs d'entre eux ont été baptisés de noms évocateurs, comme « La Puerta de los Querubinos » (« la Porte des Chérubins ») ou « Las Fuentes » (« les Fontaines »).

BLUE RIDGE
États-Unis
Longitude 84° - 77° 1 O — Latitude 40° 2 - 34° 5 N

Les monts de la Chaîne Bleue — Blue Ridge — s'étirent sur 1 000 km, du nord de la Georgie au sud de la Pennsylvanie, en passant par la Caroline du Nord et la Virginie. Lorsqu'on les contemple à distance, la ligne continue des sommets de la chaîne apparaît bleue, à cause de la diffusion de la lumière dans l'air limpide de la région.

La chaîne fait partie des Appalaches, qui apparurent il y a 300 millions d'années et furent jadis plus élevés que ne l'est aujourd'hui l'Himalaya. Érosion et désagrégation les ont réduits à leur altitude actuelle ; dans la Blue Ridge, le sommet le plus haut est le mont Grandfather, en Caroline du Nord, qui atteint 1 818 m.

Des plantes, telles que le rhododendron, l'épinette et l'airelle, qui s'étaient répandues à travers

la Blue Ridge au cours du dernier âge glaciaire, n'occupent plus aujourd'hui que les pentes les plus élevées, où le climat est resté froid.

LES EVERGLADES
États-Unis
Longitude 82° - 80° O — Latitude 27° - 25° N

Les Everglades sont des marécages qui s'étalent sur un vaste plateau et couvrent 10 240 km² dans le sud de la Floride. Leurs eaux viennent du lac Okeechobee, situé au nord, et qui est, avec une superficie de 1 810 km², le troisième lac d'eau douce des États-Unis par la taille.

Le climat humide, subtropical, des Everglades favorise la croissance des végétaux et entretient une profusion d'oiseaux aquatiques et autres animaux sauvages. Des herbes coupantes se répandent à travers l'eau peu profonde ; des acajous et des chênes-verts se développent sur les « hamacs » des îles sableuses peu élevées. Là où l'eau douce se mélange à l'eau de mer s'est développée une immense forêt de palétuviers — une mangrove —, l'une des plus vastes du monde.

Alligators et crocodiles sont les plus grands reptiles de la région ; les oiseaux sont représentés par plusieurs centaines d'espèces, telles que flamants, spatules roses, aigrettes, orfraies, cormorans, ibis et tantales. Depuis 1900, la population des Everglades a diminué de 90 %, à cause de la baisse des eaux.

LE COTOPAXI
Équateur
Longitude 79° 5 O — Latitude 0° 7 S

Le volcan couvert de neige de Cotopaxi s'élève à 5 897 m dans les Andes équatoriennes, à 56 km au sud de Quito, la capitale du pays, et à 80 km au sud de la ligne de l'équateur. Comme le mont Fuji au Japon, le Cotopaxi est un stratovolcan, et il a une forme symétrique. Sous un épais manteau de glace, la montagne est formée de couches de lave et de cendre solidifiées, qui sont le produit d'une série d'éruptions commencées il y a 70 000 ans.

La dernière grande éruption de ce cratère, large de 610 m, se produisit en 1877. L'émission fréquente de colonnes de fumée, ainsi que de petites éruptions régulières, révèlent que le Cotopaxi demeure en activité. En outre, le volcan provoque d'insolites avalanches de neige, d'eau et de poussière, car la montagne, par sa chaleur, fait fondre les couches inférieures de neige et précipite des centaines de tonnes de débris dans les vallées qui l'entourent.

LE LAC GUATAVITA
Colombie
Longitude 73° 5 O — Latitude 5° N

Le lac Guatavita se trouve dans les Andes colombiennes, à 50 km au nord-est de la capitale du pays, Bogota. Il est parfaitement circulaire et entouré de hauteurs abruptes couvertes de broussailles. Les origines de la dépression dans laquelle il se trouve n'ont pas encore été déterminées de façon satisfaisante : l'absence de lave et de cendre plaide contre une origine volcanique ; il n'y a pas non plus trace de fer ou de nickel, qui pourrait indiquer que le lac occupe un cratère creusé par une météorite.

Le lac a une profondeur de 100 m et un diamètre de 400 m. La grande entaille dans l'une des pentes qui l'entourent fut creusée en 1580 par les membres d'une expédition conduite par un Espagnol assoiffé d'or, Antonio de Sepulveda : il tenta d'assécher le lac pour atteindre l'or de l'Eldorado que l'on disait se trouver au fond.

La quête de l'or à Guatavita fut lancée par des rumeurs indiquant qu'une tribu locale, les Muiscas, intronisait son nouveau chef en l'enduisant d'or et en le plaçant ensuite sur les eaux du lac, où il aurait jeté de l'or et des émeraudes pour apaiser les dieux.

LE DÉSERT D'ATACAMA
Chili
Longitude 71° - 69° O — Latitude 28° - 22° S

Le désert d'Atacama s'étend du sud au nord sur 1 100 km dans le nord du Chili. Le long de l'océan Pacifique, à l'ouest, une chaîne de montagne, découpée de falaises abruptes et de ravins, se dresse jusqu'à 1 500 m. Le plateau central de l'Atacama s'élève à 1 000 m au-dessus du niveau de la mer et s'étend vers l'est jus-

qu'aux contreforts des Andes.

Ce désert passe pour être le plus sec du monde : en certains endroits il n'a jamais plu de mémoire d'homme, et il n'y a dans la région presque aucune végétation. Les vents chargés d'humidité qui proviennent du bassin de l'Amazone sont arrêtés par les Andes ; quant à ceux qui viennent de l'océan Pacifique, ils se délestent de leur pluie dans la mer à cause du courant de Humboldt, un courant froid qui coule depuis l'Antarctique vers le nord.

L'ACONCAGUA
Argentine / Chili
Longitude 70° O — Latitude 32° 5 S

L'Aconcagua n'est pas seulement la plus haute montagne de la chaîne des Andes, c'est aussi le sommet le plus élevé de l'hémisphère occidental. Culminant à une altitude de 6 960 m, l'Aconcagua se trouve sur la frontière entre le Chili et l'Argentine, à 110 km au nord-est de Santiago, la capitale du Chili.

La montagne est une énorme masse de roche volcanique. Elle se dresse sur une base de roche sédimentaire extrêmement ancienne, qui a été profondément déformée par les mouvements de la croûte terrestre. Modelé par d'immenses glaciers, qui subsistent encore sur la cime, l'Aconcagua a été gravi pour la première fois par Matthias Zurbriggen en 1897. Depuis lors, de nombreux alpinistes l'ont escaladé, malgré de furieux orages et des vents atteignant 250 km/h.

L'ORÉNOQUE
Venezuela
Longitude 68° - 61° O — Latitude 10° - 3° N

La lointaine source de l'Orénoque fut découverte en 1944 par observation aérienne ; on établit alors que le fleuve naissait près du mont Delgado Chalbrand, dans la Sierra Parima, qui fait partie du massif des Guyanes, vers la frontière entre le Venezuela et le Brésil. Sa longueur totale n'a pas encore été déterminée avec certitude ; les estimations varient entre 2 410 et 2 735 km.

Le cours supérieur de l'Orénoque est relié à l'Amazone par un chenal naturel navigable, le Brazo Casiquiare ; celui-ci a été découvert en 1800 par le natura-

liste allemand Alexandre de Humboldt. Le fleuve décrit ensuite un vaste arc de cercle à travers la forêt vierge et la savane, pour se jeter dans l'océan Atlantique, en face de l'île de Trinidad, par un delta qui couvre 20 200 km².

LES CHUTES ANGEL
Venezuela
Longitude 62° 5 O — Latitude 6° N

Les chutes Angel, les plus hautes du monde, restèrent ignorées jusqu'en 1935. Cette année-là, elles furent découvertes par l'aviateur américain Jimmy Angel, alors qu'il explorait les lointains plateaux des Guyanes, dans l'est du Venezuela. En 1949, une expédition confirma les déclarations de Jimmy Angel : il s'agissait bien des plus hautes chutes d'eau du monde.

La rivière sur laquelle se trouvent les chutes est le Rio Carrao, qui draine le plateau d'Auyan Tepuí, ou Montagne du Diable, à plus de 640 km à l'ouest de Georgetown, la capitale de la Guyana. La chute principale, ininterrompue, mesure 807 m ; des cataractes supplémentaires permettent d'atteindre un total de 979 m, un chiffre 16 fois supérieur à celui des chutes du Niagara. Lorsque l'eau du Rio Carrao plonge par-dessus l'escarpement de grès rouge, elle éclate en une immense projection de gouttelettes d'eau qui arrosent la forêt vierge environnante.

OCÉANIE

LE DÉSERT DE SIMPSON
Australie
Longitude 135° - 139° E — Latitude 27° - 33° S

De longues dunes parallèles de sable rouge caractérisent le désert de Simpson, qui s'étend essentiellement dans le Territoire du Nord, mais également dans une partie du sud-ouest du Queensland et du nord-ouest de l'Australie méridionale. S'étalant du lac Eyre aux monts Macdonnell, le désert couvre une superficie de 145 000 km², ce qui équivaut à peu près à celles de l'Angleterre et du Pays de Galles réunis.

La couleur du désert provient

de l'oxyde de fer qui recouvre chaque grain de sable. Les dunes, créées par le vent, sont orientées du nord-ouest vers le sud-est ; elles peuvent atteindre jusqu'à 290 km de long et 30 m d'épaisseur, avec des couloirs de séparation larges de 300 m.

Ce désert est le dernier refuge de mammifères comme la souris marsupiale à grosse queue. La végétation est composée essentiellement d'arbustes et d'herbes épineuses ; mais quand il pleut, le désert fleurit temporairement. La moyenne annuelle des précipitations est de 15 à 20 cm, répartis sur toute l'année.

LA FOSSE DES MARIANNES
Océan Pacifique
Longitude 142° - 148° E — Latitude 23° - 11° N

La fosse des Mariannes, le point le plus bas de la surface de la Terre, est une balafre profonde, en arc de cercle, sur le fond du nord-ouest de l'océan Pacifique, à l'est des îles Mariannes. Mesurant 2 550 km de long, sur une largeur moyenne de 69 km, la fosse part de la petite île d'Iwo Jima et s'incurve vers le sud-est.

Le point le plus profond du cañon sous-marin est Challenger Deep, qui se trouve à 11 034 m au-dessous du niveau de la mer : il est situé à 338 km au sud-ouest de l'île de Guam. Ce point a été atteint le 23 janvier 1960 par l'ingénieur suisse Jacques Piccard et l'océanographe Don Walsh, lieutenant de la marine américaine, dans le bathyscaphe *Trieste*. À travers les épais hublots de matière plastique du vaisseau, les explorateurs virent une plaine égale, sans aucun accident, que Piccard décrivit comme un « vide immense au-delà de toute compréhension ».

LES PARCS NATIONAUX DANS LE MONDE

Les parcs nationaux et les zones protégées existent parce que les hommes sentent qu'ils risquent de perdre le contact avec la nature. C'est aux États-Unis qu'est apparue pour la première fois, vers la fin du siècle dernier, la nécessité d'agir d'urgence pour protéger notre patrimoine naturel.

C'est là, dans un pays richement doté de merveilles naturelles, que quelques individus prévoyants pressèrent le gouvernement d'agir. Ils étaient essentiellement motivés par la dégradation rapide du paysage et par la décimation des populations indigènes. Le 1er mars 1872, Yellowstone fut officiellement proclamé « parc public et terrain de loisir, pour le profit et le plaisir de la population ». Et c'est ainsi que naquit le mouvement des parcs nationaux.

L'EXPANSION DES PARCS NATIONAUX

L'idée s'imposa aussitôt, surtout dans les pays possédant de vastes zones encore à l'état sauvage, mais menacées par l'exploitation humaine. Des parcs furent alors créés au Canada, en Australie, en Nouvelle-Zélande, en Afrique du Sud — grâce surtout à l'influence des Britanniques.

À la fin du XIXe siècle, le mouvement devint universel. Même en Europe, où la terre est souvent chère, la croissance industrielle accélérée fit naître des protestations. Des initiatives individuelles furent alors prises pour créer des parcs et prévenir la destruction du milieu naturel.

Les États-Unis, pionniers du mouvement, furent aussi les premiers à comprendre que le concept de parc national ne pouvait réellement fonctionner et avoir un sens à long terme que si une structure professionnellement organisée était capable de contrôler un site et de maintenir son intégrité. Le Service National des Parcs fut fondé en 1916, et il continue à établir, pour l'administration et la protection des parcs, des normes idéales qui font l'envie du monde entier.

L'ÉTABLISSEMENT DE NORMES FONDAMENTALES

Le titre de « parc national » a été appliqué dans certains pays, de manière assez inappropriée, à des zones qui, loin d'être à l'état sauvage, contenaient au contraire un fort taux d'activité humaine. Dans un effort pour imposer des critères internationaux, l'Union Internationale pour la Conservation de la Nature et de ses ressources (U.I.C.N.) a décidé que, pour mériter l'appellation de « parc national », un site devait : couvrir une surface minimale — déterminée en fonction de la densité de la population ; avoir un intérêt scientifique, éducatif et de loisir ; contenir des paysages naturels d'une grande valeur esthétique ; être protégé de l'exploitation et de l'occupation humaine aussi complètement que possible ; être ouvert aux visiteurs. Tous ces règlements visant à préserver l'intégrité du site doivent être mis en œuvre par les plus hautes autorités du pays.

En novembre 1972, fut établie la Convention pour la protection du patrimoine mondial culturel et naturel, destinée à fournir « un cadre à la coopération internationale pour la conservation des biens naturels et culturels exceptionnels de l'univers ». Le titre de « Site du patrimoine mondial » est très recherché.

Depuis les années 1960, le public est de plus en plus sensibilisé à la nécessité de protéger notre patrimoine naturel. Pourtant, l'intégrité de certains parcs nationaux est menacée par l'expansion urbaine, industrielle et commerciale, et aussi par le simple nombre des visiteurs.

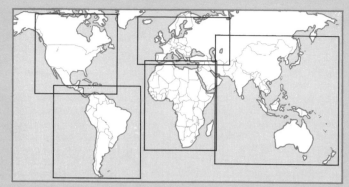

AMÉRIQUE DU NORD

AMÉRIQUE DU SUD

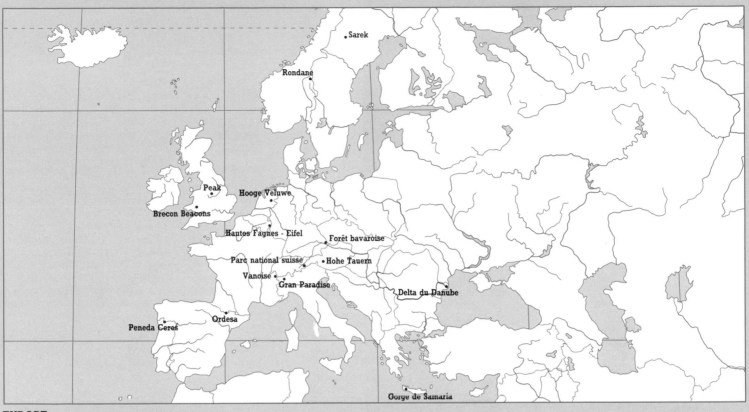

EUROPE

ASIE et OCÉANIE

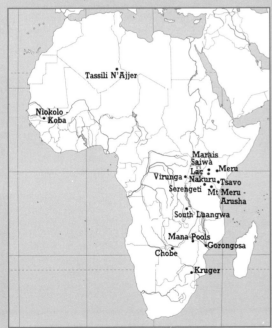

AFRIQUE

*CES 5 CARTES
représentant
l'Amérique du Nord,
l'Amérique du Sud,
l'Afrique, l'Europe, l'Asie
et l'Océanie,
indiquent l'emplacement
des parcs nationaux
et d'autres réserves
décrits
aux pages suivantes.*

EUROPE

Les réalités géographiques et la densité des populations font que les seuls parcs nationaux d'Europe qui puissent être vraiment définis comme étant « à l'état sauvage », se trouvent en Scandinavie ou dans des régions de montagnes reculées, peu accessibles, dans les Alpes ou les Pyrénées.·

Ailleurs, en Grande-Bretagne par exemple, l'appellation de « parc national » ou de « parc naturel » a été donnée à des régions d'une grande beauté naturelle, mais qui sont aussi habitées et, dans une certaine mesure, exploitées par l'homme.

La lutte pour l'espace est vive, et ces zones spéciales peuvent, dans certains cas, servir d'aires de loisir. Elles sont le terrain de conflits fondamentaux d'intérêts entre les conservateurs et les promoteurs. Le district des lacs, en Angleterre, s'est vu refuser en 1988 le statut convoité de « Site du patrimoine mondial » à cause d'un développement inapproprié à l'intérieur de ses limites.

CONSERVATION DE LA NATURE

C'est à l'initiative privée qu'est due une bonne part des milliers de réserves et de parcs disséminés en Europe. Nombreux sont ceux qui furent, en effet, protégés dès le XIXᵉ siècle en tant que réserves cynégétiques pour la noblesse.

L'English national trust commença à acquérir des terres dès 1895, et la Société néerlandaise pour la conservation de la nature — Vereniging tot Behoud van Natuurmonumenten — fut créée en 1905.

En Allemagne, le Verein für Naturschutzpark, fondé dans les premières années du XXᵉ siècle, a promu l'idée de parcs naturels réservés en premier lieu aux activités de loisir, mais dans lesquels le caractère du paysage serait également préservé dans la mesure du possible.

Quelques-unes des réflexions les plus éclairées, au niveau gouvernemental, sont venues de la Suède et de la Suisse, deux pays où la terre est à ménager. La Suède fut le premier pays d'Europe à suivre l'exemple des États-Unis, en créant quatre parcs nationaux dès 1909.

PARC NATIONAL DE **PENEDA CERES**
PORTUGAL (Minho)
Créé en 1970
600 km²

Dans une région célébrée depuis longtemps pour la splendeur de son paysage, ce parc en forme de fer à cheval offre des sommets et des vallées, des escarpements de granite et des torrents. Les montagnes sont de taille modeste : la plus élevée est le mont Nerosa, avec 1 545 m. Les fortes pluies qui tombent sur le parc tout au long de l'année entretiennent une flore très variée ; parmi ses 18 espèces endémiques de plantes à fleurs, se trouve le rare *Iris boissieri*. Le parc abrite une espèce peu commune de lézard, le lézard vert de Schreiber, que l'on ne trouve que dans cette région du Portugal et dans le Nord-Ouest de l'Espagne.

PARC NATIONAL DE **BRECON BEACONS**
GRANDE-BRETAGNE (Pays de Galles)
Créé en 1957
1 344 km²

Entre *la* montagne Noire à l'ouest et *les* montagnes Noires à l'est, quatre masses obliques de grès rouge et de grès de construction constituent l'une des zones montagneuses les plus attractives du Pays de Galles. De beaux lacs, dont plusieurs sont associés à une légende locale, se nichent dans des cirques — *cwm* en gallois — élevés ou dans des creux formés par des glaciers, au-dessous d'escarpements faisant face au nord ; l'un de ces lacs est le Llyn Cwm-llwch, qui passe pour être sans fond et se trouve au pied de Pen-y-Fan, la plus haute montagne de la région (886 m), dont le sommet plat et l'escarpement abrupt sont typiques. La partie sud du parc est caractérisée par de profondes gorges boisées, des arêtes escarpées et de nombreuses grottes.

Trois réserves naturelles, ainsi que plusieurs sites d'intérêt scientifique particulier, ont été isolés à l'intérieur du parc. Faune et flore sont abondantes et variées, avec d'une part des putois et des blaireaux, des brochets et des anguilles — qui atteignent une grande taille dans le lac Llangorse —, et d'autre part une grande diversité de plantes arctico-alpines sur plusieurs hauteurs exposées au nord.

PARC NATIONAL DU **PEAK**
GRANDE-BRETAGNE (Angleterre)
Créé en 1951
1 404 km²

Le district du Peak, le premier de Grande-Bretagne à avoir été érigé en parc national, est une région d'une extraordinaire beauté naturelle, à proximité de plusieurs zones industrielles importantes.

Situé à l'extrême sud de la chaîne Pennine, le parc renferme quelques-unes des plus belles hauteurs d'Angleterre. Il se divise en gros en une zone nord, de grès dur, dite Dark Peak, constituée de landes désertes, avec des escarpements abrupts, de larges vallées, de nombreuses rivières et chutes d'eau ; et une zone sud, de calcaire, dite White Peak, caractérisée par des vallons boisés, des gorges profondes, de vastes grottes et des escarpements blancs.

PARC NATIONAL D'**ORDESA**
ESPAGNE (Aragon)
Créé en 1918
157 km²

Le parc d'Ordesa est contigu au parc national français des Pyrénées occidentales, et c'est l'un des deux plus anciens parcs nationaux d'Espagne. Avec son voisin français, il constitue la zone protégée la plus vaste d'Europe (1 000 km²).

Une extraordinaire variété de paysages — chutes d'eau, forêts, falaises, gorges, glaciers — abrite une grande diversité de flore et de faune endémiques. L'ancolie et le saxifrage pyrénéens sont deux espèces de fleurs particulières à la région. Parmi les petits mammifères, on peut citer le desman pyrénéen, un animal ressemblant à une taupe, avec une longue queue et un museau caractéristique. Dans le parc français se trouve protégée une petite colonie d'ours bruns.

PARC NATUREL DES **HAUTES FAGNES-EIFEL**
BELGIQUE (Liège)
Créé en 1971
500 km²

Le parc naturel des Hautes Fagnes-Eifel, situé dans l'une des plus anciennes forêts d'Europe, les Ardennes, est la plus grande réserve nationale belge. Longeant la frontière avec l'Allemagne de l'Ouest, il jouxte le parc naturel germano-luxembourgeois, dont la partie sud est presque entièrement occupée par la pittoresque vallée de l'Our. Les petits champs et les haies de hêtres de la région centrale contrastent avec les grandes forêts de sapins et de hêtres des hautes terres.

La réserve naturelle des Hautes Fagnes s'étend sur un plateau marécageux, couvert de bruyères. Ses tourbières abritent un nombre exceptionnel de plantes de marécages, parmi lesquelles l'asphodèle des marais et le gobe-mouches commun. La faune permanente comprend des sangliers, des chats sauvages, ainsi que des cerfs et des chevreuils. De nombreuses espèces intéressantes d'oiseaux nichent dans la réserve : merles à collier, hiboux de Tengelman, boisselières...

PARC NATIONAL DE LA **HOOGE VELUWE**
PAYS-BAS (Gueldre)
Créé en 1930
46 km²

La réserve naturelle de Deelerwoud relie les parcs de la Hooge Veluwe et du Veluwezoom, qui sont tous deux sous contrôle privé. Les dunes instables de la Hooge Veluwe qui, il y a cent ans, formaient un désert, ont été maintenant fixées par des plantations d'arbres.

Landes de bruyères, dunes intérieures et herbages abritent une variété de flore pleine d'intérêt. À côté du pin d'Écosse, qui menace d'envahir une grande partie de la lande, le chêne, le genévrier et le hêtre ont leur place, ainsi que beaucoup de plantes rares, comme la morgeline verte d'hiver et la vipérine naine. Le cerf et le mouflon ont été introduits dans la zone, où vivaient déjà d'autres mammifères, tels que renards, blaireaux, putois, martres des pins, sangliers et chevreuils.

PARC NATIONAL DE LA **VANOISE**
FRANCE (Savoie)
Créé en 1963
528 km²

Lacs, glaciers et moraines sont dominés par plusieurs sommets impressionnants, dans cette zone intérieure des Alpes bordée par les vallées de l'Arc et de l'Isère et contiguë au parc national italien du Gran Paradiso ; la Pointe de la Grande Casse en est le sommet le plus élevé, avec 3 852 m.

La flore est remarquable, avec notamment l'asphodèle et le séneçon alpins. Comme petits mammifères, on peut citer la marmotte, le lièvre des montagnes, la belette et le renard ; parmi les grands mammifères, le bouquetin et le chamois. Le parc abrite aussi une grande variété d'oiseaux intéressants, tels que l'aigle royal, le chardonneret, le lagopède alpin et la bartavelle.

Comme d'autres parcs nationaux français, le parc de la Vanoise est divisé en plusieurs secteurs : à l'intérieur du parc lui-même se trouvent deux réserves naturelles, celle du col de l'Iseran et celle de Tignes ; tout autour du parc s'étend une zone périphérique, appelée « préparc » ; chacun de ces secteurs a ses propres règlements de conservation, qui diffèrent de ceux du parc proprement dit.

PARC NATIONAL DU **GRAN PARADISO**
ITALIE (Piémont / Val d'Aoste)
Créé en 1922
700 km²

Région d'une extraordinaire beauté naturelle située dans les chaînes de montagnes du Nord-Ouest de l'Italie, ce parc est contigu au parc national français de la Vanoise. Les sommets alpins, dont le plus haut s'élève à 4 061 m, contrastent avec les vallées boisées et les prairies pittoresques ; en juin, ces dernières sont envahies de fleurs, qui attirent une grande variété de papillons.

Sans l'existence du parc national du Gran Paradiso, les bouquetins auraient été condamnés à disparaître ; aujourd'hui, ceux-ci et les chamois sont en nombre si important que des mesures doivent être prises pour les contrôler. Les bouquetins, qui vivent normalement vers 3 000 m, descendent la nuit dans les zones plus basses de la montagne et remontent au petit matin.

La plupart des autres grands mammifères, y compris les loups et les ours bruns, furent exterminés par les chasseurs avant l'établissement du parc ; il reste aujourd'hui de petits mammifères, tels que renards, lièvres des montagnes et lièvres bruns. Le parc abrite en outre plus de 80 espèces d'oiseaux, parmi lesquels l'aigle royal, le grand-duc, le lagopède alpin, le lagopède blanc et le pinson des neiges.

PARC NATIONAL **SUISSE**
SUISSE (Grisons)
Créé en 1914
169 km²

Le Parc national suisse est le modèle des parcs nationaux européens. Il est situé dans une région de haute montagne, dans la vallée de l'Engadine, et jouxte le parc national italien du Stelvio. Sommets élevés, torrents et forêts s'unissent pour en faire l'une des zones de conservation de la nature les plus belles et les mieux administrées d'Europe.

Au milieu de cette magnificence naturelle, le parc entretient une faune abondante et variée : marmottes et chamois y sont communs, et les bouquetins, qui s'y étaient éteints au XIXᵉ siècle, y prospèrent à nouveau. On y a réintroduit des rennes, disparus il y a soixante-quinze ans, et ils sont maintenant si prolifiques que les pâturages viennent à leur manquer. Parmi les espèces d'oiseaux rares, on peut citer le pic noir, le coq de bruyère, le grand-duc et l'aigle royal. Au début de l'été, les prairies alpines offrent un chatoiement éblouissant d'hélianthèmes, de gentianes et d'orchidées.

PARC NATIONAL DES **RONDANE**
NORVÈGE
Créé en 1962
572 km²

Les Rondane, le premier parc national de Norvège, possèdent 10 sommets de plus de 2 000 m, ainsi qu'un grand nombre de formations glaciaires caractéristiques : canons, cirques, moraines, pentes abruptes.

En dehors d'une petite zone forestière, le parc n'a qu'une végétation alpine éparse. Outre 300 rennes sauvages, il abrite des gloutons et des élans ; on trouve des loutres et des visons le long des cours d'eau ; on peut voir des phalaropes au cou rouge au bord des lacs du Sud, tandis que des pluviers guignards et des pluviers dorés fréquentent les landes plus élevées.

PARC NATIONAL DES **HOHE TAUERN**
AUTRICHE (Salzbourg)
Créé en 1976
2 589 km²

C'est en 1923 que l'on commença à songer à faire de cette magnifique région des Alpes, avec ses sommets, ses vallées et ses chutes d'eau, un parc naturel. Outre le Grossglockner, le mont le plus élevé d'Autriche avec 3 797 m, les Hohe Tauern possèdent l'un des plus vastes glaciers des Alpes orientales et des chutes d'eau impressionnantes, les chutes de Krimml qui, avec leurs 4 000 m de dénivellation, sont les huitièmes du monde pour la hauteur. C'est également dans ce parc que se trouve le plus haut point d'Europe accessible en voiture, l'Edelweiss-Spitze, à une altitude de 2 571 m.

Des forêts de conifères — sapins, pins et mélèzes — offrent un gîte à des mammifères tels que cerfs, chamois, lièvres et marmottes. De nombreuses espèces d'oiseaux rares, comme le hibou pygmée, l'aigle royal, le pinson des neiges et le gypaète barbu, viennent nicher dans le parc.

PARC NATIONAL DE LA **FORÊT BAVAROISE**
ALLEMAGNE DE L'OUEST (Bavière)
Créé en 1969
120 km²

Le parc de la Forêt Bavaroise, l'un des deux parcs nationaux officiels de l'Allemagne — le second est également dans les Alpes bavaroises, à Berchtesgaden —, s'étend le long de la frontière tchèque. Dans le nord-ouest du parc, presque entièrement couvert de forêts, une extraordinaire réserve naturelle entoure le Rachelsee. La petite réserve de Neuschonau fournit un refuge aux grands mammifères qui hantaient autrefois ces lieux à l'état sauvage : bison, lynx, ours, loup.

C'est le sapin qui prédomine en altitude, tandis que, plus bas, l'on trouve des forêts d'essences diverses ; là, la végétation au sol est plus abondante et inclut la rare gentiane de Hongrie, une plante que l'on ne trouve nulle part en dehors des Alpes. Les vallées les plus humides sont caractérisées par les *filze*, des coussins de mousse géants pouvant atteindre jusqu'à 5 m d'épaisseur. Le chardon des neiges, la renoncule des montagnes et la droséra poussent sur les rives des rivières du parc.

PARC NATIONAL DE **SAREK**
SUÈDE (Laponie)
Créé en 1909
1 940 km²

Sarek est une région de montagnes d'une beauté à couper le souffle ; elle est si lointaine qu'elle est restée en grande partie intacte. Avec quatre autres réserves, elle englobe la plus vaste région désertique d'Europe, la Laponie suédoise, qui s'étend sur 8 430 km².

Le parc contient plus de 90 sommets dépassant 1 800 m d'altitude, de nombreuses gorges spectaculaires, une centaine de glaciers, des chutes d'eau, des marécages et des forêts. Les plantes sont de celles qui supportent les conditions de vie de l'Arctique ; en été, les zones alpines se couvrent d'une splendide parure de fleurs blanches de chêneau.

Les loups ont pratiquement disparu de la région, mais on peut apercevoir occasionnellement des lynx, des gloutons et des ours ; plus faciles à voir sont les renards polaires et les élans. Des aigles royaux hantent les montagnes, tandis que des stercoraires à longue queue nichent dans la haute toundra.

PARC NATIONAL DE LA **GORGE DE SAMARIA**
GRÈCE (Crète)
Créé en 1953
8 km²

Considérée comme l'une des sept merveilles naturelles d'Europe, cette gorge spectaculaire aux escarpements abrupts a reçu en 1979 le Diplôme européen pour la conservation de la nature, décerné par le Conseil de l'Europe. Partant du côté sud du plateau d'Omalos, elle descend jusqu'à la mer en un profond sillon long de 18 km.

À son point le plus étroit, la gorge de Samaria ne mesure que 3,5 m de large, entre des parois rocheuses rouges et grises qui s'élèvent à la verticale jusqu'à 300 m de hauteur. La chèvre sauvage de Crète vit dans ce parc, qui renferme par ailleurs 14 espèces endémiques de fleurs dont la belle *Paeonia clusii*, avec ses grandes corolles blanches.

RÉSERVE NATURELLE DU **DELTA DU DANUBE**
ROUMANIE (Dobroudja)
Créée en 1962
400 km²

Un grand nombre d'oiseaux aquatiques migrateurs provenant d'Asie et d'Europe du Nord hivernent dans le delta du Danube, où le climat est nettement plus doux que dans le reste de l'Europe orientale. Rivières, marécages et lacs, mais aussi roselières flottantes, dunes et zones de terrain toujours sec, abritent des oies, des canards, des échassiers ; on peut citer en particulier l'oie à gorge rouge.

AFRIQUE

Ce sont les territoires coloniaux français et britanniques qui, sur ce continent, adoptèrent les premiers le concept de parc national lancé par les États-Unis. Le premier à voir le jour fut la réserve de gibier de Sabie, en Afrique du Sud, créée en 1898 et rebaptisée parc national Kruger en 1926. La philosophie qui présidait originellement à la création de ces parcs était, comme aux États-Unis, la protection de vastes zones encore à l'état sauvage et la préservation de leur beauté naturelle. Mais cette protection ne s'étendait pas à la faune qui était souvent la proie de grands chasseurs. Aujourd'hui, bien que la chasse soit illégale dans la plupart des réserves africaines, le respect de la loi est en général difficile à obtenir.

Les parcs nationaux furent conservés lorsque ces pays obtinrent leur indépendance, parce qu'ils représentaient non seulement un élément de prestige, mais aussi une source importante de revenus. Le Kenya, par exemple, retire plus du profit du tourisme que de toute autre ressource, et dans la décennie 1965-1975 le nombre de ses visiteurs est passé de 11 000 à 1,5 million par an.

PROTECTION DES ANIMAUX

Les animaux sont aujourd'hui l'attraction principale des parcs africains, et des mesures ont été prises pour qu'ils puissent être observés en toute sécurité. À l'intérieur des parcs, certaines zones ont été équipées, avec des campements pour safaris et des points d'eau artificiels pour attirer les animaux.

Cependant, la création de réserves spéciales pour la faune, est une arme à double tranchant. Tout en sauvant littéralement la vie à de nombreuses espèces menacées d'extinction, les réserves ont aussi créé des problèmes. Dans certaines régions d'Afrique, les conservateurs des parcs sont confrontés à la nécessité d'éliminer certains animaux pour résoudre les difficultés provoquées par l'énorme accroissement de leur population. La défoliation des arbres par les éléphants d'Afrique en est un exemple. L'expansion humaine est également une menace pour l'intégrité des parcs.

PARC NATIONAL DU **NIOKOLO-KOBA**
SÉNÉGAL
Créé en 1962
8 130 km²

Ce parc, le plus grand parc national du Sénégal, fut aussi, jusqu'en 1986, le seul vraiment important en Afrique occidentale. Arrosé par trois cours d'eau, dont le principal est la Gambie, c'est une immense réserve, qui ne redevient pas un désert à la saison sèche.

Étangs, lacs et gorges contribuent à la beauté du paysage. De hautes herbes, parmi lesquelles de superbes bambous, couvrent ce pays de vastes savanes, qui procurent un refuge à une grande variété d'animaux sauvages. Un grand nombre d'espèces existent ici en populations abondantes : élans de Derby, léopards, chiens sauvages, éléphants, bubales.

Des statistiques impressionnantes font état de 70 espèces de mammifères, 35 de reptiles, et des milliers d'oiseaux regroupant plus de 325 espèces recensées.

PARC NATIONAL DU **TASSILI N'AJJER**
ALGÉRIE (Sahara)
Créé en 1972
3 000 km²

Ce parc national, qui est aussi un « Site du patrimoine mondial », va s'étendre progressivement jusqu'à une superficie totale de 70 000 km². D'extraordinaires « forêts de roc » sculptées dans du grès érodé sont le phénomène géophysique le plus étonnant du parc. Tout aussi impressionnantes, et ayant une importance certaine tant sur le plan historique que géologique, sont les anciennes peintures et gravures rupestres trouvées dans cette région du Sahara.

Des dessins d'hippopotames prouvent qu'à l'époque préhistorique la région était beaucoup plus humide qu'aujourd'hui et pouvait accueillir des animaux vivant dans l'eau. Buffles, rhinocéros, girafes et éléphants — tous disparus de la région depuis plusieurs milliers d'années — sont également représentés. Les troupeaux de bétail, figurés dans les peintures les plus récentes, peuvent avoir été en partie responsables, par une surconsommation des herbages, de l'ultime désertification de la région.

PARC NATIONAL DE LA **CHOBE**
BOTSWANA
Créé en 1961
10 830 km²

Vaste pays peu peuplé et généralement aride, le Botswana possède un grand nombre de magnifiques réserves naturelles, dont la fameuse réserve de gibier du Kalahari central. Le parc de la Chobe, qui s'étend le long des vallées des rivières Chobe, Ngwezumba et Savuti, offre une riche variété de paysages. Outre des marécages, il y a des forêts, des prairies et des déserts. La Chobe est la villégiature favorite des hippopotames et les lions hantent les marais de la Savuti. Parmi les autres prédateurs, on trouve des hyènes, des guépards et des léopards. On y trouve également nombre de grands mammifères : éléphants, buffles, zèbres, girafes, et 18 espèces d'antilopes.

PARC NATIONAL DES **BIRUNGA**
ZAÏRE (Kivu)
Créé en 1925
8 090 km²

Le parc des Birunga est contigu à celui du massif des Ruwenzori, en Ouganda, et au parc national des Volcans, au Ruanda ; il offre une vaste gamme de milieux différents. Le mont Ruwenzori, couronné de neiges éternelles, est le plus haut des huit sommets volcaniques du parc, dont deux sont encore actifs.

Une grande diversité de terrains — marécages, plateaux de lave, savane — abrite une flore tout aussi variée, présentant souvent d'étonnants contrastes ; sur le massif des Ruwenzori, la flore afro-alpine l'emporte aux niveaux supérieurs sur la forêt équatoriale. On affirme en outre qu'aucun autre parc d'Afrique n'offre une faune d'une telle diversité ; particulièrement remarquable est le gorille des montagnes, que l'on trouve dans les forêts de bambous.

PARC NATIONAL DES **MANA POOLS**
ZIMBABWÉ
Créé en 1962
2 210 km²

La région des Mana Pools, l'une des rares à subsister à l'état sauvage en Afrique australe, est une zone boisée le long du Zambèze. Cette large étendue de forêts, parsemée d'étangs — *pools* — cachés, se trouve dans la plaine d'inondation du fleuve et est entourée d'escarpements vertigineux.

Lorsque la contrée environnante est sèche, la région des Mana Pools reste luxuriante et humide, et exerce donc un irrésistible attrait sur la faune sauvage. Les animaux y viennent de plus de 100 km à la ronde, et ils sont particulièrement nombreux à la saison sèche. Parmi eux se trouvent plusieurs espèces menacées — le rare rhinocéros noir, le léopard, l'éléphant — ainsi que des guépards et des chiens sauvages. On observe également de nombreuses espèces d'oiseaux autour des étangs.

PARC NATIONAL DE LA **SOUTH LUANGWA**
ZAMBIE (Province du Nord)
Créé en 1938
9 100 km²

C'est l'un des trois parcs nationaux de la vallée de la Luangwa, le plus accessible et aussi le plus vaste de tous les parcs de Zambie. Il s'étend sur la rive occidentale de la Luangwa, où des zones herbeuses alternent avec des bois, tandis que des montagnes s'élèvent de chaque côté. Le parc offre une riche variété d'oiseaux aquatiques le long de la rivière et au bord des lacs ; les plus notables sont l'aigle ichtyophage et le guêpier bleu carmin. Des grues huppées, des cigognes au bec mantelé et des tantales se rencontrent également dans la vallée.

Le rhinocéros noir, qui faisait autrefois la gloire de la région, a été presque entièrement exterminé. En revanche, le parc possède une sous-espèce unique de girafe, la girafe de Thornicroft, ainsi que de nombreux zèbres, koudous, cobs et éléphants. C'est le meilleur endroit de Zambie pour voir des hippopotames hors de l'eau.

PARC NATIONAL **KRUGER**
AFRIQUE DU SUD (Transvaal)
Créé en 1898
19 485 km²

Le parc national Kruger porte ce nom depuis 1926 ; auparavant, c'était la réserve de gibier de Sabie, la première zone protégée en Afrique du Sud. Cette longue bande étroite orientée nord-sud est encore la plus vaste réserve de ce pays. Comme le parc est entièrement clôturé, excepté aux endroits où les rivières passent dans le Mozambique voisin, les habitudes migratoires naturelles de ses habitants sont considérablement entravées.

Le parc Kruger est reconnu internationalement pour être l'une des plus belles réserves de faune sauvage dans le monde. Un programme strict d'organisation a été mis au point pour le contrôler à l'intérieur des limites du parc, ce qui implique quelques « éliminations ». Et comme les animaux ne peuvent pas quitter le parc pour aller chercher de l'eau, ce sont les gardes qui doivent assurer un approvisionnement adéquat pendant la saison sèche.

Le parc Kruger offre un refuge aux animaux menacés que sont les rhinocéros blancs et noirs. Parmi les autres mammifères, on trouve des éléphants, des hippopotames, de nombreuses espèces d'antilopes, des chacals rouges, des girafes, des lions, des guépards, des hyènes et des léopards. 400 espèces d'oiseaux sont en outre recensées dans le parc, parmi lesquelles l'autruche.

PARC NATIONAL DE **GORONGOSA**
MOZAMBIQUE (Manica e Sofala)
Créé en 1920
3 770 km²

Quatre milieux distincts se partagent le parc de Gorongosa, situé entre une chaîne de montagnes et un plateau : des marécages contrastent avec des broussailles, une jungle subtropicale et des herbages ouverts.

La faune du parc comprend plusieurs grands mammifères africains : hippopotames, éléphants, rhinocéros, léopards, buffles, zèbres, antilopes et singes, ainsi que deux espèces de crocodiles. Le rollier d'Afrique, la grue couronnée et la spatule ont été signalés. Parmi les attractions vedettes de Gorongosa, il faut citer les lions, qui ont élu domicile dans un groupe de maisons abandonnées.

PARC NATIONAL **SERENGETI**
TANZANIE
Créé en 1959
14 763 km²

Des collines isolées et des *kopjes* — petits affleurements rocheux — donnent un peu de relief aux étendues de steppes herbeuses qui couvrent une bonne part du Serengeti. Cet immense parc est renommé pour abriter la plus importante population d'animaux de plaine du monde. À côté de 2 500 éléphants, 200 rhinocéros noirs y ont trouvé refuge, de même que nombre de grands prédateurs — hyènes, léopards, guépards. Le Serengeti abrite aussi la plus importante concentration de lions d'Afrique.

Chaque année, le parc offre le spectacle d'un phénomène extraordinaire : la migration d'une multitude d'antilopes et leurs accouplements ; avec 24 espèces au total, elles comprennent notamment 2 millions de gnous et 900 000 gazelles de Thomson ; il y a aussi 3 000 zèbres. La migration commence avec la saison sèche, lorsque les animaux quittent l'est du Serengeti et traversent le parc pour gagner les herbages qui s'étendent au bord des rivières, le long du couloir occidental.

PARC NATIONAL DU **LAC NAKURU**
KENYA
Créé en 1961
572 km²

Le lac Nakuru, l'un des plus beaux des petits parcs nationaux du Kenya, est célèbre pour ses fabuleuses colonies de flamants. Ceux-ci se rassemblent par centaines de milliers pour festoyer grâce aux algues qui prospèrent sur leurs fientes, frangeant de rose tout le pourtour du lac.

Dans le passé, leur nombre a, par moments, dépassé les 2 millions. À la fin des années 1970, cependant, ils se mirent à se déplacer vers d'autres lacs de la région ; on pense que c'est l'accroissement de la salinité des eaux et une augmentation du nombre des pélicans — attirés par le poisson *tilapia* introduit alors dans le lac — qui les firent partir. Dans les années 1980, ils revinrent en nombre impressionnant ; mais leur présence n'est désormais plus « garantie ». Bien d'autres espèces d'oiseaux sont présentes dans le parc : 400 environ ont été recensées, dont un nombre élevé dans le pays boisé qui entoure le lac.

PARC NATIONAL DU **MARAIS SAIWA**
KENYA
Créé en 1974
192 ha

Saiwa, le plus petit des parcs nationaux du Kenya, fut créé pour protéger une espèce menacée d'antilope semi-aquatique appelée *sitatunga*.

Le *sitatunga* est un animal brun rougeâtre, avec de grandes oreilles ; ses sabots, allongés et tournés vers l'extérieur, sont également caractéristiques. Cependant on le voit rarement car cette antilope passe la plupart du temps enfoncée jusqu'au cou dans le marécage. On trouve aussi le *sitatunga* en Afrique centrale et occidentale, et peut-être dans la région du lac Victoria. Saiwa procure également un refuge au céphalophe, à trois variétés de singes et à une multitude d'oiseaux, dont le plus insolite est la grue couronnée.

PARC NATIONAL DU **MONT MERU-ARUSHA**
TANZANIE
Créé en 1962
137 km²

Le mont Meru, qui s'élève à 4 630 m, est le quatrième sommet d'Afrique. Ce n'est que tardivement qu'il fut joint à l'emprise originelle du parc, qui peut être en gros divisé en trois zones : les forêts et la brousse au nord du Ngurdoto, les lacs Momela et le cratère du Meru lui-même. Le terrain, généralement accidenté, est adouci par les herbages luxuriants qui entourent les lacs, conséquence d'un phénomène inhabituel de partage des eaux dû à la formation de la *caldeira* du Meru.

L'une des principales attractions du parc est le cratère de Ngurdoto : large de 2,5 km, il est entouré de forêts. On l'a décrit comme « une Afrique en miniature » : le cratère de Ngurdoto est une reproduction à petite échelle du cratère de Ngorongoro. De divers points de son pourtour, on peut observer la faune nombreuses et variée du parc.

Les zones boisées offrent un refuge aux rhinocéros, buffles, hyènes, girafes, éléphants et à plusieurs autres grands mammifères. Le meilleur endroit pour les observer se situe en bordure des lacs Momela, où ils vont boire ; on a, de là, de magnifiques vues sur le mont Kenya et sur le Kilimandjaro.

PARC NATIONAL DE **MERU**
KENYA
Créé en 1967
880 km²

Le privilège du parc de Meru, en dehors de son paysage saisissant, c'est d'être l'un des moins fréquentés et donc l'un des moins perturbés des parcs nationaux du Kenya.

Les cours d'eau permanents de la région entretiennent une végétation luxuriante, avec des marécages, de hautes herbes, des forêts et des palmiers impressionnants. C'est à Meru qu'Elsa, la célèbre lionne qui fut l'héroïne du livre de Joy Adamson, *Born Free (Vivre libre)*, fut rendue à la liberté. Les tortues abondent dans le Rojewero, la plus grande rivière du parc. Éléphants, buffles, zèbres et girafes sont également nombreux.

L'attraction vedette du parc est le rhinocéros blanc, si précieux qu'il est protégé des braconniers jour et nuit. Disparu du Kenya depuis les temps préhistoriques, ce rhinocéros a été réintroduit dans le parc de Meru.

PARCS NATIONAUX DE **TSAVO**
KENYA
Créés en 1948
20 821 km²

Les parcs nationaux de Tsavo Est et Tsavo Ouest constituent ensemble l'un des plus vastes parcs nationaux du monde. Des deux, c'est Tsavo Ouest, avec son escarpement bien arrosé et ses paysages volcaniques, qui est le plus visité. Tsavo Est est plus aride, avec de vastes plaines de brousse sèche ; plus des deux tiers en sont fermés au public afin de protéger les troupeaux d'éléphants et de rhinocéros.

Les rhinocéros noirs, dont les effectifs étaient évalués entre 6 000 et 9 000 en 1969, n'étaient plus qu'une centaine en 1981, décimés par le braconnage.

Les éléphants sont particulièrement nombreux à Tsavo, mais on peut y voir aussi d'autres grands mammifères, surtout près des campements : gazelles, zèbres, buffles et oryx. Tsavo est aussi intéressant pour les ornithologues parce qu'il se trouve sur un « couloir aérien » d'oiseaux migrateurs.

La principale attraction du parc est constituée par les chutes Mzima qui déversent plus de 200 millions de litres d'eau par jour ; l'extraordinaire pureté de cette eau est due à la lave, ceci étant particulièrement évident dans les affleurements noirs du flot pétrifié de Shetani, qui descend du mont du même nom.

ASIE

Les parcs nationaux en Inde et dans le reste de l'Asie ont été en général inaugurés par les gouvernements coloniaux, essentiellement pour protéger la flore et la faune sauvages. Ce sont les Britanniques et les Français qui introduisirent ce concept dans les divers territoires qu'ils occupaient, et les Américains firent de même aux Philippines.

Les Chinois montrent aujourd'hui un intérêt grandissant pour les problèmes de la conservation de la nature ; ils sont en train de créer un parc national à Xishuangbanna, dans la province du Yunnan, avec l'appui du World Wildlife Fund. Plusieurs réserves existent déjà afin de protéger le grand panda.

Les Japonais ont adopté avec enthousiasme l'idée des parcs naturels, et leurs îles en sont abondamment pourvues. Cependant la densité de la population et la limitation de l'espace — à l'exception peut-être de l'île septentrionale de Hokkaïdo — impliquent qu'il n'y ait pas vraiment de région à l'état sauvage. De fait, la plupart des parcs nationaux japonais sont des aires de loisir.

PARCS NATIONAUX EN UNION SOVIÉTIQUE

Déjà sous le régime tsariste, les Russes avaient, eux aussi, embrassé avec enthousiasme l'idée de préserver la nature, et ils avaient créé de nombreuses réserves naturelles, bien que ce fût une époque de grande effervescence politique. Le but principal de ces zones protégées était de procurer un refuge au bison d'Europe. Quoique la région entourant le lac Baïkal ait été proclamée officiellement parc national, l'URSS a pu, avec ses vastes étendues sauvages et une faible densité de population, pratiquer la conservation des richesses naturelles sans avoir à créer nécessairement des zones spécialement protégées.

L'intérêt pour l'environnement a été évident dès les premiers jours du pouvoir soviétique, mais ce n'est guère qu'à partir des années 1950 et 1960 qu'il est devenu général. Les paysages naturels ont été de mieux en mieux défendus par la loi, avec l'établissement de plusieurs réserves naturelles et, depuis 1970, de parcs nationaux.

RÉSERVE NATURELLE DE BADKHYZSKY
URSS (Turkmenistan)
Créée en 1941
1 330 km²

Ce parc est un pays de contrastes saisissants, où des montagnes d'un noir de jais se dressent au-dessus d'un lac salé, éblouissant de blancheur. Autour du lac se trouvent d'étranges formations rocheuses spectaculairement sculptées.

Quand cette réserve fut créée en 1941, dans le sud du Turkmenistan, la population d'ânes sauvages était sur le point de disparaître ; depuis lors, l'espèce a connu un redressement remarquable et elle présente aujourd'hui un effectif important. Parmi les autres mammifères, on trouve des chèvres sauvages et des gazelles, des cochons sauvages, des caracals, des blaireaux à miel, des loups et des hyènes.

C'est aussi là que croît une plante unique en son genre, la férule. Elle atteint sa pleine hauteur en l'espace de six semaines, puis elle se flétrit et reste comme endormie pendant au moins six ans ; après quoi elle renaît soudain à la vie, fleurit, répand ses graines et meurt.

PARC NATIONAL DU LION / RÉSERVE DE LA FORÊT DE GIR
INDE (Gujerat)
Créés en 1965
1 412 km²

Le parc national couvre 140 km² de la superficie totale de la réserve, qui est située dans la péninsule de Kathiawar. C'est une région montagneuse ouverte, qui abrite une grande variété de faune indienne, et qui passe pour être le dernier habitat sauvage subsistant du lion d'Asie. Parmi les autres prédateurs figurent le léopard et la hyène. On y trouve aussi de nombreuses espèces de cerfs, des cochons sauvages, des ours jongleurs et une grande variété d'oiseaux.

PARC NATIONAL DE NANDA DEVI
INDE (Uttar Pradesh)
Créé en 1982
630 km²

Ce bassin pratiquement inaccessible, niché dans les replis de l'Himalaya Garal, a dû paraître un vrai paradis aux explorateurs qui le visitèrent pour la première fois en 1934. Il fut proclamé réserve de gibier dès 1939. Des sommets élevés entourent ses riches herbages. Là, les animaux, qui n'ont eu que peu de contact avec l'homme et ignorent la peur, broutent tranquillement. Parmi les hôtes remarquables de la réserve figurent le léopard des neiges, le gaur, le tahr de l'Himalaya, le porte-musc et le mouton bleu.

PARC NATIONAL CORBETT
INDE (Uttar Pradesh)
Créé en 1935
520 km²

Ce parc, qui porte le nom d'un célèbre chasseur de tigres, Jim Corbett, se trouve dans un endroit magnifique, au pied des contreforts de l'Himalaya, dans la vallée de la Ramganga.

À côté de ses fameux tigres apprivoisés, le parc contient une faune d'une variété extraordinaire. Saumons indiens, poissons-chats d'eau douce, crocodiles communs et crocodiles des marais prospèrent dans les milieux aquatiques, tandis qu'éléphants, léopards, hyènes, diverses espèces de cerfs, entelles et sangliers vivent en grand nombre sur la terre ferme.

PARC NATIONAL DE RUHUNA
SRI LANKA
Créé en 1938
1 090 km²

Situé dans le Sud-Est de l'île, à 300 km de Colombo, la capitale du pays, Ruhuna est la première réserve naturelle du Sri Lanka. Le parc, qui est plus couramment connu sous le nom de Yala, est renommé pour ses éléphants, ses léopards et ses ours, chaque espèce ayant son propre point de rassemblement. Les attractions vedettes sont les ours jongleurs et les nombreux paons, ainsi que des espèces endémiques de l'île, comme la martre dorée des palmiers et le chat aux taches de rouille.

D'immenses colonies d'oiseaux sont attirées vers les lacs et les lagunes qui parsèment le parc, lequel possède aussi des zones de jungle de broussailles, des affleurements rocheux et des plaines. Paons et cailles fréquentent les plaines, tandis que dans les forêts vivent les loriots, les barbus, les calaos et les gobe-mouches.

PARC NATIONAL DE SAGARMATHA
NÉPAL
Créé en 1976
1 240 km²

C'est en 1973 que l'idée d'un parc national sur le « toit du monde » fut lancée pour la première fois par l'un des conquérants de l'Everest, Sir Edmund Hillary. Avec l'aide de divers groupes internationaux de conservation de la nature, qui fournirent généreusement fonds et personnel, et avec l'assistance particulière du programme d'aide de la Nouvelle-Zélande, le parc fut officiellement ouvert en 1976. Son but déclaré était « la sauvegarde d'un site d'importance majeure, non seulement pour le Népal, mais pour le monde entier ». Après de sérieux doutes et une forte opposition locale, le parc finit par être accepté par les indigènes Sherpas.

Pour les Sherpas, Sagamartha — le nom népalais du mont Everest — est « la déesse de l'Univers » ; et de fait, l'Everest, la plus haute montagne du monde, culmine à 8 848 m.

Parmi la faune remarquable de la région se trouve le léopard des neiges — difficile à apercevoir —, le tahr — un animal ressemblant à une chèvre et défiant la gravité —, le porte-musc et le yak. Le plus controversé de tous est le yéti, l' « abominable homme des neiges », qui habiterait aussi cette région.

Les quelque 120 espèces d'oiseaux recensées comprennent notamment l'aigle royal, le vautour griffon de l'Himalaya, et l'oiseau national du Népal, le daphe (Lophophorus impeianus), qui appartient à la famille des faisans.

PARC ROYAL DE CHITAWAN
NÉPAL
Créé en 1973
550 km²

Dans le sud du Népal, sur les contreforts extérieurs de l'Himalaya, s'étend une région appelée Terai ; c'est une zone de forêts fluviales, de marécages, d'herbages, de lacs et de vallées — dun en népalais —, drainée par de paresseuses rivières. Le parc, situé dans la Chitawan dun, est arrosé par le Rapti, dont la crue annuelle laisse son empreinte sur la végétation environnante.

Les crocodiles des marais constituent un des éléments extraordinaires du parc, qui est aussi un refuge pour le rare rhinocéros unicorne de l'Inde : en 1973, lorsque le parc fut créé, il n'en subsistait plus que 200 dans tout le Népal ; mais grâce à l'imposition de lourdes pénalités contre le braconnage, leur population a crû à nouveau et a atteint 375 individus en 1982.

Le léopard, l'ours jongleur et le gaur sont également présents. Enfin, le parc offre aussi l'un des meilleurs refuges du sous-continent aux tigres, et c'est la seule population de tigres à avoir été étudiée sur une longue période.

RÉSERVE DE **STOLBY**
URSS (Sibérie)
Créée en 1925
472 km²

Située dans l'Est de la chaîne des monts Sayan, entre l'Iénisséi et le Mana, la réserve de Stolby offre un paysage de taïga, avec des forêts de sapins, de mélèzes et de pins, ainsi que des rhododendrons et des bosquets de bouleaux. Les arbres de la réserve procurent un refuge aux animaux typiques de la taïga médio-sibérienne, tels que porte-musc, ours, lynx, cerfs sibériens, et de nombreux petits mammifères. L'attraction vedette de la réserve est un ensemble de piliers rocheux aux formes insolites, appelés précisément *stolby* ; ces étranges sculptures sont des affleurements de granite et de syénite — une roche sédimentaire contenant divers minéraux à base de silice —, qui atteignent jusqu'à 100 m de hauteur.

PARC NATIONAL DE **KAZIRANGA**
INDE (Assam)
Créé en 1908
430 km²

Le parc de Kaziranga peut se targuer d'être l'un des plus grands succès de conservation du patrimoine naturel : c'est à l'intérieur de ses frontières protectrices que les grands rhinocéros unicornes de l'Inde ont été sauvés de l'extinction ; ils hantaient jadis tout le bassin du Gange, mais ils furent massacrés jusqu'à ce qu'il ne restât plus que 12 individus en 1908. La reconstitution de l'espèce a si bien réussi, qu'à la fin des années 1980, leur population s'élevait à un millier de têtes. Le parc a ainsi conquis le titre de meilleur habitat pour cet animal si rare.

La corne de rhinocéros est appréciée par les Chinois, qui lui attribuent des vertus thérapeutiques ; elle est également très recherchée pour fabriquer des manches de poignards au Yémen. Les oiseaux myna de la jungle, qui se perchent habituellement sur le dos de ces massives créatures, remplissent une fonction de palefrenier et donnent aussi l'alerte si un danger survient.

Le succès de la « résurrection » du rhinocéros unicorne est en partie dû à la crue annuelle du Brahmapoutre, qui empêche l'occupation par l'homme du terrain plat et marécageux où se trouve le parc.

Ce dernier offre aussi un refuge d'importance vitale aux buffles d'eau ; Kaziranga est le meilleur habitat subsistant pour ces animaux. Cerfs des marais, tigres et éléphants figurent également parmi les espèces menacées qui prospèrent à l'intérieur de ses limites.

RÉSERVE NATURELLE DE **WEN CHUN WOLONG**
CHINE (Sichuan)
Créée en 1969
2 000 km²

Cette réserve, qui a été proclamée « Réserve de biosphère du patrimoine mondial », se trouve à la limite des zones subtropicale et tempérée du pays. Comme beaucoup d'autres réserves chinoises, le site, qui offre une grande variété d'habitats forestiers et montagneux, procure un refuge au grand panda — l'animal adopté comme symbole par le World Wildlife Fund.

L'étude des fossiles a montré que cet animal existait déjà il y a 2 millions d'années. Le fait qu'il soit le seul de sa classe de mammifères à n'avoir pas disparu fait de lui un « fossile vivant ». Étant l'un des animaux supérieurs les plus spécialisés du monde, le grand panda ne se trouve que dans les zones où il y a assez de bambous pour le nourrir. D'autres espèces menacées trouvent ici protection : le takin — une sorte d'antilope — et le singe doré.

PARC NATIONAL D'**UJUNG KULON**
INDONÉSIE (Java)
Créé en 1921
786 km²

Les restes du Krakatoa, le volcan qui fit une éruption si dévastatrice en 1883, offrent quelques-unes des vues les plus impressionnantes dans cette région de collines et de plateaux volcaniques de faible altitude, parsemée de dunes de sable et de lagunes. Un isthme étroit relie la péninsule sur laquelle le parc est situé à l'extrémité occidentale de Java.

En raison de son isolement, la vie sauvage de cette région a toujours été bien protégée et ses populations animales ont prospéré. Le parc contient aujourd'hui la plus extraordinaire variété d'animaux de Java. C'est un refuge pour l'espèce rare et menacée qu'est le rhinocéros de Java : une soixantaine d'individus vivent à Ujung Kulon, alors que l'on pense qu'ils sont éteints partout ailleurs. Parmi les autres espèces menacées auxquelles la péninsule offre sa protection, on peut citer le singe de feuille et le gibbon javanais, le léopard, le bœuf sauvage — appelé *banteng* — et le chien sauvage.

RÉSERVE NATURELLE DE **GUNUNG LORENTZ**
INDONÉSIE (Irian Jaya)
Créée en 1978
20 000 km²

La réserve de Gunung Lorentz s'étend des plages sablonneuses et tropicales de la mer d'Anafura au sommet neigeux du mont Jaya qui, avec ses 5 030 m, est le point culminant de l'Asie du Sud-Est. La très vaste gamme de végétation de la réserve comprend un grand nombre d'espèces endémiques de Nouvelle-Guinée et abrite une large variété de marsupiaux. Les oiseaux exotiques y sont prolifiques : les oiseaux de paradis partagent l'espace avec les casoars, les perroquets et les cacatoès.

PARC NATIONAL DE **FUJI-HAKONE-IZU**
JAPON (Honshu)
Créé en 1931
1 232 km²

Si le seul nombre de visiteurs est un critère de popularité, alors ce parc, avec ses 15 millions d'entrées par an, est certainement l'une des meilleures réussites du monde. Il est dominé par le mont Fuji, qui s'élève directement de la mer et se dresse dans sa splendide symétrie au-dessus de vastes plaines ; c'est l'une des montagnes les plus célèbres du monde, qui, en outre, constitue un élément important de la vie religieuse, sociale et artistique du Japon.

L'extraordinaire beauté de la région s'exprime non seulement dans la majesté tranquille de la puissante montagne, mais aussi par des signes spectaculaires d'activité géothermique. En plus d'innombrables sources chaudes, falaises de lave et cascades, la péninsule d'Izu est prolongée par sept îles volcaniques toujours actives. Des lacs et des forêts pittoresques ajoutent encore à l'impressionnante beauté naturelle ; des forêts d'azalées, de cerisiers, de pins et de sapins couvrent les basses pentes du mont Fuji. Le parc abrite une grande variété d'oiseaux, et aussi des mammifères, parmi lesquels le loir du Japon.

PARC NATIONAL D'**AKAN**
JAPON (Hokkaïdo)
Créé en 1934
8 700 km²

Qualifié de « dernière frontière du Japon », l'île de Hokkaïdo est pour l'essentiel un lieu sauvage, fait de landes, de lacs, de forêts vierges et de spectaculaires volcans — dont deux sont encore actifs, le mont Akan et le mont Atosanupuri.

Le parc, qui s'étend à l'intérieur d'une zone sub-arctique, renferme plusieurs lacs magnifiques. L'un d'eux, le lac Mashu, est le plus clair du monde : la visibilité atteint 40 m dans ses profondeurs de cristal.

Un autre lac, le lac Akan, abrite une plante d'eau douce extraordinaire, l'algue *marino*. Des Aïnous — le peuple aborigène du Japon — vivent dans la zone du parc.

OCÉANIE

Suivant l'exemple américain, les Britanniques comprirent rapidement l'intérêt du concept de parc national et l'appliquèrent à plusieurs de leurs territoires d'outre-mer. C'est ainsi que des parcs nationaux furent créés en Australie et en Nouvelle-Zélande peu après celui de Yellowstone : le parc Royal d'Australie fut fondé en 1878 et le parc de Tongariro, en Nouvelle-Zélande, en 1887, ce dernier principalement à l'instigation des indigènes Maoris. Depuis lors, le nombre de parcs n'a cessé de croître en Australie, le plus petit continent du monde ; ils offrent une grande variété d'écosystèmes, de l'humidité luxuriante des tropiques aux sommets couverts de neige et de glace des montagnes du Sud.

LES PARCS NATIONAUX DE NOUVELLE-ZÉLANDE

Le Fjordland, le mont Cook et le Westland sont trois parcs nationaux de Nouvelle-Zélande qui ont été proclamés « Sites du patrimoine mondial ». On a proposé, à la fin des années 1980, que toute la zone comprise entre Okarito — au milieu de la côte ouest de l'île du Sud — et Waitutu — au sud — soit déclarée « Site du patrimoine mondial du Sud-Ouest de la Nouvelle-Zélande ».

Les parcs englobent sans aucun doute quelques-uns des paysages les plus spectaculaires du pays. Cependant, ils souffrent tous des déprédations causées par des animaux, tels les chats, introduits par les premiers colons. Comme il n'y avait aucun prédateur indigène, les nouveau-venus ne rencontrèrent aucun ennemi naturel pour s'opposer à leur prolifération ; et ils se sont maintenant multipliés à un tel point qu'ils constituent une menace sérieuse pour la population locale d'oiseaux, aussi bien que pour la couverture végétale des îles. Les difficultés du terrain rendent pratiquement impossible la mise en œuvre de programmes de contrôle effectif.

En 1887, le chef maori Te Heuheu Tukino IV offrit au peuple de Nouvelle-Zélande son premier parc national, constitué par les sommets sacrés de sa nation. En 1987, le pays avait au total 12 parcs nationaux et 3 parcs sous-marins.

PARC NATIONAL DE **KAKADU**
AUSTRALIE (Territoire du Nord)
Créé en 1979
13 000 km²

Cette vaste zone de terres inondables, parsemée de vastes plateaux et escarpements de grès, est l'un des plus grands parcs nationaux du monde. À la pointe extrême du Territoire du Nord, à 220 km à l'est de Darwin, Kakadu est un foyer aborigène : plus de 1 000 sites archéologiques y ont été découverts, parmi lesquels le plus ancien établissement humain du continent.

Un grand nombre d'espèces menacées ont trouvé refuge dans les forêts et les rivières de Kakadu ; parmi elles, le crocodile d'estuaire, le perroquet encapuchonné et le pigeon marron. Un quart des espèces de poissons du continent se trouvent ici ; la plus notable est une forme primitive du poisson-archer, dont l'existence n'est attestée, outre l'Australie, qu'en Nouvelle-Guinée. Un tiers des espèces d'oiseaux du pays ont été observées dans le parc.

PARC NATIONAL DE **CRADLE MOUNTAIN - LAC SAINT-CLAIR**
AUSTRALIE (Tasmanie)
Créé en 1940
1 319 km²

Le parc national du mont Cradle et du lac Saint-Clair — qui constitue une partie de la « Réserve de biosphère du patrimoine mondial » — est l'une des rares zones tempérées à l'état sauvage subsistant en Tasmanie. Les plus hautes montagnes de l'île, avec leurs nombreux cours d'eau et leurs lacs — dont le lac Saint-Clair —, contrastent avec des plaines ouvertes et des savanes, des forêts d'eucalyptus et de pins.

La vaste gamme de végétation du parc entretient une grande variété de faune : kangourous, wallabies, ornithorynques, diables de Tasmanie, chats sauvages, péramèles, opossums et wombats y trouvent refuge.

PARC NATIONAL **CARNARVON**
AUSTRALIE (Queensland)
Créé en 1938
269 km²

Les gorges de Carnarvon sont l'élément le plus extraordinaire de ce parc. S'allongeant sur 32 km sur la face orientale du Great Dividing Range, ses parois abruptes de grès s'élèvent à 180 m de hauteur. Dans plusieurs des nombreuses gorges affluentes se trouvent des grottes qui contiennent des spécimens intacts d'art aborigène.

D'énormes fougères arborescentes — dont certaines atteignent 12 m de haut —, des eucalyptus mouchetés et une impressionnante variété d'orchidées sauvages figurent parmi les espèces les plus remarquables de la flore du parc. Les animaux qui trouvent ici un refuge sont le wallaby des rochers à la queue en brosse, l'ornithorynque, le koala et le kangourou gris.

PARC NATIONAL **KOSCIUSKO**
AUSTRALIE (Nouvelle-Galles du Sud)
Créé en 1944
6 297 km²

La plus haute montagne d'Australie, le mont Kosciusko — 2 228 m —, domine cette région, qui se trouve sur la face occidentale du Great Dividing Range ; c'est le plus vaste parc de Nouvelle-Galles du Sud, et il contient tous les champs de neige de cet État.

Dans cette transposition australienne des Alpes suisses, il y a d'innombrables signes d'activité glaciaire : moraines, cirques, lacs, grands champs de neige, plateaux massifs et sommets spectaculaires. Koalas, kangourous, wallabies et wombats ont tous leur demeure dans le parc, de même que l'ornithorynque et le fourmilier spinifère, qui sont plus difficiles à voir.

PARC NATIONAL DE **PAPAROA**
NOUVELLE-ZÉLANDE (Île du Sud)
Créé en 1987
280 km²

Paparoa, le tout nouveau parc national de Nouvelle-Zélande, a été ouvert pour célébrer le centenaire des parcs nationaux du pays. Il offre une riche variété de paysages et d'habitats — des promontoires escarpés et sauvages le long de la côte, aux montagnes, forêts et grottes dans l'intérieur. Cependant, l'extraordinaire splendeur de la région réside surtout dans son paysage karstique, un terrain calcaire modelé par de l'eau de pluie faiblement acide ; par sa superbe complexité, ce territoire est le plus beau dans son genre de tout le pays.

Tandis que des entrelacements inextricables de falaises et de gorges constituent un fantastique « pays des merveilles » à la surface du sol, il y a encore plus de trésors au-dessous ; les plus spectaculaires formations calcaires découvertes à ce jour sont celles des grottes de Metro sur la rivière Nile.

PARC NATIONAL DU **TONGARIRO**
NOUVELLE-ZÉLANDE (Île du Nord)
Créé en 1887
800 km²

Ce fut le premier parc national créé en Nouvelle-Zélande, et le quatrième dans le monde. Le chef maori Te Heuheu Tukino IV l'offrit au gouvernement, au nom de la tribu des Tuwahare, en demandant seulement que le parc soit « tabou », c'est-à-dire sacré et protégé.

Les Tuwahare offraient leurs terres pour sauvegarder leurs montagnes ancestrales, les sommets volcaniques de Tongariro, Ruapehu et Ngauruhoe, situés au centre de l'île et dominant tout alentour une région à la végétation variée. En contraste avec le paysage rigide, « lunaire », qui entoure les volcans — toujours actifs —, et avec des zones arides de broussailles, on trouve de luxuriantes prairies alpines, des forêts et des chutes d'eau. Sur les pentes nord du Tongariro, à Ketetahi, se trouvent de nombreuses sources chaudes.

PARC NATIONAL D'**UREWERA**
NOUVELLE-ZÉLANDE (Île du Nord)
Créé en 1954
1 995 km²

À Urewera, le temps s'est arrêté. Rien, semble-t-il, n'a changé depuis l'époque des dinosaures. Des forêts primaires, noyées dans la brume, croissent, riches et luxuriantes, avec de grands et vieux arbres dans les vallées, des feuillus et des hêtres méridionaux sur les pentes les plus exposées.

Au milieu des rapides et des spectaculaires chutes d'eau de l'Aniwaniwa, prospère le canard bleu. Le lac Waikaremoana, où se jette la rivière, est probablement le plus beau lac du pays. La région est habitée par des indigènes — les Tuhoe — depuis mille ans au moins ; ce sont les « enfants du brouillard » et pour eux le parc est tout imprégné de la légende maorie.

AMÉRIQUE

Le premier parc national du monde fut créé en 1872, à l'issue d'une discussion autour d'un feu de camp, à Yellowstone dans le Wyoming. Ceux qui en lancèrent l'idée ne pouvaient guère imaginer qu'au milieu des années 1980 quelque 25 millions de personnes visiteraient le parc chaque année. Aujourd'hui, les États-Unis possèdent plus de parcs, réserves et zones protégées qu'aucun autre pays au monde ; ils les administrent également avec plus d'efficacité, d'imagination et de sensibilité que partout ailleurs.

Le Canada, avec ses vastes zones désertiques, ses magnifiques montagnes et ses vastes forêts, offre également de nombreux parcs nationaux, aussi majestueux que beaucoup de ceux des États-Unis. Prompt à s'engager dans la voie frayée par Yellowstone, le Canada créa les splendides parcs de Banff (1885) et des lacs Waterton (1895) ; ceux-ci constituent aujourd'hui des éléments d'une chaîne de parcs nationaux dans les monts Selnik et les montagnes Rocheuses. Le parc des lacs Waterton devait devenir, avec le parc national du Glacier, de l'autre côté de la frontière, dans le Montana, le premier parc international de la paix.

PARCS D'AMÉRIQUE CENTRALE ET D'AMÉRIQUE DU SUD

Bien que les pays d'Amérique du Sud aient une situation économique bien moins favorable que celle des nations du nord du continent, ils sont dotés d'une égale variété de merveilles naturelles.

À l'assemblée générale de l'UICN à San José de Costa Rica, en février 1988, il a été annoncé qu'un parc de la paix serait créé le long de la frontière entre le Costa Rica et le Nicaragua ; précédemment occupée par des camps de guérilla ou par des soldats nicaraguayens, la région doit être rendue aux populations indigènes, qui seront chargées de sa garde ; organisées en coopératives, elles devront protéger le parc et ses espèces menacées. Les droits d'exploitation sur 3 120 km² de forêt vierge seront annulés. Ce projet de parc de la paix recevra une aide financière des gouvernements scandinaves.

PARC NATIONAL DE **REDWOOD**
ÉTATS-UNIS (Californie)
Créé en 1968
442 km²

Ce parc, situé dans le nord de la Californie, possède l'un des plus beaux peuplements naturels de séquoia côtier — en anglais *redwood*. Sur les trois sortes de séquoias existantes, deux ne poussent qu'en Californie, la troisième dans le centre de la Chine. Le séquoia côtier, que l'on trouve sur la côte du Pacifique, de Big Sur à la frontière de l'Orégon, est différent du séquoia des montagnes — le séquoia géant —, qui pousse sur les pentes orientales de la Sierra Nevada ; si le premier est le plus haut, le second est plus gros et peut vivre plus longtemps. Le séquoia oriental, de Chine, est plus petit et, contrairement à ses cousins, il a des feuilles caduques.

Les extraordinaires facultés de régénération du séquoia et sa résistance stupéfiante au feu et aux maladies expliquent en partie sa longévité et sa taille. Dans ce parc, des arbres de plus de 90 m sont communs ; c'est l'un d'eux qui est le plus grand arbre connu au monde, avec 112 m de haut. Le séquoia peut vivre très longtemps — certains de ceux qui existent aujourd'hui étaient déjà là au temps du Christ — et il peut aussi atteindre une énorme circonférence.

PARC NATIONAL DE LA **NAHANNI**
CANADA (Territoires du Nord-Ouest)
Créé en 1976
4 784 km²

Ce parc, la première zone naturelle au monde à avoir été proclamée « Site du patrimoine mondial », en 1979, contient nombre d'extraordinaires phénomènes naturels. Le pays de la Nahanni est un lieu sauvage, pur et sans limites, rarement pénétré par l'homme jusqu'à tout récemment : le destin des quelques téméraires qui s'aventurèrent à l'intérieur à la recherche de l'or est rappelé par des noms de lieux d'aussi mauvais augure que la « Vallée de l'Homme mort » ou le « Ruisseau du Décapité ». Comme il n'est accessible que par bateau ou par hydravion, le parc reçoit peu de visiteurs, mais des programmes de construction de routes pour y accéder sont de nature à accroître leur nombre dans l'avenir.

Le parc possède l'un des terrains karstiques les plus étonnants de l'hémisphère occidental. Ses manifestations les plus fameuses sont les sources chaudes de Rabbitkettle ; là, une butte de tuf, de 27 m de haut et de 69 m de large, est ornée de terrasses formées par les sels minéraux dissous dans l'eau des sources. Comme autres phénomènes karstiques remarquables, on note des dolines apparemment sans fond, des canyons profonds et un grand nombre de grottes, dont beaucoup sont encore inexplorées.

Les autres attractions vedettes du parc sont les chutes Virginia, décrites par un explorateur comme une « pure explosion » ; les étranges piliers de calcaire appelés *hoodoos* ; et la Cuisine du Diable, où des vents sifflants ont créé d'étranges sculptures dans le sol.

PARC NATIONAL DE **YOSEMITE**
ÉTATS-UNIS (Californie)
Créé en 1890
3 079 km²

Yosemite, une région spectaculaire dans la Sierra Nevada de Californie, est une contrée de sommets abrupts, de chutes d'eau fracassantes, d'arbres géants, de rivières impétueuses et de prairies tranquilles. C'est un parc de superlatifs : les chutes de Yosemite, avec leurs 436 m, sont les plus hautes des États-Unis et les deuxièmes du monde ; El Capitan, le symbole du parc, est le plus gros bloc massif de granite du monde ; le parc contient du reste le plus important ensemble mondial de dômes de granite.

Il y a, à Yosemite, trois bosquets de magnifiques séquoias géants — les plus hautes formations végétales du monde ; le Vieux Grizzly, âgé de 2 700 ans, est le cinquième arbre du monde pour l'épaisseur. À la faune du parc appartient l'ours noir, le bobcat et le renard gris.

PARC NATIONAL DU **GRAND BASSIN**
ÉTATS-UNIS (Nevada)
Créé en 1986
491 km²

C'est un tout nouveau parc national, le premier à être créé aux États-Unis depuis 1971 et le premier jamais créé au Nevada. Il s'étend de l'Utah à la Californie et de l'Orégon à l'Arizona, et c'est l'un des derniers endroits réellement sauvages du pays. Une grande partie de ce vaste territoire est couverte de petites chaînes de montagnes, qui sont trop sèches et trop rocheuses pour abriter beaucoup de vie. Mais dans quelques zones, le désert fait soudain place à des prairies alpines, tandis qu'à plus haute altitude la terre éclate de vie.

Wheeler Peak, qui s'élève à 3 981 m, est la plus haute montagne du parc, et près de son sommet se trouve le glacier permanent le plus méridional des États-Unis. Cette zone accidentée et reculée est néanmoins riche en vie animale et végétale ; c'est ici que l'on trouve le pin épineux, l'organisme vivant ayant la plus longue existence au monde : le plus vieux de tous ces pins, âgé de 4 900 ans, fut abattu en 1964, pour pouvoir être étudié scientifiquement.

PARC NATIONAL DE **ZION**
ÉTATS-UNIS (Utah)
Créé en 1919
539 km²

L'œuvre de la nature, en tant que sculpteur et que peintre, apparaît constamment à Zion. La présence de fer dans le grès produit des lavis roses, rouges et bruns sur de grandes parois rocheuses. Le vent, le climat et l'eau créent dans les rochers des dessins, des textures et des contours saisissants.

La rivière Virgin est le maître sculpteur dans ce pays de hautes *mesas* et de profonds canyons ; un effet spectaculaire de l'érosion naturelle peut être observé dans les défilés de l'entrée du canyon : à cet endroit, la largeur n'est que de 6 m, pour 300 m de profondeur.

Parmi les nombreuses merveilles de Zion se trouve la plus grande arche naturelle isolée du monde, l'arche Kolob, d'une portée de 95 m. L'un des points les plus extraordinaires du parc est la *mesa* en damier, où des lignes horizontales tracées par d'anciennes dunes sont coupées par des fissures dues à la désagrégation, ce qui produit un dessin régulier, presque géométrique.

PARC NATIONAL DE **BANFF**
CANADA (Alberta)
Créé en 1885
6 641 km²

Les sources chaudes sont un des éléments marquants de plusieurs zones des montagnes Rocheuses, e* c'est autour de celles de Banff que prit forme le premier parc national du Canada : dès 1885, 26 km² de sources chaudes furent isolées « dans l'intérêt de la santé publique ».

Le site alpin de Banff offre un large éventail de merveilles spectaculaires : prairies couvertes de fleurs au milieu de vallées forestières, beaux lacs, puissants torrents et glaciers, ainsi que plusieurs sommets impressionnants. Le plus élevé est le mont Assiniboine, qui culmine à 3 618 m. Les eaux turquoise du lac Louise s'étendent au milieu de forêts verdoyantes et de pics élevés, avec le glacier Victoria en toile de fond.

PARC NATIONAL DE **KOOTENAY**
CANADA (Colombie britannique)
Créé en 1920
1 390 km²

La route 93 passe à travers Kootenay, qui s'étend sur 8 km de chaque côté, sur une distance de 112 km. Les deux parties sont étroitement liées, car le but premier du parc était précisément de protéger le site de chaque côté de la route.

De vertes vallées luxuriantes, des falaises abruptes de grès rouge, des canyons, des chutes d'eau, des lacs parsemés d'icebergs et de nombreuses sources d'eau chaude font partie des merveilles naturelles les plus extraordinaires du parc.

Parmi les attractions vedettes, citons le canyon de Marbre, profond de 60 m, dont les parois sont effectivement recouvertes de marbre. Aux sources chaudes de Radium, plus de 2,2 millions de litres d'eau jaillissent chaque jour ; avec leur température de 46 °C, ces eaux sont parmi les plus chaudes de toutes les sources des montagnes Rocheuses canadiennes, et elles sont depuis longtemps prisées pour leurs vertus thérapeutiques.

PARC NATIONAL DE **WOOD BUFFALO**
CANADA (Alberta)
Créé en 1922
44 800 km²

C'est le plus vaste parc national du Canada, et la zone la plus septentrionale de prairie marécageuse en Amérique du Nord. Le delta de l'Athabasca et de la rivière de la Paix est aussi l'un des plus grands deltas d'eau douce du monde. Le parc fut créé à l'origine également pour sauvegarder la pérennité de la grande grue huante, une espèce menacée, et il est devenu aujourd'hui le seul lieu connu de nidification de cet oiseau.

Wood Buffalo, cependant, est peut-être mieux connu pour abriter le plus grand troupeau de bisons en liberté dans le monde : leur nombre est compris entre 14 000 et 16 000. Ours noir et grizzly, loup, caribou, glouton et élan figurent parmi les grands mammifères du parc, tandis qu'on trouve parmi les petits, le porcépic et le castor.

PARC NATIONAL DES **CANYONLANDS**
ÉTATS-UNIS (Utah)
Créé en 1964
1 365 km²

Les Canyonlands offrent le plus étrange et le plus spectaculaire des paysages. Du Grand Belvédère à l'Île Céleste, entre le Colorado et la rivière Verte, l'œil embrasse un vaste ensemble inhospitalier de *mesas* dénudées, au sommet plat, entaillées de profonds canyons qui se rencontrent au centre du parc en un lieu appelé confluence.

Parmi les nombreuses bizarreries du parc se trouve le Pays des Pierres Debout ; connu aussi sous le nom de Labyrinthe, c'est une zone de dédales compliqués, dominés par des sentinelles rocheuses multicolores. La plus élevée des nombreuses arches naturelles du parc est l'arche de David, qui se dresse à 110 m de haut. Il y a là d'énormes monolithes, qui rappellent les menhirs de Stonehenge en Angleterre, et d'incroyables aiguilles de pierre qui peuvent atteindre plus de 90 m. En plus de ces sculptures naturelles, de superbes peintures indiennes ornent les parois du canyon du Fer à cheval.

PARC NATIONAL DE **YELLOWSTONE**
ÉTATS-UNIS (Wyoming / Montana / Idaho)
Créé en 1872
8 984 km²

Toute tentative pour décrire le premier parc national créé au monde est rapidement à court de superlatifs.

Nulle part ailleurs sur la Terre, le cœur en fusion de la planète n'est plus proche qu'ici de la surface du sol. Yellowstone a le plus important ensemble de geysers du monde — environ 300 en tout — parmi lesquels le plus fameux est l'Old Faithful (« Vieux Fidèle ») adopté comme symbole par le parc. Ce geyser est unique en son genre, parce que le schéma de son éruption n'a guère varié depuis cent ans, et c'est à cette fiabilité qu'il doit son nom : après un bref prélude de giclées sporadiques, Old Faithful explose soudainement jusqu'à 60 m de hauteur dans le ciel ; il peut lancer près de 40 000 litres dans les airs pendant les 2 à 5 minutes que dure son éruption.

Le spectacle de Yellowstone est vraiment « audio-visuel », avec des clapotements, des bouillonnements, des sifflements, des éclaboussures, qui accompagnent en permanence les innombrables manifestations d'une énorme « marmite à pression » souterraine. Mais les geysers géants ont des rivaux pour capter l'attention du public : les balcons et les terrasses des sources chaudes du Mammouth, dans le nord-ouest du parc ; ou encore, tout aussi impressionnantes, les 27 couches de forêts pétrifiées qui apparaissent sur le versant de Specimen Ridge.

PARC NATIONAL DES **GROTTES DE CARLSBAD**
ÉTATS-UNIS (Nouveau-Mexique)
Créé en 1930
189 km²

Chaque soir, d'avril à septembre, des milliers de chauves-souris sortent des grottes de Carlsbad, le plus grand réseau de grottes connu au monde. Ce sont elles qui attirèrent en premier lieu l'attention sur cet endroit, et leur sortie vespérale est devenue aujourd'hui une attraction touristique.

Ces grottes des monts Guadalupe revendiquent la plus grande variété mondiale de formations calcaires. À côté de splendides stalactites, stalagmites, chalumeaux et colonnes — telles que celles du « Temple du Soleil », avec ses terrasses ruisselantes —, il y a des raretés géologiques, telles que des perles de grotte, des feuilles de nénuphar et des aiguilles de sels de magnésie.

Le plus impressionnant de tout est le Big Room, la plus grande salle souterraine connue aux États-Unis. Elle couvre une surface de 5,6 ha et est assez haute pour pouvoir contenir un immeuble de 30 étages. À 309 m au-dessous de la surface, au point le plus bas des grottes, s'étend le lac des Nuages où l'eau est toujours fraîche et pure.

PARC NATIONAL DES **GALAPAGOS**
ÉQUATEUR
Créé en 1934
6 912 km²

L'archipel volcanique isolé, où Darwin, en 1835, trouva les créatures uniques qui lui inspirèrent sa théorie de l'évolution par la sélection naturelle, est aujourd'hui un parc national.

Il comprend 6 îles principales, une douzaine de plus petites, et une quarantaine d'îlots ; chacun est le sommet d'un cône volcanique massif et certains sont encore actifs. La végétation, pour l'essentiel, est rare, et le principal attrait des îles réside dans leur faune unique. Là, les reptiles sont rois, car aucun mammifère terrestre n'a pu aborder.

Les visiteurs peuvent se promener simplement parmi les fous, les frégates et les albatros qui nichent là. D'énormes iguanes terrestres et marins — ces derniers étant les seuls lézards de mer du monde — et des otaries mènent une vie tout aussi paisible. Les tortues géantes sont moins nombreuses et plus difficiles à voir, car elles demeurent dans les zones les plus inaccessibles de l'archipel.

PARC NATIONAL DE **NAHUEL HUAPI**
ARGENTINE (Patagonie)
Créé en 1903
7 850 km²

Cette région montagneuse des Andes offre une riche diversité de merveilles naturelles : lacs, rivières, glaciers, chutes d'eau, forêts et sommets enneigés. De vastes peuplements de vieux arbres contrastent avec des prairies ouvertes et fleuries. Sur les bords du lac poussent des digitales, des fuschias et des lupins ; des marguerites, des lis et des primevères.

L'élément naturel le plus marquant du parc est le lac auquel il doit son nom ; celui-ci couvre une superficie de 531 km² et il est par endroits profond de 300 m. Le mont Tonador, le plus haut sommet de la Patagonie septentrionale avec ses 3 554 m, domine le parc.

BIBLIOGRAPHIE

Étant donné la dispersion des sites et la variété des « merveilles » qui font l'objet de cet ouvrage, il est à peu près impossible de donner une bibliographie générale.

C'est encore dans les guides touristiques que le lecteur trouvera le plus aisément des informations complémentaires. À cet égard, la première collection de référence en langue française nous semble être toujours celle des :

Guides Bleus (Hachette, Paris)

avec leurs deux principales collections — **Guides bleus « classiques »**, **Guides Visa** —, constamment remises à jour et modernisées, couvrant les diverses régions françaises et beaucoup des principaux pays du monde.

Pour ceux qui manquent encore dans ces séries, notamment en Océanie et en Asie, on consultera avec profit la jeune et excellente collection, en langue anglaise, d'origine australienne :

Lonely Planet (South Yara, Victoria, Australie)

dont tous les ouvrages portent en sous-titre : « A travel survival kit ».

Enfin, le pays pour lequel existe la description la plus complète et la plus détaillée est certainement l'Italie, avec les 23 guides régionaux, en langue italienne, du :

Touring Club Italiano (Milan).

À côté de ces collections essentiellement destinées aux voyageurs, il en existe d'autres qui permettent une lecture suivie et sont en général abondamment illustrées. Nous citerons surtout, en français, la série publiée par les :

Éditions du Jaguar / Éditions J.A. (Jeune Afrique) (Paris)

qui a commencé par décrire les pays africains, souvent « oubliés » par les autres éditeurs, mais qui s'étend aujourd'hui à tous les continents.

De Singapour provient la belle collection, en langue anglaise, des :

Insight Guides (Apa Productions)

pourvue de nombreuses photos privilégiant la recherche esthétique et d'un texte descriptif très dense. Ces ouvrages sont progressivement traduits en français dans la :

Bibliothèque du voyageur (Gallimard, Paris)

où ils paraissent sous le titre de « **Le grand guide de...** (nom du pays) ».

Mentionnons enfin, pour certains sites particuliers, quelques ouvrages récents consultés par l'auteur du présent livre :

Banks, M. (1975) *Greenland.* David & Charles, Newton Abbot.

Barrington, N. et Stanton, W.I. (1977) *Mendip the Complete Caves and a View of the Hills.* Cheddar Valley Press, Somerset.

Cooper, D. (1970) *Skye.* Routledge and Kegan Paul, Londres ; (1983) Methuen, Inc., New York.

Douglas, N. (1986) *Fountains in the Sand.* University Press, Oxford.

Drew, D. (1985) *Karst Processes and Landforms.* Macmillan Educational, Londres.

Duffey, E. (1982) *National Parks and Reserves of Europe.* Macdonald, Londres.

Durrell, L. (1986) *State of the Ark.* The Bodley Head Ltd, Londres ; (1986) Doubleday & Company Inc., New York.

Frater, A. (Ed.) (1984) *Great Rivers of the World.* Hodder & Stoughton, Londres ; (1984) Little, Boston.

Fridrikson, S. (1975) *Surtsey. Butterworth & Co., Londres. International Union for Conservation of Nature and Natural Resources (1982). The World's Greatest Natural Areas.* IUCN, Suisse.

Mitsikosta, T. (1984) *Météora.* The Holy Convent of St Stephen, Météora, Grèce.

Moorehead, A. (1960) *The White Nile.* Hamish Hamilson, Londres ; (1983) Random, New York.

Sterling, T. (1973) *The Amazon.* Time Life International (Pays-Bas) B.V.

Sugden, D. (1982) *Arctic and Antarctic.* Basil Blackwell, Oxford ; (1982) B & N Imports, New York.

INDEX

Les chiffres en gras renvoient aux chapitres, ceux en italique, aux légendes des illustrations.

REMERCIEMENTS

L'éditeur tient à remercier les personnes suivantes de leur précieuse collaboration à la réalisation de cet ouvrage :

Donald Binney
Simon Blacker
Hendrina Ellis

Ken Grange, Nouvelle-Zélande,
Oceanographic Institute
International Union
for Conservation of Nature
and Natural Resources,
Cambridge, Royaume-Uni
Shelley Turner

Jazz Wilson
Cartes de Oxford
Cartographes, Oxford,
Royaume-Uni
Illustrations de Vana
Haggerty, sauf illustrations
de la p. 94 et p. 135 de Tony
Graham.

CRÉDITS PHOTOGRAPHIQUES

g = gauche ; d = droite ; h = haut ; c = centre ; b = bas.

8/9 The Image Bank ; 10/11 M. Huet/Hoa-Qui ; 12/13 Zefa Picture Library ; 14g Antikvarisk Topografiska Arkivet/Robert Harding Picture Library ; 14d British Museum/Robert Harding Picture Library ; 15 Johan Berge/Norwegian National Tourist Office ; 16/17 Rosine Mazin/Agence Top ; 18/19 Roger-Viollet ; 20/21 Le Reverend/Explorer ; 22 Hutchison Library ; 23c et b Collection Devaux/Explorer ; 23h John Cleare/Mountain Camera ; 24/25 Ch. Errath/Explorer ; 26/27 Peter Carmichael/Aspect Picture Library ; 28/29 Tore Hagman/Naturfotografema ; 30/31 Tore Hagman/Naturfotografema ; 31 Leif Öster/AB Göta Kanalbolag ; 32/33 W. Rozbros/Explorer ; 34b Leonberg Storto/Berchtesgadener Land ; 34h Ernst Baumann/Berchtesgadener Land ; 35 GDT-Silvestris/NHPA ; 36/37 Archivio Consorzio Frasassi ; 38/39 Ezio Quiresi ; 40/41 Krafft/Explorer ; 42/43 Robert Harding Picture Library ; 43b Krafft/Explorer ; 43h John G. Ross/Susan Griggs Agency ; 44/45 Carol Jopp/Robert Harding Picture Library ; 46/47 Anthony Bannister/NHPA ; 48/49 Shostal Associates ; 50/51 Ian Redmond/Planet Earth Pictures ; 51 Tony Morrizon ; 52/53 J. Ph. Charbonnier/Agence Top ; 54 David Beatty/Susan Griggs Agency ; 55b Rob Cousins/Susan Griggs Agency ; 55h Antoinette Jaunet/Aspect Picture Library ; 56/57 K. Benser/Zefa Picture Library ; 58 J. Allan Cash ; 58/59 Travel Photo International ; 60/61 Richard Packwood/Oxford Scientific Films ; 62 Richard Packwood/Oxford Scientific Films ; 62/63 John Cleare/Mountain Camera ; 63 Mary Evans Picture Library ; 64/65 Tor Eigeland/Susan Griggs Agency ; 66/67 C. Skrein/M. Epp/Zefa Picture Library ; 67b J. Allan Cash ; 67h The Mansell Collection ; 68/69 E. Streichan/Shostal Associates ; 70b Hutchison Library ; 70h Spectrum Colour Library ; 71 Spectrum Colour Library ; 72/74 Peter Carmichael/Aspect Picture Library ; 75b Peter Carmichael/Aspect Picture Library ; 75h J. Allan Cash ; 76/77 Michael Freeman ; 78/79 R. I. M. Campbell/Bruce Coleman ; 79 Brian Seed/Aspect Picture Library ; 80/81 Olivier Langrand/Bruce Coleman ; 82 Christian Zuber/Bruce Coleman ; 83 Agence Nature/NHPA ; 84/85 Dr M. Beisert/Zefa Picture Library ; 86c et b Roland & Sabrina Michaud/The John Hillelson Agency ; 86h John Hatt/Hutchison Library ; 87b Roland & Sabrina Michaud/The John Hillelson Agency ; 87h Sassoon/Robert Harding Picture Library ; 88/89 Raghubir Singh/The John Hillelson Agency ; 90 Victoria & Albert Museum/The Bridgeman Art Library ; 90/91 Raghubir Singh/The John Hillelson Agency ; 91 Raghubir Singh/The John Hillelson Agency ; 92/93 David Paterson ; 94 Popperfoto ; 95 David Paterson ; 96/97 Tony Allen/Oxford Scientific Films ; 98/99 Masahiro Iijima/Ardea ; 100/101 Dieter & Mary Plage/Bruce Coleman ; 102b Mary Evans Picture Library ; 102h The Mansell Collection ; 103 Dieter & Mary Plage/Survival Anglia ; 104/105 Hiroji Kubota/Magnum/The John Hillelson Agency ; 106/107 Peter Carmichael/Aspect Picture Library ; 107 Butt Chak-Yu/The Stock House ; 108/109 J. Bunbury Richardson/Daily Telegraph Colour Library ; 110/111 Robin Morrison/Departures ; 111b John Topham Picture Library ; 111h J. Allan Cash ; 112/113 Robert A. Isaacs/Photo Researchers Inc. ; 114/115 Tony Stone Associates ; 114 Popperfoto ; 116/117 Valerie Taylor/Ardea ; 118 Topham Picture Library ; 118/119 M. Timothy O'Keefe/Bruce Coleman ; 120/121 Roger Mear/John Noble ; 122/123 Kim Naylor/Aspect Picture Library ; 123 Popperfoto ; 124/125 Shostal Associates ; 127 Robert Harding Picture Library ; 128/129 Otto Rogge/NHPA ; 130 Ian Griffiths/Robert Harding Picture Library ; 131b J. Fennell/Bruce Coleman ; 131h Ian Griffiths/Robert Harding Picture Library ; 132/133 Nicholas Devore/Bruce Coleman ; 134 Paul van Riel/Robert Harding Picture Library ; 135 Aspect Picture Library ; 136/137 Georg Gerster/The John Hillelson Agency ; 138 Kevin Schafer/Tom Stack & Associates ; 139b Popperfoto ; 139h Georg Gersteer/The John Hillelson Agency ; 140/141 Shostal Associates ; 142b J. Allan Cash ; 143 J. Allan Cash ; 142h Guido Alberto Rossi/The Image Bank ; 144/145 François Gohier/Ardea ; 146/147 François Gohier/Ardea ; 147b Popperfoto ; 147h L. L. T. Rhodes/Daily Telegraph Colour Library ; 148/149 Shostal Associates ; 150/151 Neyla Freeman/Bruce Coleman ; 151 Jeff Foott/Bruce Coleman ; 152/153 Karl Kummels/Shostal Associates ; 154 Neyla Freeman/Bruce Coleman ; 154/155 Shostal Associates ; 155 Walter Rawlings/Robert Harding Picture Library ; 156/157 Hiram L. Parent/Photo Researchers Inc. ; 158/159 Michael Freeman ; 159 E. Hummel/Zefa Picture Library ; 160/161 François Gohier/Ardea ; 162/163 J. A. L. Cooke/Oxford Scientific Films ; 163 Bob McKeever/Tom Stack & Associates ; 164/165 M. P. L. Fogden/Oxford Scientific Films ; 166 John Shaw/Bruce Coleman ; 166/167 John Mason/Ardea ; 167 François Gohier/Ardea ; 168/169 Lucian Niemeyer ; 170 John Shaw/NHPA ; 170/171 Leonard Lee Rue III/Bruce Coleman ; 172/173 Shostal Associates ; 174 Michael Klinec/Bruce Coleman ; 174/175 J. Allan Cash ; 176/177 Tony Morrison ; 178b Shostal Associates ; 178h Hutchison Library ; 179 Georg Gerster/The John Hillelson Agency ; 180/181 Jack Jackson/Robert Harding Picture Library ; 182/183 J. Allan Cash ; 183 Iain Roy/David Paterson Library ; 184/185 Victor Englebert/Susan Griggs Agency ; 186/187 Tony Morrison ; 188/189 Rosenfeld/Zefa Picture Library ; 190b GDT-Silvestris/NHPA ; 190h Francisco Erize/Bruce Coleman ; 191 Francisco Erize/Bruce Coleman ; 192/193 P. Vauthey/Sygma/The John Hillelson Agency ; 194/195b Brian Hawkes/NHPA ; 194/195h P. Vauthey/Sygma/The John Hillelson Agency ; 195 P. Vauthey/Sygma/The John Hillelson Agency ; 196/197 Martyn F. Chillmaid/Oxford Scientific Films ; 198/199b Horst Munzig/Susan Griggs Agency ; 198/199h Ian Yeomans/Susan Griggs Agency ; 199 Visionbank ; 200/201 Adrian Warren/Ardea ; 202 Juan A. Fernandez/Bruce Coleman ; 203b David Fox/Oxford Scientific Films ; 203h Tor Eigeland/Susan Griggs Agency ; 204/205 David Paterson ; 206 John Cleare/Mountain Camera ; 207b Derek Bayes/Aspect Picture Library ; 207h The Edinburgh Photographic Library ; 208/209 Owen Drayton/Bruce Coleman ; 210 J. Allan Cash ; 210/211 The Edinburgh Photographic Library ; 211 Heatheer Angel ; 212/213 Heather Angel ; 214b Visionbank ; 214h The Mansell Collection ; 215 Nick Barrington/Barton Photography.

Achevé d'imprimer
le 20.10.1988
sur les presses de
Printer Industria Gráfica   Barcelona
pour France Loisirs
Dépôt Légal, 1.er trimestre 1989
D.L.B.: 37871-1988
Imprimé en Espagne